FLORIAN SCHWIECKER
MICHAEL TSOKOS

DER 13. MANN

Justiz-Krimi

Besuchen Sie uns im Internet:
www.knaur.de

Aus Verantwortung für die Umwelt hat sich die Verlagsgruppe
Droemer Knaur zu einer nachhaltigen Buchproduktion verpflichtet.
Der bewusste Umgang mit unseren Ressourcen, der Schutz unseres
Klimas und der Natur gehören zu unseren obersten Unternehmenszielen.
Gemeinsam mit unseren Partnern und Lieferanten setzen wir uns
für eine klimaneutrale Buchproduktion ein, die den Erwerb von
Klimazertifikaten zur Kompensation des CO_2-Ausstoßes einschließt.
Weitere Informationen finden Sie unter: www.klimaneutralerverlag.de

Originalausgabe März 2022
Knaur Taschenbuch
© 2022 Knaur Verlag
Ein Imprint der Verlagsgruppe
Droemer Knaur GmbH & Co. KG, München
Alle Rechte vorbehalten. Das Werk darf – auch teilweise –
nur mit Genehmigung des Verlags wiedergegeben werden.
Ein Projekt der AVA International GmbH Autoren- und Verlagsagentur
www.ava-international.de
Redaktion: Antje Steinhäuser
Covergestaltung: ZERO Werbeagentur, München
Coverabbildung: Collage unter Verwendung von
Motiven von Shutterstock.com
Satz: Sandra Hacke
Druck und Bindung: GGP Media GmbH, Pößneck
ISBN 978-3-426-52844-0

2 4 5 3 1

I. KAPITEL

Berlin-Kreuzberg, *Zur Dicken Oma*,
Schlesische Straße 16:
Sonntag, 23. August, 21.45 Uhr

Jörg Grünwald stützte sich so ungeschickt auf dem wackeligen Holztisch ab, dass dieser beinahe umgekippt wäre. Solange er gesessen hatte, hatte er die Wirkung des Alkohols kaum gespürt. Doch beim Aufstehen machte sich jedes einzelne der fünf Biere deutlich bemerkbar. Dass er weder das Gleichgewicht verloren noch den Tisch umgerissen hatte, grenzte an ein Wunder.

Trotzdem machte er dermaßen viel Krach, dass er die Aufmerksamkeit einiger Gäste auf sich zog, die an den übrigen vier Tischen auf dem Gehsteig vor dem Eingang der *Dicken Oma* saßen. Der Außenbereich der typischen Berliner Kiezkneipe war wie an jedem Abend in diesem langen und heißen Sommer bis auf den letzten Platz gefüllt. Neben Anwohnern kamen auch immer mehr Touristen in das ehemals berüchtigte Kreuzberg, das sich längst vom Arbeiterbezirk zu einer Oase für das linksalternative Berlin gewandelt hatte. Während die Vertreter der Toskana-Fraktion tagsüber als Lehrer oder Architekten ihre Brötchen verdienten, schwadronierten sie abends und bis spät in die Nacht voller Leidenschaft darüber, wie sie eines Tages die Welt verbessern würden.

Mit alldem hatte Jörg Grünwald wenig gemein. Er mochte die *Dicke Oma* wegen des preiswerten Biers und der Nähe zu seiner Wohnung. Von hier waren es keine fünf Minuten bis zu ihm nach Hause. Wobei er noch lange nicht daran dachte, den Abend zu beenden. Als er wieder sicher zum Stehen gekommen war und realisierte, dass er die Aufmerksamkeit der anderen Gäste auf sich gezogen hatte, hob er entschuldigend die Hände.

»Sorry«, lallte er mit einem breiten Grinsen in die Runde. »Das letzte Bier war wohl doch schlecht.« Dann blickte er herausfordernd zu seinem Tischnachbarn herab. »Nehm' wir noch eins? Ich muss nur mal kurz schiffen gehen.«

Sein Gegenüber zog die Augenbrauen hoch, vermittelte aber nicht den Eindruck, als hielte er Grünwalds Plan für eine gute Idee.

»Ach komm schon, eins noch«, bettelte Grünwald daraufhin und setzte einen Hundeblick auf. »Ein klitzekleines Letztes. Einen Scheidebecher. Mehr nicht.«

Der andere Mann schien kurz nachzudenken. Dann nickte er, und Grünwald ballte in einer übertriebenen Geste, so als hätte er gerade das Wimbledon-Finale gewonnen, seine Faust.

»Bin gleich wieder da«, verkündete er gut gelaunt und war im nächsten Moment im Inneren der Kneipe verschwunden.

Als er einige Minuten später wieder zurückkam, blickte er mit großer Freude auf die beiden frisch gezapften Biere herab, die auf dem Tisch standen.

»Super«, rief er und setzte sich extra vorsichtig wieder an den Tisch, um die beiden Veltins auf keinen Fall in Gefahr zu bringen.

»Na dann«, erwiderte sein Gegenüber und hob das Glas.

»Prost«, antwortete Grünwald, griff ebenfalls nach seinem Bier und trank es durstig und in großen Schlucken hinunter. Mit einem genießerischen Ausdruck stellte er das Glas vor sich auf den Tisch und wischte sich den Mund mit seinem Handrücken ab.

»Ach«, seufzte er, »das tat jetzt gut.« Zufrieden ließ er sich in seinen Stuhl zurückfallen und schloss für einen Moment die Augen. Dann griff er mit der linken Hand an die Brusttasche seiner Jeansjacke, die hinter ihm über der Lehne des Klappstuhls hing. Eine Zigarette wäre jetzt genau das Richtige. Als er das Päckchen aus seiner Tasche ziehen wollte, blieb er jedoch mit dem Ärmel an seinem Pin hängen. Er musste lächeln. Der kleine vergoldete Anstecker in Form des US-Bundesstaates Texas war sein Glücksbringer. Vor vielen Jahren hatte er ihn als Kind an einem Kiosk am Bahnhof Zoo geklaut. Er schüttelte kurz seine Hand, sodass sein Ärmel wieder frei war, fischte sich eine Kippe aus der Schachtel und zündete sie an. Er inhalierte tief, und für einen kurzen Moment vergaß er all den Ärger und die Sorgen, die ihn noch am Nachmittag geplagt hatten. Für diesen kurzen Moment war die Welt für ihn in Ordnung. Der perfekte Abend. Was Jörg Grünwald nicht wusste, war, dass es sein letzter sein würde.

2. KAPITEL

Zwei Wochen später

Berlin-Tiergarten:
Montag, 7. September, 9.45 Uhr

»Was meinst du damit, dass du mir nichts mehr sagen kannst?«, rief Rocco Eberhardt wütend und kickte einen Stein in hohem Bogen von dem breiten Schotterweg direkt in den Landwehrkanal, der sich neben ihnen durch die Berliner Innenstadt schlängelte. Seit etwa zehn Minuten lief er schon mit Sven Beister durch den Tiergarten.

Beister, Ermittler beim LKA, dem Berliner Landeskriminalamt, sah betreten zu Boden. Schweiß stand ihm auf der von der Sonne rot verbrannten Stirn, und unter den Achseln seines etwas zu engen T-Shirts bildeten sich dunkle Flecken.

Rocco, einer von Berlins bekanntesten Strafverteidigern, überragte den Polizisten um Haupteslänge. Er hatte den Eindruck, dass sich der Beamte zunehmend unwohl in seiner Haut fühlte. Aber das war ihm vollkommen egal. Ihm selbst kam es so vor, als würde Beister ihn auf den Arm nehmen wollen. Rocco wusste nicht genau, was er davon halten sollte. Ihr Treffen an diesem Morgen verlief gänzlich anders, als er sich das vorgestellt hatte.

Der LKA-Ermittler hatte ihn keine drei Tage zuvor unvermittelt angerufen und berichtet, dass Roccos Vater, Helmut Eberhardt, in ein Ermittlungsverfahren verwickelt sei, das in den nächsten Monaten die Berliner Politik und Wirtschaftsszene erschüttern würde. Auch Oberstaatsanwalt Doktor Bäumler, mit dem Rocco schon öfter vor Gericht die Klingen gekreuzt hatte, sollte etwas damit zu tun haben. Mehr hatte Beister am Telefon nicht preisgeben wollen, weshalb Rocco ihn um das heutige Treffen gebeten hatte. Und jetzt rückte Beister nicht mit der Sprache raus.

»Echt, Rocco, ich habe dir schon viel zu viel gesagt. Und egal, was ich dir jetzt noch sage, wirst du eh deine Nachforschungen anstellen«, druckste Beister herum. »Wenn ich dir noch mehr Infos gebe, wird das früher oder später jemand mitkriegen. Und wenn das passiert, dann werde ich auffliegen. Und darauf habe ich keinen Bock. Das kann ich mir nicht leisten.«

Rocco realisierte langsam, dass er hier nicht weiterkam. Der LKA-Beamte hatte offensichtlich seit letzter Woche seine Meinung geändert. Irgendetwas musste ihn dazu veranlasst haben. Und was immer das auch war, er schien es sich in den Kopf gesetzt zu haben, dazu nichts mehr zu sagen. Zumindest jetzt nicht.

»Okay«, sagte Rocco verärgert und beschloss, das Gespräch zu beenden. Er hatte weder Lust noch Zeit, die ohnehin unangenehme Situation weiter künstlich in die Länge zu ziehen. »Wenn du es dir anders überlegst, weißt du ja, wo du mich erreichst. Ich muss zurück in die Kanzlei.«

Beister nickte.

Rocco machte auf dem Absatz kehrt und lief zurück in Richtung Hotel Interconti, wo er sein Auto geparkt hatte. Unterwegs griff er zu seinem iPhone und rief Tobias Baumann, seinen besten Freund, an. Die beiden kannten sich seit Jahren. Tobi, der sich nach einigen Jahren bei der Polizei als Privatdetektiv selbstständig gemacht hatte, war immer wieder als Ermittler für Rocco in komplexen Strafmandaten tätig.

Tobi nahm das Gespräch nach dem zweiten Klingeln an.

»Hey Rocco, schön, dich zu hören. Was gibt's?«

»Ich muss mit dir reden«, erwiderte Rocco und kam gleich zum Punkt. »Es gibt da eine Sache, bei der du mir helfen musst.«

3. KAPITEL

Berlin-Kreuzberg, Askanischer Platz 3,
Verlagsgebäude der Tagespost:
Montag, 7. September, 18.57 Uhr

Der Blick auf die Uhr zeigte Anja Liebig, dass Timo Krampe in den nächsten Minuten anrufen sollte. Sie zog einige Blätter Papier aus dem Drucker und kritzelte ein paar Kreise mit ihrem Fineliner in die obere rechte Ecke. Sie konnte es nicht leiden, wenn sie sich Notizen machen wollte und der Stift nicht schrieb.

Liebig wirkte deutlich jünger, als sie war. Ihre dreiunddreißig Jahre sah man ihr nicht an. Das liegt in der Familie, hatte ihre Mutter immer wieder betont, der es schmeichelte, dass man auch ihr das Alter offenbar nicht ansah. Liebig wusste diesen Umstand geschickt für ihren Vorteil zu nutzen, denn wer sie nicht kannte, neigte dazu, die erfolgreiche Journalistin zu unterschätzen.

Doch der Eindruck täuschte. Als Lokalredakteurin berichtete sie seit fünf Jahren über die Geschehnisse in der Hauptstadt. Mit Herzblut und Engagement widmete sie sich insbesondere den unbequemen Themen. Dabei konnte sie sich zu einhundert Prozent auf die Unterstützung ihres Chefredakteurs, Torsten Seewald, verlassen. Er ließ ihr nicht nur die Freiheit, sondern gab ihr auch die Zeit, ihre Storys mit der nötigen Sorgfalt zu recherchieren und vollständig aufzuklären. Ganz getreu dem Motto, das Seewald so gerne zitierte und das an prominenter Stelle auf der Titelseite jeder Ausgabe der *Tagespost* prangte: »Rerum Cognoscere Causas«. Oder: »Den Dingen auf den Grund gehen«, wie die deutsche Übersetzung des Vergil-Zitats lautete. Und diesem Motto hatte auch Liebig sich verschrieben.

Timo Krampe war einer der beiden Männer, um die sich ihre aktuelle Story drehte. Für den nächsten Tag hatten sie ein Interview geplant und vereinbart, heute noch einmal den genauen Ablauf und die geplanten Fragen zu besprechen.

Es war exakt neunzehn Uhr, als ihr Telefon klingelte. Mit der linken Hand drehte sie ihre dunklen, langen Haare zu einem Dutt und steckte sie mit einem Bleistift fest, sodass sie ihr nicht in die Stirn fielen, ehe sie das Gespräch annahm.

»Hallo, Herr Krampe«, sagte sie und schnippte mit der rechten Hand die Schutzkappe ihres Stiftes ab. »Schön, dass Sie anrufen. Alles okay bei Ihnen?«

»Na ja, geht so«, antwortete Krampe, und Anja Liebig meinte eine gewisse Anspannung in seiner Stimme zu hören. Das überraschte sie. Zwar war Krampe bei ihrem ersten Treffen noch sehr unsicher gewesen, was einfach seinem Charakter zu entsprechen schien. Doch nachdem sie sich einige Male getroffen hatten, fasste er nach und nach Vertrauen und zeigte sich jedes Mal ein kleines bisschen weniger aufgeregt in ihrer Gegenwart.

»Wieso, was gibt's denn?«, fragte sie deshalb nach.

»Also«, fuhr Krampe fort. »Jörg meldet sich nicht mehr!«

»Was meinen Sie, er meldet sich nicht mehr?«

»Ich kann ihn nicht erreichen. Wir wollten uns heute eigentlich treffen, um Sie dann zusammen anzurufen, aber er ist nicht gekommen.«

»Wieso ist er nicht gekommen? Und wo wollten Sie sich treffen?«, fragte Liebig nach und ärgerte sich im selben Moment, dass sie zwei Fragen auf einmal gestellt hatte. Sie wollte Krampe nicht noch nervöser machen. »Ich meine … wieso ist er nicht gekommen?«

»Das weiß ich nicht. Er wollte für zwei Wochen wegfahren, in den Urlaub. An die Ostsee, glaube ich. Er müsste aber längst wieder da sein.«

»Verstehe«, stellte sie fest und malte kleine Kringel auf das Blatt Papier vor ihr. Ohne Jörg Grünwald würde es mit dem Interview nichts werden, sie brauchte beide Sichtweisen. Das würde die Glaubhaftigkeit ihrer Story erhöhen und das Ganze zudem lebendiger und interessanter machen. Dafür hatte ihr Chef ihr eine ganze Seite in der Sonntagsausgabe versprochen. Und auf die wollte sie auf keinen Fall verzichten. Außerdem lag ihr die Story am Herzen. Die Geschichte der beiden Männer musste an die Öffentlichkeit.

»Wollte er denn heute erst zurückkehren?«, fragte sie. Ihr war nicht ganz klar, ob Krampe einfach überbesorgt war oder ob wirklich etwas dahintersteckte.

»Nein, gestern schon, aber heute wollten wir uns treffen«, erwiderte Krampe. »Um noch mal alles wegen des Interviews zu besprechen. Und um Sie dann halt anzurufen.«

Grünwald hatte also zwei Verabredungen platzen lassen, dachte Liebig. *Ausgerechnet jetzt. Warum wohl? Hatte Grünwald sich womöglich alles anders überlegt?*

Sie musste sich hier eindeutig etwas mehr Klarheit verschaffen. »Ist das ungewöhnlich für ihn?«, hakte sie deshalb weiter nach. »Ich meine, ist Ihr Freund öfter einfach mal für ein paar Tage weg und meldet sich nicht?«

»Ich weiß nicht. Also nein ... eigentlich nicht.«

»Verstehe. Und sagen Sie, wäre es Ihnen vielleicht möglich, bei ihm vorbeizuschauen? In seiner Wohnung, meine ich. Vielleicht gibt es ja eine ganz einfache Erklärung und er hat den Termin nur vergessen.«

»Klar, könnte ich schon machen«, erwiderte Krampe angespannt.

»Und wenn Sie ihn nicht treffen, wenn er nicht da ist, kennen Sie vielleicht Bekannte von ihm, die Sie fragen könnten? Vielleicht ist er einfach nur unterwegs?«, versuchte Anja Liebig weiter, Licht ins Dunkel zu bringen. Grünwald war Krampes Freund, da musste es doch Möglichkeiten geben, mehr herauszubekommen.

»Und was machen wir, wenn ich ihn nicht antreffe?«, entgegnete Krampe.

Tja, gute Frage, dachte Anja Liebig und war unschlüssig, wie sie die Unsicherheit in Krampes Stimme deuten sollte. War das Sorge? Oder Angst? Erstaunlich wäre das nicht. Immerhin war das Thema ihrer Story sehr brisant. War davon etwas nach außen gedrungen? Konnte Grünwald etwas zugestoßen sein? Sie hielt inne. Nein, das war unwahrscheinlich. Das wäre wirklich zu absurd. Grünwald war weg, aber das konnte eine Million Gründe haben. Vielleicht war ihm schlicht etwas dazwischengekommen. Also erst mal von einem Versehen und nichts Schlimmem ausgehen. In Aufregung zu verfallen würde niemandem helfen.

»Hören Sie«, sagte sie deshalb mit betont zuversichtlicher Stimme, um Krampe erst einmal zu beruhigen. »Ihrem Freund ist bestimmt nichts zugestoßen. Möglicherweise kommt er einfach zwei Tage später, weil es ihm so gut gefällt, wo er gerade ist. Und bestimmt gibt es eine ganz einfache Erklärung, warum er gerade nicht zu erreichen ist. Deshalb werden wir jetzt Folgendes tun. Sie schauen mal bei ihm vorbei und probieren heute und morgen, ihn zu erreichen. Aber machen Sie sich nicht verrückt. Wenn Sie ihn bis morgen früh nicht kriegen und er sich nicht meldet, dann rufen Sie mich erneut an, und wir besprechen das.«

Liebig hielt kurz inne, um sicherzugehen, dass Krampe auch alles verstanden hatte. Als er nach fünf Sekunden nichts gesagt hatte, fügte sie hinzu: »Was halten Sie davon? Wollen wir das so machen?«

Sie hörte Krampes schweres Atmen, ehe er antwortete. »Ja, okay. Ich denke schon.«

»Na, sehen Sie, dann sind wir uns ja einig.« Nachdem sie aufgelegt hatte, beschloss sie, die Sache für den Moment auf sich beruhen zu belassen. Für heute hatte sie alles getan, und morgen wüssten sie hoffentlich mehr.

4. KAPITEL

Berlin-Charlottenburg, Fasanenstraße 72,
Kanzlei Eberhardt:
Dienstag, 8. September, 14.17 Uhr

»Mein Name ist Liebig, Anja Liebig. Ich bin Redakteurin bei der *Tagespost*. Und das hier ist Timo Krampe. Wir müssen dringend mit Rechtsanwalt Eberhardt sprechen.«

Klara Schubert, Rocco Eberhardts Bürochefin, musterte das ungleiche Paar, das vor ihr im Empfangsbereich der Kanzlei stand, und konnte sich nicht wirklich einen Reim auf die beiden machen. Sie passten so gar nicht zusammen. Auf der einen Seite die junge, sehr selbstbewusste und energisch wirkende Frau, die sich Schubert ihrem Aussehen nach eher in dem Audimax einer Uni als dem traditionsreichen Redaktionsgebäude der *Tagespost* vorstellen konnte, und auf der anderen Seite der unscheinbare Mann, der ihr irgendwie deplatziert vorkam. Aber vermutlich würde er überall fehl am Platz wirken. Mit hängenden Schultern und Kleidungsstücken, die etwas zu groß waren, stand er da und nestelte nervös herum. Er wirkte verkleidet. Sein Outfit passte nicht zu ihm. Aber das war es nicht, was Klara Schubert an ihm auffiel. Es war der Ausdruck seiner Augen, der ungewöhnlich war. Eine Mischung aus Hilflosigkeit, Unsicherheit und Angst. Wer auch immer dieser Krampe war, dachte sie, er muss etwas erlebt oder gesehen haben, was ihn stark geprägt hat.

Doch Schubert war Profi genug, sich ihre Einschätzung nicht anmerken zu lassen. Stattdessen antwortete sie freundlich und bestimmt: »Guten Tag, Frau Liebig, hallo, Herr Krampe. Worum geht es denn?«

»Wir brauchen dringend Hilfe«, erwiderte die junge Journalistin in einem Ton, der eher wie ein Befehl und nicht wie eine Bitte klang.

Schubert, die zwar großes Verständnis für Menschen in Notlagen hatte, sich aber ganz sicher nicht von den Mandanten herumschubsen ließ, zog die Augenbrauen hoch und sah Liebig mit einem Blick direkt in die Augen, der unmissverständlich die Botschaft vermittelte: So nicht, meine Liebe!

Tatsächlich verfehlte der Blick seine Wirkung nicht, und der gerade noch übermäßig selbstbewusste Ausdruck verschwand von Liebigs Gesicht und wich sehr viel milderen, geradezu bittenden Zügen. »Ich glaube, nein, wir glauben«, sagte sie und sah Krampe an, »dass etwas Schlimmes passiert ist.« Sie machte eine Pause und schien sich die passenden Worte für ihren nächsten Satz genau zu überlegen: »Der Freund von Herrn Krampe ist verschwunden.«

Die Bürochefin blickte die beiden zweifelnd an. »Glauben Sie nicht, dass Ihnen da möglicherweise die Polizei besser helfen kann? Oder vielleicht Verwandte oder Bekannte des Freundes von Herrn Krampe?«

»Nein, nein, das glauben wir nicht«, antwortete Liebig. »Es geht hier um mehr als nur den vermissten Freund. Und zur Polizei möchten wir erst einmal nicht gehen.« Sie machte eine Pause, suchte offenbar nach den richtigen Worten. »Sagen wir mal so, Herr Krampe hat in der Vergangenheit schlechte Erfahrungen gemacht. Außerdem geht es nicht nur darum. Was Herr Krampe dringend benötigt, ist rechtliche Unterstützung. Jörg Grünwald, sein vermisster Freund, vermutlich auch.«

»Haben Sie denn die Bekannten und Verwandten von Herrn Grünwald schon kontaktiert und gefragt, ob die etwas wissen?«, hakte Klara Schubert nach, mehr um sich ein Bild der Situation zu machen und zu hören, was noch hinter der Geschichte steckte, als dass sie wirklich an eine aufschlussreiche Antwort glaubte.

»Verwandte hat er keine, zumindest keine, die wir kennen. Herr Krampe ist auch sein einziger Freund.«

Klara Schubert machte sich eine kurze Notiz. »Wie sind Sie auf unsere Kanzlei gekommen?«

»Durch den Fall Nölting. Ein Kollege von mir, Tommi Lobrecht, hatte über den Fall berichtet. Und um eine ungewöhnliche Geschichte handelt es sich bei Herrn Krampe auch.« Anja Liebig zuckte mit den Schultern. »Tommi ist unser Gerichtsreporter, und ich habe ihn gefragt, ob er eine Idee hat. Er meinte, ich sollte mich als Erstes an einen Anwalt wenden, bevor wir zur Polizei gehen. Nach seiner Einschätzung ist Eberhardt der beste. Nicht mehr und nicht weniger.«

Klara Schubert dachte kurz nach. Die Kanzlei lief gut und war nicht darauf angewiesen, jedes Mandat anzunehmen. Das wäre auch gar nicht möglich gewesen, weil Eberhardt der einzige Anwalt in der Kanzlei war. Nach dem langen und sehr aufwendigen Prozess in der Sache Nölting hatte ihr Chef ohnehin genug damit zu tun, sich um seine aktuellen Fälle zu kümmern, die er in den letzten Wochen ein wenig vernachlässigt hatte. Doch irgendetwas an dem ungleichen Paar hielt sie davon ab, die beiden sofort wieder wegzuschicken. Kurzerhand entschied sie, den beiden eine Chance zu geben. Sollte der Chef sich doch selbst eine Meinung bilden, ob er das Mandat annahm oder nicht.

5. KAPITEL

Berlin-Charlottenburg, Fasanenstraße 72,
Kanzlei Eberhardt:
Dienstag, 8. September, 14.33 Uhr

Fasziniert blickte Rocco auf den Mann und die junge Frau, die auf der gegenüberliegenden Seite seines langen Besprechungstisches saßen.

Was für ein ungewöhnliches Paar, dachte er und verspürte eine spontane Neugier, herauszufinden, was die beiden in seine Kanzlei geführt hatte.

»Meine Mitarbeiterin, Frau Schubert, hat mir schon ein bisschen was berichtet. Ich bin mir allerdings nicht sicher, ob ich Ihnen helfen kann. Ich schlage vor, Sie erzählen mir Ihre Geschichte einmal von Anfang an. Und dann sehen wir weiter.« Rocco blickte abwechselnd zwischen Anja Liebig und Timo Krampe hin und her.

Der klammerte sich mit beiden Händen an den Armlehnen des hellen, ledernen Besprechungsstuhls fest. Seine Augen hatte er auf den Boden gerichtet.

Er ist sich nicht sicher, ob er wirklich alles erzählen soll, dachte Rocco. *Er fragt sich, ob es überhaupt eine gute Idee war, hierherzukommen.*

Rocco lächelte Krampe ermutigend zu, blieb dabei aber ebenfalls stumm. Er wusste, dass er Krampes Aussage nicht erzwingen konnte. Ganz im Gegenteil, ein falsches Wort könnte ihn davon abbringen, überhaupt etwas zu sagen.

Krampe schloss seine Augen und verkrampfte seine Hände. Als er sie wieder aufschlug, blieb er allerdings weiter stumm.

Nach einer gefühlten Ewigkeit war es Liebig, die die Stille durchbrach. »Timo Krampe und Jörg Grünwald sollten der *Tages-*

post ein Interview geben«, erklärte sie. »Die beiden sind Opfer und Zeugen eines bislang nicht aufgeklärten Verbrechens. Ein Skandal, der weit nach oben in die Berliner Politik hineinreicht.«

»Sie sind doch aber vor allem hier, weil Jörg Grünwald verschwunden ist, oder?«, fragte Rocco.

»Ja«, erwiderte Liebig. »Aber das ist nicht alles. Der Umstand, dass es überhaupt so weit kommen konnte, mit Herrn Krampe und mit Herrn Grünwald, meine ich, beruht auf einem großen Unrecht.«

Rocco zog die Augenbrauen hoch. »Was meinen Sie damit?«

»Ganz einfach. Die beiden sind Opfer eines Missbrauchsskandals in ihrer Kindheit geworden. Und das Erschreckende daran ist, dass das Ganze, also dieses Verbrechen in der Vergangenheit, kein üblicher Missbrauch war. Keiner der Fälle, die uns allen leider nur allzu geläufig sind. Keine zerstörte Familiengeschichte. Das Ganze war geplant.«

»Geplant?«

»Allerdings. Mitten in Berlin. Mitten unter uns. Von staatlichen Stellen, die eigentlich dazu da sein sollten, Kinder zu beschützen.« Liebig saß jetzt auf der Kante ihres Stuhls. Ihre Augen funkelten vor Wut. »Und das, Herr Eberhardt, ohne dass bis heute auch nur ein Einziger der Verantwortlichen zur Rechenschaft gezogen wurde.«

Rocco war irritiert. Er wusste nicht, worauf die Redakteurin hinauswollte. »Was genau meinen Sie damit?«

Mit gepresster Stimme antworte Anja Liebig: »Haben Sie jemals von dem Granther-Experiment gehört?«

Rocco zuckte mit den Achseln. »Nein, habe ich nicht. Worum geht es dabei?«, fragte er und beobachtete, wie Krampe in seinem Stuhl noch weiter in sich zusammensackte. In den nächsten zehn Minuten, während Rocco Liebigs Ausführungen mit größter Aufmerksamkeit folgte, konnte er nicht fassen, was Berliner Kindern unter staatlicher Obhut bis in die frühen Zweitausender hinein passiert sein sollte. Als Anja Liebig zum Ende gekommen war, nahm Rocco die Personenbeschreibung von Jörg Grünwald auf.

»Ich denke, dass er knapp einen Meter neunzig groß ist«, sagte Krampe mit leiser, fast flüsternder Stimme, sodass Rocco sich alle Mühe geben musste, den verunsicherten Mann zu verstehen. »Mittellange schwarze Haare und eher schlank als zu viel Gewicht. Vielleicht so wie Sie«, fügte er hinzu.

Rocco notierte sich die Details und fragte dann weiter nach, um das Bild des Verschwundenen zu komplettieren. »Können Sie sich erinnern, was Ihr Freund zuletzt getragen hat?«

»Seine dunkle Jacke, schätze ich. Die hat er eigentlich immer getragen. Und dazu Jeans.«

Rocco merkte, wie seine Hoffnung schwand, Grünwald anhand seines Äußeren zu finden. Die Beschreibung, die Krampe abgab, passte auf mehrere Zehntausend Männer allein in der Hauptstadt.

»Hatte er irgendwelche besonderen Merkmale? Ein Tattoo vielleicht oder sonst etwas, woran man ihn erkennen könnte? Oder haben Sie vielleicht ein Foto von Ihrem Freund, das Sie mir zur Verfügung stellen können?«

Krampe schien ernsthaft nachzudenken, schüttelte dann aber den Kopf.

»Okay«, sagte Rocco. »Ich glaube, dann habe ich fürs Erste genug Informationen. Ich werde sehen, was ich für Sie tun kann. Sollten Sie etwas hören, melden Sie sich bitte sofort.« Rocco reichte den beiden eine Visitenkarte über den Tisch. »Am besten rufen Sie an, das geht am schnellsten.«

Liebig nickte und blickte kurz auf die Karte, ehe sie diese in die Tasche ihrer roten Sommerjacke steckte. Kurz darauf war sie mit Krampe aus Roccos Büro verschwunden.

6. KAPITEL

Berlin-Alt-Tegel, Greenwichpromenade, Hafenfest:
Dienstag, 8. September, 15.45 Uhr

Wie jedes Jahr drängten sich auch in diesem September wieder zahlreiche Besucher auf der Greenwichpromenade und feierten bei bestem Spätsommerwetter das traditionelle Tegeler Hafenfest. Während sich der eine Teil der Besucher auf der kulinarischen Meile mit gegrillten Champignons, Knoblauchbrot oder Lachs von der Holzplanke versorgten, standen die anderen entweder vor einer der Bühnen zwischen Sechserbrücke und Kanonenplatz oder genossen einfach die Aussicht auf den idyllisch gelegenen Tegeler See.

Mit einem zufriedenen Lächeln im Gesicht saugte Markus Palme die Atmosphäre ein und ließ den Blick über die Menge schweifen. Keine fünf Minuten mehr, und die Aufmerksamkeit würde ihm gehören. Er liebte den Wahlkampf und er liebte den großen Auftritt vor Publikum. Und so wie es aussah, liebten die Berliner ihn. Voller Genugtuung faltete er die aktuelle Ausgabe der *Bild*-Zeitung zusammen und legte sie auf der kleinen Treppe ab, die zur Bühne führte. Die anstehenden Wahlen waren *das Thema* auf der Titelseite. Und die aktuellen Zahlen sprachen für sich. Auf die Frage »Wen würden Sie wählen, wenn am nächsten Sonntag Abgeordnetenhauswahl wäre?« hatten die Berliner der aktuellen Koalition, bestehend aus SPD, Die Linke und Bündnis 90/Die Grünen, nach einem schwachen Ergebnis in den vergangenen drei Jahren jetzt wieder steigende Werte bescheinigt.

Das lag weniger an der guten Arbeit der Regierung als vielmehr an dem Umstand, dass die CDU sich auf Bundesebene gerade ihr eigenes Grab schaufelte und ihre umstrittene Innenpolitik sich auch auf die Stimmung der Bevölkerung in der Hauptstadt durchschlug. In zwei Monaten standen die Wahlen zum nächsten Berliner Abgeordnetenhaus an, und Palme konnte sich als Spitzenkandidat der SPD zwischenzeitlich realistische Hoffnungen machen, die nächsten fünf Jahre als Regierender Bürgermeister ins Rote Rathaus einzuziehen.

Das lag nicht nur an der schwindenden Sympathie für die Oppositionspolitik. Palme war einfach beliebt. Beinahe einen Meter neunzig groß, mit vollen, silbernen Haaren und stets in maßgeschneiderte Anzüge gekleidet, wäre er ohne Weiteres als reifer Held in einer Hollywood-Produktion durchgegangen. Außerdem war er ein ausgesprochener Familienmensch. Vor zwei Wochen war er zum zweiten Mal Großvater geworden, und auch wenn er sein Privatleben aus der Öffentlichkeit herauszuhalten versuchte, hatten es einige private Schnappschüsse auf die Titelseiten der Berliner Boulevard-Presse geschafft. Als »die Kennedys von Berlin« hatten sie ihn und seine Familie bezeichnet und damit insofern recht, als auch sein Sohn Andreas kürzlich mitgeteilt hatte, seinem Vater nach Abschluss des Studiums in die Politik folgen zu wollen.

Den größten Rückhalt bekam er allerdings für seine politische Arbeit. In den vergangenen fünf Jahren, die er als Senator für Inneres und Sport tätig war, hatte er sich vor allem dem Kampf gegen die Kriminalität verschrieben. Das Ergebnis ließ sich sehen. Die Zahl der erfassten Straftaten war um nahezu zehn Prozent zurückgegangen. Im gleichen Zeitraum war es Palme gelungen, die Aufklärungsrate der Verbrechen zu steigern. Alles in allem also ein einwandfreies Zeugnis seiner Arbeit. Trotz der immer viel zu knappen Haushaltsmittel des Landes war es ihm darüber hinaus gelungen, einen überproportionalen Betrag für die Ausstattung der Berliner Polizei zu erkämpfen, was ihm die Sympathie der Beamten in Uniform eingebracht hatte.

Palmes Staatssekretär, der ihn bei den meisten Auftritten begleitete, klopfte ihm auf die Schulter. Es war an der Zeit, sich den Wählern zu stellen. Keine zwei Minuten später, nach einer kurzen Anmoderation durch einen Mitarbeiter des Veranstalters, stand Palme auf der Hauptbühne und zog die Zuschauer sofort in seinen Bann. Wie auch bei den vorhergehenden Veranstaltungen hingen sie geradezu an seinen Lippen. Palme war ein rhetorisches Naturtalent, und er hatte die Menge im Griff. Er gab ihnen, was sie wollten, und die Berliner belohnten ihn auch heute wieder mit reichlich Applaus. Mit großer Genugtuung ließ Palme seinen Blick weithin schweifen und gab auf diese Weise jedem einzelnen Besucher das Gefühl, er würde ihn anschauen. Ein alter Trick aus der Kiste geübter Redner, der nie seine Wirkung verfehlte. Doch mit einem Mal zuckte Palme zusammen. Das konnte doch nicht sein! Er blickte angespannt und gleichzeitig darum bemüht, sich nichts anmerken zu lassen, in die Mitte der großen Menschentraube, die sich vor der Bühne angesammelt hatte.

Er war sicher, da gerade jemanden gesehen zu haben. Einen Mann, den er nur zu gut kannte. Und der eigentlich gar nicht da sein durfte.

7. KAPITEL

Berlin-Wilmersdorf, Tübinger Straße:
Dienstag, 8. September, 19.27 Uhr

»Ich fasse es nicht!«, rief Tobias Baumann voller Wut im Blick und schrubbte dabei den Grillrost mit so viel Kraft, dass sich der Stahl zu biegen begann. Rocco hatte ihn gebeten, am Abend noch bei ihm vorbeizukommen, und er hatte sich enorm darauf gefreut. Es war schon viel zu lange her, dass er sich privat mit Rocco getroffen hatte, und er hatte sogar ein paar Steaks und eine Flasche Ortiz Gin mitgebracht. Grillen auf Roccos Dachterrasse war immer gut. Sie ragte trotz der zentralen Lage der Wohnung mitten in Berlin-Wilmersdorf etwa eine Etage über den Dächern der benachbarten Häuser in Richtung des Hofs hinaus. Eine kleine Oase, von niemandem einsehbar und völlig ruhig.

»Granther heißt der Kerl?«, schnaufte Baumann, schmiss die Stahlbürste auf den Boden und wischte sich den Schweiß von der Stirn. Die Hitze hatte die Hauptstadt fest im Griff, und trotz der frühen Abendstunde war es in der untergehenden Sonne noch knapp dreißig Grad heiß. Die warme Luft stand über den Dächern Berlins wie unter einer Glocke.

»Hieß er«, erwiderte Rocco und mixte seinem Freund einen Gin Tonic. Mit dem Schnaps ging er dabei ausgesprochen großzügig um. »Ist 2008 gestorben.« Trocken fügte er hinzu: »Kein großer Verlust für die Menschheit, wenn du mich fragst.« Wie fast immer, wenn er nicht arbeitete, trug Rocco beigefarbene Chinos und ein dunkelblaues T-Shirt. Die Hitze schien ihm nicht das Geringste auszumachen. Braun gebrannt, mit schwarzem vollen Haar und einem dichten Fünftagebart kam er mehr nach seiner italienischen Mutter als nach seinem deutschen Vater. Dabei bildete er rein optisch den kompletten Kontrast zu seinem besten Freund. Baumann trug seine blonden Haare militärisch kurz geschnitten und war im Gesicht glatt rasiert. Seine helle Haut verbrannte im Sommer leicht und war auch jetzt mehr rot als braun.

»Was um alles in der Welt hat der Typ sich dabei gedacht?«, fuhr Baumann fort und nahm Rocco den Longdrink aus der Hand.

»Nichts Gutes, so viel steht fest«, meinte Rocco und goss sich ebenfalls einen Drink ein. »Granther hatte sich dafür eingesetzt, dass auffällig gewordene Kinder und Jugendliche auf Vermittlung der Jugendämter in die Obhut von pädophilen Männern gegeben wurden. Er hat das damit begründet, dass das immer noch besser wäre als das Leben in ihren Familien, in denen sie geschlagen wurden. Oder auf der Straße, wo sie Drogen nahmen oder im schlimmsten Fall der Prostitution ausgesetzt waren. Erschreckenderweise hat er von Anfang an in Kauf genommen, dass die Kinder missbraucht würden.«

»Das ist doch vollkommen pervers! Vom Regen in die Traufe. Auf die absurdeste Art und Weise. Der Missbrauch war vorprogrammiert!« Baumann konnte nicht fassen, was Rocco ihm in der letzten halben Stunde über den Besuch von Krampe und Liebig in seiner Kanzlei erzählt hatte.

Rocco nahm einen großen Schluck und sah seinen Freund dann mit ernstem Gesichtsausdruck an. »Du hast vollkommen recht, Tobi. Ein Mensch, der unzählige Leben zerstört hat. Und nur weil er tot ist, heißt das nicht, dass die Sache erledigt ist.« Er stellte das Glas ab und lehnte sich neben Baumann an die etwa einen Meter zwanzig hohe Mauer, die die Terrasse auf zwei Seiten einrahmte.

»Und was machen wir jetzt?«, fragte Baumann.

»Weiß ich auch nicht genau. Komischer Fall. Ich bin mir gar nicht sicher, ob ich überhaupt weitermachen sollte. Ich meine, die Sache mit dem Missbrauch und diesem Granther ist schlimm genug. Aber erst mal geht es hier eigentlich darum, den Freund von Krampe wiederzufinden. Und das ist nun nicht eben meine Kernkompetenz. Eigentlich sollte das eher die Polizei machen.«

»Na, da wissen wir ja wohl beide, was dabei rauskommt. Die Polizei ist derart überlastet, dass sie kaum mit der Aufklärung der Straftaten hinterherkommt, bei denen es konkrete Hinweise auf ein Verbrechen gibt. Und solange nicht einmal klar ist, ob Grünwald wirklich verschwunden, einfach nur ein bisschen länger im Urlaub oder, warum auch immer, abgetaucht ist, werden die gar nichts machen.«

Rocco schien das ähnlich zu sehen. »Wenn ich mich nicht um den Fall kümmere, ist das vermutlich vorerst das Ende des Ganzen. Und ich bin echt nicht sicher, ob ich das machen sollte. Ich bin Strafverteidiger und keine Agentur für Vermisstensuche. Für so was habe ich keine Zeit und auch nicht wirklich den Apparat oder die Kompetenz.«

»Aber das wusstest du auch schon vorher. Warum hast du das Mandat dann überhaupt angenommen?«, fragte Baumann lächelnd, wobei er schon so eine Ahnung hatte, was Rocco antworten würde.

»Weil das Ganze zum Himmel stinkt. Und es nicht sein kann, dass keiner diesem Krampe hilft.«

»Sehe ich auch so,«, erwiderte Baumann, während er die weißen, quadratischen Grillanzünder zwischen den schwarzen Kohlebriketts verteilte. »Und was machen wir jetzt damit?«

Rocco dachte einen Moment nach. »Als Erstes müssen wir mal Grünwald wiederfinden«, sagte er. »Denn der ist seit ein paar Tagen wie vom Erdboden verschluckt.«

»Was, meinst du, hat es damit auf sich?«, fragte Baumann. »Ist der nur mal eben weg, oder gibt es da noch mehr?«

Rocco zuckte mit den Schultern. »Keine Ahnung.« Er wollte einen weiteren Schluck trinken, stellte dann aber fest, dass sein

Glas leer war. Er blickte sich um und griff die Gin-Flasche von dem teakhölzernen Terrassentisch. »Ich bin ja kein Anhänger von Verschwörungstheorien, aber von ›Er taucht morgen wieder auf‹ bis hin zu ›Das hat alles was mit dem beabsichtigten Interview in der *Tagespost* zu tun und jemand will ihn verschwinden lassen‹ ist alles denkbar, oder?«

»Hast recht«, erwiderte Baumann, »kann alles sein. Und Annahmen ohne Grundlage haben in den seltensten Fällen zum Ziel geführt. Was auch immer dahintersteckt, wenn wir erst mal anfangen, ein paar Steine umzudrehen, werden wir unter dem ein oder anderen sicher was finden.«

Rocco lächelte. »Wie jedes Mal, oder?«

Jetzt musste auch Baumann lächeln. »Wie jedes Mal.«

»Gut«, sagte Rocco, »dann lass uns die Arbeit aufteilen. Du suchst Grünwald über deine Quellen, und ich spreche noch mal mit der Journalistin. Vielleicht hat sie noch eine Info, die uns weiterhilft.«

8. KAPITEL

Berlin-Neukölln, Maybachufer
Ecke Liberdastraße:
Mittwoch, 9. September, 12.03 Uhr

Genervt versuchte Enno Friedrich, seinen Euro aus dem Einkaufswagen zu bekommen. Er war eh schon viel zu spät dran, seine Tochter aus dem Kindergarten abzuholen. Und jetzt auch noch das. Die Münze hatte sich irgendwie verklemmt. Mit der Faust schlug er ungeduldig auf den Griff. Plötzlich öffnete sich die Vorrichtung, und mit viel Schwung sprang das Geldstück aus der Fassung, fiel auf den Boden und rollte beinahe bis auf den Gehsteig, ehe Friedrich sie zu fassen bekam. Er kniete sich hin, griff nach der Münze und zuckte mit einem Mal zusammen. Was war denn das? Über die Straße hinweg sah er, wie etwas Merkwürdiges im Landwehrkanal trieb. War das … ein menschlicher Körper? Die Entfernung vom Parkplatz war zu groß, als dass er es mit Sicherheit hätte sagen können.

Er ließ seine beiden Einkaufstaschen stehen und eilte ans Ufer. Tatsächlich. Da trieb jemand im Wasser. Er sah dunkle Haare, wahrscheinlich war das der Hinterkopf. Das Gesicht schien unter der Oberfläche zu sein. Friedrich sah sich um. Es musste doch jemand helfen? Aber außer ihm war hier niemand. Wenn er jetzt die Feuerwehr rief, würde das auch nichts bringen. Die würden viel zu spät kommen. Wenn der da noch lebte, musste jemand sofort etwas unternehmen. »Verdammt«, fluchte er laut. Jetzt würde er es auf keinen Fall mehr rechtzeitig zu Laura schaffen. Aber er hatte keine Wahl.

Eilig zog er seine Turnschuhe aus und blickte skeptisch in die dreckige Brühe. Er hatte keine Ahnung, was sich unter der Oberfläche verbarg. In der Hoffnung, sich nicht zu verletzen, sprang er in das dunkle Wasser des Kanals.

9. KAPITEL

Berlin-Neukölln, Maybachufer,
Ecke Liberdastraße:
Mittwoch, 9. September, 13.27 Uhr

Doktor Justus Jarmer, Facharzt am Berliner Institut für Rechtsmedizin, parkte seinen weißen Smart unmittelbar vor der Absperrung der Polizei. Das gesamte südliche Maybachufer zwischen der Liberdastraße und der Nansenstraße war mit rot-weißem Flatterband großflächig abgesperrt.

Neugierig blickte er sich um, registrierte jedes Detail.

Schaulustige säumten die Szenerie, und hier und da hörte Jarmer Spekulationen, was es mit dem Großaufgebot an Feuerwehr und Polizei auf sich hatte. *Das gilt es in der Tat herauszufinden,* dachte er. Genau aus diesem Grund hatte man ihn hierher bestellt.

Mit einem Klick verschloss er sein Auto mit dem elektronischen Zündschlüssel und wollte gerade unter der Absperrung durchgehen, als eine Stimme ihn schroff zurechtwies: »Entschuldigung, aber Sie können hier nicht parken. Steigen Sie wieder ein und fahren Sie weiter, das hier ist ein Polizeieinsatz.«

Jarmer zog die Augenbrauen hoch, überlegte kurz, ob er sich auf ein Wortgefecht mit dem jungen uniformierten Polizisten einlassen sollte, entschied sich dann aber dagegen. Stattdessen zog er seinen Dienstausweis aus der Innentasche seiner Jacke und hielt ihn dem Beamten entgegen.

»Seien Sie doch so gut und sagen Sie mir, wer hier den Einsatz leitet«, entgegnete er höflich und zugleich mit einer Direktheit in der Stimme, die keinen Widerspruch duldete.

Verdutzt blickte der Beamte erst auf den Ausweis und dann

wieder in Jarmers auffallend grüne Augen. Daraufhin erhellte sich sein Gesicht, und seine Miene entspannte sich. Er drehte sich zur Seite. »Da vorne, das ist die Kollegin Müller.« Er zeigte auf eine mittelgroße Frau mit blonden, zum Pferdeschwanz gebundenen Haaren, die als einzige Nichtuniformierte mit ihrem dunkelgrünen Parka aus der Gruppe uniformierter Beamter herausstach.

Obwohl sie mit dem Rücken zu Jarmer stand, erkannte er sie sofort. Es war schon etwas her, dass er das letzte Mal mit Müller zu tun gehabt hatte. Damals war sie Hauptkommissarin bei der kriminalpolizeilichen Sofortbearbeitung in Berlin-Neukölln gewesen. So wie es aussah, war sie noch immer für dieselbe Direktion tätig. Jarmer wusste aus unzähligen Einsätzen, dass die Beamtinnen und Beamten der Sofortbearbeitung üblicherweise die ersten kriminalpolizeilichen Ermittlungen unmittelbar am Tatort übernahmen. Erst wenn sie sich nach Sicherung der Spuren und Vernehmung der ersten Zeugen einen Eindruck über die Geschehnisse verschafft hatten, übergaben sie die weitere Ermittlungsarbeit an die zuständigen Fachdienststellen.

Mit großen Schritten ging Jarmer auf die Hauptkommissarin zu. Sie musste ihn aus dem Augenwinkel wahrgenommen haben, denn noch bevor er sie erreichte, drehte sie sich um und blickte ihn an.

»Ah, Doktor Jarmer, wie schön, dass Sie so schnell kommen konnten. Wir haben Sie schon erwartet«, sagte sie und streckte ihm die Hand entgegen. Ihre blauen Augen, die von feinen Lachfalten gesäumt waren, blitzten fröhlich.

Jarmer erwiderte ihren festen Händedruck und nickte freundlich zurück. »Na, immer noch bei der schnellen Eingreiftruppe?«

»Nach wie vor«, antwortete sie.

»Und, was haben wir heute?« Jarmer sah sie neugierig an.

Sie drehte sich zu einem der beiden Notarztwagen um und zeigte auf einen etwa Mitte dreißigjährigen Mann mit blonden schütteren Haaren, der eingehüllt in eine Decke mit einem der Sanitäter sprach.

»Das ist Enno Friedrich. Er war in einem Discounter da drüben einkaufen, als er einen Körper den Landwehrkanal runtertreiben sah. Kurz entschlossen ist er ins Wasser gesprungen und hat ihn rausgezogen.« Sarah Müller drehte sich um und zeigte dann auf einen Bereich direkt am Ufer, der von einem Sichtschutz verdeckt war. »Allerdings kam jede Hilfe zu spät. Der Mann war bereits tot. So wie er aussieht, vermutlich sogar schon seit einiger Zeit. Aber ...«, fügte sie hinzu und lächelte Jarmer an, »... das können Sie natürlich viel besser beurteilen.«

Jarmer nickte. »Wissen Sie schon irgendetwas über den Toten? Hatte er persönliche Dokumente dabei?«

»Nein«, erwiderte Müller. Sie wusste, worauf die Frage abzielte. Über eine rasche Identifizierung konnte – je nachdem, wie der Fall gelagert war – häufig recht schnell ein Motiv für einen möglichen Suizid, zum Beispiel eine gravierende ärztliche Diagnose, ermittelt oder ein Abschiedsbrief, den der Betreffende bei sich zu Hause hinterlassen hatte, gefunden werden. Oder es konnten noch vor der Obduktion über den Hausarzt Informationen zu schwerwiegenden, möglicherweise tödlich verlaufenden Grunderkrankungen oder über die Angehörigen Angaben zu einer psychischen Erkrankung oder zu Streitigkeiten im Umfeld des Toten in Erfahrung gebracht werden. »Der Tote trug weder Portemonnaie, Geld noch sonst irgendwelche Papiere bei sich.«

»Na, dann mal los«, meinte Jarmer und bedeutete der Hauptkommissarin, ihn in Richtung Ufer zu begleiten.

10. KAPITEL

Berlin-Moabit, Hanseatenweg 6:
Donnerstag, 10. September, 8.12 Uhr

Unruhig wälzte Timo Krampe sich in seinem Bett von links nach rechts. Eigentlich hätte er längst bei der Arbeit sein müssen, wo er als Maler und Lackierer beschäftigt war. Aber er hatte sich für heute krankgemeldet. Er musste die ganze Zeit an das Gespräch bei dem Anwalt denken. Diesem Eberhardt. Anja Liebig war der Meinung, er könne ihnen helfen, doch Krampe war davon keinesfalls überzeugt. In all den Jahren hatte ihm niemand geholfen. Und jetzt, wo er das erste Mal Gehör gefunden hatte und es sogar ein Interview in der Zeitung geben sollte, schien sich auch das zu zerschlagen. Dabei waren sie so kurz davor gewesen. Das Interview in der *Tagespost* würde bestimmt einiges in Gang bringen. Das musste es. Irgendwie musste er das schaffen. Aber er wusste nicht, wie.

Verzweifelt schob er seine Decke beiseite und setzte sich auf die Kante seines Bettes. Wie spät war es eigentlich? Krampe blickte auf seine Armbanduhr. Acht Uhr zwölf. Aufstehen oder noch ein bisschen liegen bleiben? Was soll's, dachte er. Noch eine halbe Stunde. Er griff unter seine Decke und suchte die Fernbedienung. Als er sie gefunden hatte, kroch er wieder in sein Bett. Mit einem Druck auf den Knopf erwachte der Fünfzig-Zoll-Fernseher zum Leben. Der Apparat war eines der Dinge, auf die er wirklich stolz war. Er hatte ihn sich vergangenen Dezember selbst geschenkt, bezahlt von dem Weihnachtsgeld, mit dem er nicht gerechnet hatte.

Krampe rieb sich die Augen. Im ZDF-Frühstücksfernsehen interviewte Dunja Hayali gerade Markus Palme, den Spitzenkandidaten der SPD für das Amt des Regierenden Bürgermeisters. Irgendwie kam Palme ihm bekannt vor. Natürlich stand er als Politiker in der Öffentlichkeit, aber da war noch etwas anderes. Palme und Hayali lachten, denn auf eine kritische Frage hatte der Politiker gerade eine unerwartet schlagfertige Antwort gegeben.

»Herr Palme«, leitete die Moderatorin dann das Ende des kurzen Gesprächs ein. »In einem Satz: Worauf können die Berlinerinnen und Berliner sich freuen, wenn Sie in zwei Monaten der nächste Bürgermeister unserer schönen Stadt werden?«

Palme dachte einen Moment nach, antwortete nicht gleich. »Darauf, dass ich ehrlich sein und meine Versprechen einlösen werde. Auch wenn das nicht immer auf Begeisterung stoßen wird. Aber manchmal ist es wichtig, unpopuläre Entscheidungen zu treffen. Vor allem, wenn es langfristig das Beste sein wird.«

Während Dunja Hayali sich nach einem kurzen Dank von ihrem Gast verabschiedete und bereits den nächsten Beitrag anmoderierte, drehte Krampe sich wieder auf die Seite. *Typischer Politiker. Vor der Wahl gibt es immer große Versprechen, und hinterher halten sie dann nichts ein. Wird bei dem Palme auch nicht anders sein.* Mit der linken Hand griff Krampe nach der Fernbedienung und schaltete den Apparat ab, während er überlegte, wann er Palme eigentlich das erste Mal gesehen hatte.

11. KAPITEL

Berlin-Kreuzberg, Askanischer Platz 3,
vor dem Verlagsgebäude der Tagespost:
Donnerstag, 10. September, 9.13 Uhr

»Hallo, Herr Eberhardt«, empfing Liebig Rocco unmittelbar vor dem Eingang des ehrwürdigen Redaktionsgebäudes im Herzen von Kreuzberg.

»Hi«, erwiderte Rocco die Begrüßung mit einem Lächeln. »Danke, dass Sie sich so spontan Zeit genommen haben.«

»Gerne, kein Problem. Ich möchte genau wie Sie, dass wir hier weiterkommen. Und wenn ich dabei helfen kann, ist das das Mindeste. Wollen wir einen Kaffee trinken?«, schlug Liebig vor.

»Unbedingt. Den kann ich jetzt gut gebrauchen. Und dann müssen Sie mir bitte noch einmal genau erzählen, warum Sie mit Krampe zu mir gekommen sind.«

»Na ja, um ehrlich zu sein, habe ich mir echt große Sorgen um Grünwald gemacht. Die beiden, also Grünwald und Krampe, waren sehr an dem Interview interessiert. Sie hatten, glaube ich, das Gefühl, dass ihnen endlich mal jemand zuhört und sie ihre Geschichte erzählen können. Und dann war Grünwald auf einmal nicht mehr da. Das war schon sehr seltsam.«

Sie liefen über die Schönebergerstraße und bogen dann rechts in die Stresemannstraße ab.

»Ich meine, dass Interviewgäste im letzten Moment einen Rückzieher machen, passiert öfter mal. Aber dann doch meistens, wenn wir auf sie zugekommen sind, weil wir etwas wissen wollen. Aber hier ist es genau andersrum. Wir bieten schließlich eher das Forum für die beiden.«

Rocco nickte. Er hatte das Gefühl, dass Liebig wirklich ernsthaft besorgt war. *Spricht für sie*, dachte er. *Geht ihr also nicht nur um die Story, sondern wirklich um die Menschen dahinter.*

»Holen wir uns erst mal einen Kaffee«, unterbrach sie seine Gedanken und deutete auf das *Maracay*, einen Coffee-Shop auf der gegenüberliegenden Straßenseite.

Nachdem sie sich mit zwei Cappuccinos ausgestattet hatten, fragte Rocco weiter nach: »Warum sind Sie nicht mit ihm zur Polizei gegangen?«

»Zum einen, weil das mit an Sicherheit grenzender Wahrscheinlichkeit zu nichts geführt hätte. Die hätten uns lediglich gesagt, dass ein Erwachsener verschwinden und wieder auftauchen kann, wie er will. Solange es keinen Anhalt für eine Straftat gibt, hätten sie vermutlich nicht einmal die Daten aufgenommen.«

»Und zum anderen?«

»Tja, Krampe wollte nicht zur Polizei gehen. Er ist mit seiner Geschichte von den staatlichen Stellen enttäuscht und hat da echt ein Problem.«

Rocco nickte. Machte beides Sinn. Aber um Grünwald zu finden, brauchte er noch mehr Hintergrundinfos.

»Könnte es nicht sein, dass er wirklich nur seinen Urlaub verlängert hat?«, hakte er deshalb nach.

Anja Liebig schüttelte den Kopf. »Kann ich mir nicht vorstellen. Das passt für mich nicht richtig ins Bild. Die beiden waren so dankbar, dass ich ihnen zugehört habe. Und der Plan mit dem Interview, dass wir das alles ans Licht bringen wollten, war für die beiden wirklich eine große Sache.« Sie trank einen Schluck von ihrem Cappuccino, ehe sie weitersprach. »Deshalb glaube ich nicht, dass Grünwald so einfach und ohne sich zu melden, wegbleiben würde.«

»Und was halten Sie von der ganzen Geschichte? Das ist doch verrückt, dass man nie davon gehört hat, oder? Von diesem Missbrauch.« Rocco kickte einen Stein vor sich auf dem Bürgersteig weg, blieb dann stehen und sah Liebig direkt in die Augen. »So viele Jahre her, und nie hat jemand darüber gesprochen. Wie kann das sein? Glauben Sie den beiden?«

»Jedes Wort!«, erwiderte Liebig, und als hätte jemand einen Schalter umgelegt, war sämtliche Fröhlichkeit aus ihrem Gesicht verschwunden. Mit ernstem Ton fuhr sie fort: »Seit Krampe mir die Geschichte das erste Mal vor gut drei Monaten erzählt hat, habe ich ziemlich gründlich recherchiert. Wie es scheint, waren Krampe und Grünwald nicht die Einzigen. In den Siebziger- und Achtzigerjahren gab es zahlreiche von Behörden organisierte beziehungsweise zumindest geduldete Vermittlungen von Minderjährigen an Pädophile. Alle Unterlagen, die ich dazu gefunden habe, waren auf eine Weise formuliert, dass sich das sogenannte Granther-Experiment als eine sehr wissenschaftliche Geschichte, ja, als ein bedeutendes Werk der Forschung darstellte.« Verächtlich schüttelte sie den Kopf. »Wenn Sie mich allerdings persönlich fragen, würde ich sagen, dass Granther sich die Leichtgläubigkeit und Naivität einer Vielzahl Beamter zunutze gemacht hat.«

Rocco nickte. »Ja, hört sich tatsächlich so an. Aber noch mal, ist es nicht merkwürdig, dass das nie groß in der Presse aufgetaucht ist? Da hätten sich die Medien doch drauf stürzen müssen, um die Verantwortlichen zur Rechenschaft zu ziehen.«

»Sollte man meinen«, räumte Liebig ein. »Doch welcher Information ich auch nachgegangen bin, es endete immer wieder in einer Sackgasse. Daher rührt auch mein großes Interesse an dem Interview mit Grünwald und Krampe. Ich bin mir sicher, dass das ein bisschen Bewegung in die ganze Angelegenheit bringen wird.«

»Das glaube ich auch. Wenn wir Grünwald finden.«

»Sobald wir ihn finden«, korrigierte Liebig ihn und zog die Augenbrauen hoch. »Er muss einfach wieder auftauchen.«

12. KAPITEL

Berlin-Lichterfelde, Drakestraße 53:
Donnerstag, 10. September, 10.27 Uhr

»Das ist ja unfassbar!« Alessia, Roccos kleine Schwester, war außer sich, als Tobias ihr von dem Fall Krampe erzählte. Ihre dunklen Augen funkelten voller Wut. Mit der linken Hand strich sie eine widerspenstige Haarsträhne aus dem Gesicht, während sie sich mit der rechten Hand ein Kissen hinter den Rücken klemmte, sodass sie aufrecht auf der Gartenliege sitzen konnte.

Vor nicht einmal einem Monat war sie während eines großen Strafverfahrens, das ihr Bruder betreute, unvermittelt in die Schusslinie gekommen. Sie war Opfer eines Anschlags geworden, der sie beinahe das Leben gekostet hätte und von dem sie sich immer noch erholen musste. Jetzt hoffte sie, bald wieder auf den Beinen zu sein und zu ihrer Arbeit zurückkehren zu können. Ihr Chef, der die kleine Marketingagentur, in der Alessia für die Akquise neuer Kunden zuständig war, leitete, hatte ihr zwar eindeutig zu verstehen gegeben, sie würden sie bis zu ihrer vollständigen Genesung vertreten können, aber ein schlechtes Gewissen hatte sie trotzdem.

Dennoch verbrachte sie seit dem Attentat mehr Zeit bei Tobias, mit dem sie seit einigen Monaten fest zusammen war. Sie liebte seine Wohnung in Lichterfelde vor allem wegen des großen Gartens und genoss den Spätsommer im Grünen, wo sie ihrer Meinung nach besser und schneller wieder zu Kräften kam als in ihrer Maisonette in der Nähe des Kurfürstendamms.

»Und was genau unternehmt ihr jetzt in dem Fall?«, fragte sie weiter.

»Als Erstes einmal werde ich Krampes Freund suchen. Jörg Grünwald. Er ist seit einigen Tagen spurlos verschwunden.« Baumann schlüpfte aus seinen Flip-Flops und ließ sich auf die Picknickdecke fallen, die er auf dem grünen Rasen ausgebreitet hatte. »Und dein Bruder schaut parallel, welche Infos die Reporterin von der *Tagespost* noch hat und was an dieser ganzen Missbrauchsgeschichte dran ist.«

»Glaubt ihr ihm nicht?«, fragte Alessia.

»Keine Ahnung, ich war ja nicht dabei, als Rocco mit ihm gesprochen hat. Aber er ist davon überzeugt, dass sein Mandant die Wahrheit sagt. Und da Rocco schließlich für seine Menschenkenntnis berühmt ist, gehe ich mal davon aus, dass da was dran sein wird. Und jetzt, mein lieber Schatz, wollen wir doch mal sehen, wie belastbar meine alten Kontakte noch sind«, sagte er und griff zu seinem Telefon.

»Und wer soll das sein?«

»Kripo, Vermisstenstelle. Irgendwo muss ich ja anfangen«, erwiderte Baumann, warf Alessia einen Kuss zu und wählte die Nummer.

13. KAPITEL

Berlin-Moabit, Institut für Rechtsmedizin:
Donnerstag, 10. September, 10.43 Uhr

Mit fachkundigem Blick sah Doktor Justus Jarmer auf den Körper herab, der vor ihm auf dem Sektionstisch lag. *Unfall, Suizid oder Tötungsdelikt? Die Polizei hält Letzteres zumindest immer noch für möglich, wenn auch eher für unwahrscheinlich,* überlegte er. Auf deren Veranlassung hatte die Staatsanwältin beim zuständigen Richter die Obduktion beantragt. Das war in der Regel eine reine Formsache, denn den Anträgen wurde in neunundneunzig Prozent der Fälle stattgegeben. Und das aus gutem Grund. Die Richter wussten, dass sich kein Staatsanwalt freiwillig unnötige Arbeit ans Bein binden würde, was nach einer Obduktion mit allem damit verbundenen Papierkram und den gegebenenfalls noch nachfolgenden Untersuchungen und Zusatzgutachten zwingend die Folge war. Und einem solchen Beschluss auf Durchführung der Obduktion hatte Jarmer es zu verdanken, dass der noch unbekannte Tote jetzt vor ihm auf dem blanken Stahl des Sektionstisches lag. *Todesursache unklar.* Doch in gut einer Stunde würde er mehr wissen, wenngleich er bereits eine Vermutung hatte. Dass der Mann keinerlei Geld und Papiere bei sich trug, hatte er schon von Hauptkommissarin Müller gehört. Obwohl Jarmer klar war, dass das nichts zu bedeuten hatte. Der Mann hätte sein Portemonnaie ja gar nicht dabeihaben müssen, als er ins Wasser geriet, oder es war in der Strömung aus der Tasche gerutscht. Doch sein Instinkt sagte ihm, dass das hier nicht zwangsläufig der Fall gewesen sein musste. Und auf seinen Instinkt konnte er sich in der Regel verlassen.

Bevor Jarmer mit seiner Arbeit begann, ging er noch einmal alle Informationen des Falles durch, die ihm vorlagen. Dabei ließ er mit der rechten Hand unaufhörlich und in atemberaubendem Tempo einen Kugelschreiber um seine Finger kreisen. Ein Tick, der noch aus seiner Jugend stammte und bei ihm Zeichen höchster Konzentration war. Jarmer blickte auf die Notizen vor sich. Es war gegen zwölf Uhr gewesen, als Enno Friedrich die Leiche des Mannes am Vortag aus dem Wasser gezogen hatte. Friedrich hatte die leblose Person von der gegenüberliegenden Straßenseite aus im Wasser wahrgenommen, kurz nachdem er einen Discounter verlassen hatte. Als er den Körper geborgen und an Land gezogen hatte, wählte er den Notruf. Den Rettungssanitätern war sofort klar, dass hier jegliche ärztliche Hilfe zu spät kommen würde, denn schon ein erster oberflächlicher Blick zeigte, dass längst die Leichenfäulnis eingesetzt hatte.

Der Tote trug eine dunkle Hose und eine Jeansjacke, darunter ein T-Shirt. Der linke Fuß steckte in einer dunkelblauen Socke mit großen, bunten Punkten, der rechte Fuß war nackt. Die wenig später eingetroffenen Beamten der Schutzpolizei hatten die völlig durchnässte und verschmutzte Kleidung des Toten auf Ausweispapiere oder andere Identitätshinweise untersucht, ohne jedoch fündig zu werden. *Das ist nicht eben viel,* dachte Jarmer, *aber ein Anfang.*

Er blickte er zu Jeanine Öttinger, seiner Sektionsassistentin, hinüber, die an der Stirnseite des Obduktionstisches stand. Aus ihren hellen, blauen Augen erwiderte sie Jarmers Blick.

»Ein Fall für die Mordkommission?«, fragte sie und traf damit genau den Gedanken, der dem Rechtsmediziner ebenfalls durch den Kopf ging.

»Schwer zu sagen, aber gleich wissen wir mehr.«

Der Hintergrund von Öttingers Frage war allerdings von wesentlicher Bedeutung. Denn wenn sich der Verdacht eines Tötungsdeliktes während seiner Untersuchung bestätigte, musste Jarmer die Obduktion sofort abbrechen und die Mordkommission darüber in Kenntnis setzen.

Diese würden dann, wie es in Berlin üblich war, kurz darauf, meist in Begleitung der zuständigen Staatsanwältin oder dem zuständigen Staatsanwalt, aber immer mit einem Fotografen der Spurensicherung in das Rechtsmedizinische Institut kommen.

Jarmer warf einen prüfenden Blick auf den Toten, dann sagte er: »Lassen Sie uns anfangen. Sobald wir einen Hinweis auf ein mögliches Gewaltdelikt haben, schalten wir die Mordkommission ein. Wenn sich das Ganze aber als Unfall herausstellt, wollen wir die Kollegen nicht umsonst bemüht haben.«

Öttinger nickte, und Jarmer begann mit der äußeren Leichenschau, wobei er jedes noch so kleine Detail mit seinem Diktiergerät aufzeichnete.

Er ging dabei systematisch vor und untersuchte zunächst die Kleidung des Toten. Er konnte keinen Hinweis auf etwaige Defekte sehen, die von Stich- oder Schussverletzungen hätten herrühren können. Ebenso wenig sah er blutsuspekte Antragungen an der Kleidung, was auch nicht weiter verwunderlich war. Denn der bekleidete Körper hatte sich augenscheinlich bereits längere Zeit im Wasser befunden.

Im nächsten Moment erhellte sich allerdings seine Miene. »Schauen Sie mal«, sagte Jarmer mit einem wissenden Lächeln auf dem Gesicht und deutete neben die linke Brustwarze des Toten. »Was meinen Sie, was das hier ist?«

Öttinger beugte sich jetzt ebenfalls über den Toten.

»Sieht aus wie ein Leberfleck, oder?«, erwiderte sie mit zweifelndem Ton, offensichtlich unsicher, ob sie nicht etwas übersehen hatte.

»Stimmt. Auf den ersten Blick schon. Aber schauen Sie noch mal etwas genauer hin.«

»Das gibt es doch nicht«, rief Öttinger dann überrascht, nachdem sie die betreffende Stelle ein zweites Mal und jetzt mit deutlich größerer Sorgfalt begutachtet hatte.

»Das ist kein Leberfleck, das ist eine dritte Brustwarze. Hier, direkt unter seiner eigentlichen linken Brustwarze.«

»Stimmt, eine *akzessorische Mamille*«, erwiderte Jarmer und zog die Augenbrauen hoch. »Wie bei Scaramanga.«

Fragend blickte Öttinger ihn an.

»Scaramanga. Der Mann mit dem goldenen Colt«, erklärte Jarmer. »Aus dem James-Bond-Film.«

Ganz offensichtlich hatte sie keine Ahnung, wovon er sprach, was Jarmer auf ihr junges Alter zurückführte. *Lustig,* dachte er, *zu meiner Zeit hätte das jeder gewusst,* ehe er den Gedanken genauso schnell beiseiteschob, wie er ihm gekommen war. Konzentriert wandte er sich wieder der Untersuchung zu.

»Die dritte Brustwarze«, sagte er zu seiner Assistentin, die wegen ihrer ersten Antwort noch immer etwas enttäuscht schien, »konnte man bei der vorliegenden Leichenfäulnis tatsächlich leicht übersehen. Also lassen Sie uns weitermachen. Mal sehen, welche Hinweise auf seine mögliche Identität er noch für uns bereithält.«

Jarmer widmete sich wieder dem vor ihm liegenden Körper. *Wasserleichen sind wirklich kein schöner Anblick,* dachte er. Und die hier machte dabei keine Ausnahme. Ganze Flächen der Haut waren graugrün verfärbt, teilweise hatten sich Hautpartien abgelöst und hingen am Körper wie dünne Streifen von schmutzigem Pergamentpapier. An der Haut von Händen, Füßen und Ohren, aber auch über den Knien und Ellenbogengelenken hatte sich die aus abgestorbenen Hautzellen bestehende Hornhaut mit Wasser vollgesaugt und war deshalb aufgequollen, was ihr einen schrumpeligen Aspekt verlieh und von den Rechtsmedizinern als *Waschhaut* bezeichnet wurde.

Jarmer sprach seine Befunde weiter in sein Diktiergerät und beschrieb die Waschhaut, die die gesamten Handinnenflächen und die Fußsohlen kreideweiß verfärbt erscheinen ließ. Außerdem hielt er im Diktafon fest, dass sich die Haut der Finger- und Zehenspitzen einschließlich der Nägel schon deutlich abzulösen begann.

Vielleicht gar nicht schlecht, dachte Jarmer für einen kleinen Moment, *dass wir heute keine Polizeibeamten hier haben.* Nur zu gut war ihm der letzte Fall noch in Erinnerung, als er vor etwa einer Woche eine Wasserleiche obduziert hatte. Der Anblick hatte Kommissar Siegling, an sich ein hartgesottener Ermittler der Mordkommission, dazu gebracht, den Obduktionssaal für ein paar Minuten zu verlassen, um frische Luft zu schnappen. Die Kombination aus Geruch und Anblick von Wasserleichen war eben nicht für jeden etwas.

»Gucken Sie mal hier«, rief Öttinger, die sich gerade daranmachen wollte, den Leichnam für die Inspektion der Körperrückseite umzudrehen, und zeigte auf die Fußrücken des Toten. »Da hat sich ein dünner, glitschig grüner Algenfilm gebildet. Das sieht ja ein bisschen aus wie bei einem Schiffsrumpf, der lange nicht gereinigt wurde.«

»Stimmt. So kann man das sagen«, erwiderte Jarmer. »Und daraus können wir auch schließen, dass unser Mann schon einige Zeit im Wasser gelegen haben muss.«

Wie lange das aber genau war, konnte er noch nicht einschätzen. Denn weder Leichenfäulnis, Waschhautbildung noch die Besiedlung von Wasserleichen durch Algen oder andere marine Flora folgen nachvollziehbaren Gesetzmäßigkeiten.

Als Nächstes untersuchte Jarmer die graugrün verfärbte Brust- und Bauchhaut des Toten.

»Sehen Sie mal«, sagte Jarmer zu Öttinger gewandt. »Die Natur, in diesem Fall die postmortalen Artefakte, sind ein wahres Wunderwerk. Sieht fast so aus, als hätte ein Laie mit unruhiger

Hand ein braunschwarzes Spinnennetz auf unseren Mann tätowiert.«

»Ja«, erwiderte die Sektionsassistentin, offensichtlich ebenso fasziniert wie Jarmer, »Durchschlagen des Gefäßnetzes.«

»Korrekt«, erwiderte Jarmer. »Hier zeichnen sich die unter der Haut gelegenen Blutgefäße ab, in denen sich, wie im gesamten Körper, der rote Blutfarbstoff unter Bakterieneinfluss während des Fäulnisprozesses dunkel verfärbt.«

Wie bist du ums Leben gekommen? Was ist in den Minuten vor deinem Tod passiert?, fragte sich Jarmer und betrachtete den Körper, der für ihn weniger ein Mensch als vielmehr nur noch eine bloße Hülle war. Doch auch die Untersuchung des Kopfes brachte keinen weiteren Aufschluss. Der größte Teil der Kopfhaare war nicht mehr vorhanden, was daran lag, dass sich beim Aufquellen die Struktur der Kopfhaut gelockert hatte und die Kopfhaare fast in Gänze ausgefallen waren.

Als Nächstes wendete Öttinger den Körper, und Jarmer widmete sich der Rückseite des Toten.

»Na, dann wollen wir mal sehen, ob wir hier etwas finden, das uns ...«

Noch ehe Jarmer den Satz beenden konnte, deutete Öttinger auf eine mehrere Zentimeter durchmessende dunkle Hautverfärbung, unmittelbar über der Wirbelsäule, etwa in der Mitte des Rückens, die trotz der Leichenfäulnis noch gut abgrenzbar war.

»Ein Hämatom«, hörte Jarmer die Assistentin sagen.

»Sieht so aus«, sagte er mit einem kurzen Nicken. »Die Frage ist, wann und wie es entstanden ist. Von der Lokalisation her handelt es sich bei dem offensichtlichen Hämatom jedenfalls nicht um eine sturztypische oder anstoßtypische Verletzung.« Der Rechtsmediziner griff nach einem der stabilen Seziermesser, die am Fußende des Sektionstisches fein säuberlich nebeneinander aufgereiht waren, und zog einen etwa zehn Zentimeter langen Schnitt einmal längs durch die dunkle Hautverfärbung. Das feucht glänzende, kräftig dunkelrot-schwärzlich eingeblutete Unterhautfettgewebe kam in dem zum Hämatom korrespondierenden Bereich zum Vorschein. Jarmer nickte kurz, ehe er sich an die Sektionsassistentin wandte. »Ein Hämatom, in der Tat. Und dieses Hämatom ist nicht postmortal, also nach dem Tod des Verstorbenen entstanden. Definitiv zu Lebzeiten. Und ganz frisch, also direkt vor dem Tod unseres Unbekannten. Nur kurze Zeit, bevor er starb, hat er sich diese Verletzung hier zugezogen.«

»Hat er einen starken Schlag auf den Rücken bekommen?«, wollte Öttinger wissen.

»Oder einen Stoß oder Tritt, in jedem Fall eine sehr heftige stumpfe äußere Gewalteinwirkung«, erwiderte Jarmer. »Schauen wir, ob einer oder mehrere der Wirbelkörper in diesem Bereich frakturiert sind. Denn dann könnten wir einen Rückschluss auf die Heftigkeit der Gewalteinwirkung ziehen.«

Jarmer verlängerte den auf etwa der Mittellinie der Körperrückseite gelegenen zehn Zentimeter langen, eben von ihm gesetzten Schnitt nach unten bis zum Steißbein und nach oben bis auf Höhe der Schulterblätter und legte dann, Schicht für Schicht, indem er Muskelstränge zunächst freilegte und diese dann zur Seite hin mobilisierte, die Wirbelsäule frei.

Nach wenigen Minuten sagte er mit einem leichten Kopfschütteln: »Keine Fraktur. Trotzdem steht meine Arbeitshypothese nach wie vor, nämlich dass dieser Mann hier aller Wahrscheinlichkeit nach heftig von hinten geschlagen oder, was noch etwas wahrscheinlicher ist, getreten wurde. Ein reines Schubsen schließe ich in Anbetracht der Massivität der Unterblutung aus.«

»Sie meinen, der Mann wurde so ins Wasser befördert?«

»Eine Meinung dazu habe ich, wenn wir Näheres zur Todesursache wissen.«

Gemeinsam drehten sie den Körper wieder in Rückenlage, und

Jarmer begann mit Assistenz von Öttinger mit der eigentlichen Obduktion, der inneren Leichenschau.

Tatsächlich deuteten die Befunde an der Lunge darauf hin, dass der Unbekannte ertrunken war, wodurch sich Jarmers Vermutung erhärtete. *Auch wenn wir nicht sicher sein können, sieht es so aus, dass du nicht durch einen Unfall gestorben bist. Und irgendwie werde ich das Gefühl nicht los, dass hier etwas nicht stimmt.*

Während Jeanine Öttinger die einzelnen Organe wog, die Gewichte in ein Protokollblatt eintrug und die Organe danach in der geöffneten Brust- und Bauchhöhle des Leichnams verschwinden ließ, bereitete Jarmer die notwendigen Papiere für die chemisch-toxikologischen Untersuchungen vor.

»Gut, damit sind wir für heute hier fertig«, sagte er im Anschluss und nickte seiner Assistentin zu, die gerade den Leichnam mit einer gekonnten Naht an der Körpervorderseite wieder verschloss.

»Was denken Sie? Was ist mit dem Mann passiert? War das ein …«, fragte sie, wurde von Jarmer unterbrochen, der ihre Frage formulierte. »Ob das ein Unfall oder ein Gewaltverbrechen war?« Ich weiß es schlichtweg noch nicht. Ich möchte das Ergebnis der Toxikologie abwarten, ehe ich mir abschließend eine Meinung bilde. Gut möglich, dass der Mann von jemandem in den Kanal gestoßen wurde. Aber auch möglich, dass er mit Alkohol, Medikamenten und Drogen intoxikiert war und irgendwo, wo er in den Landwehrkanal gestürzt ist, beim Fallen ins Wasser mit dem Rücken aufgeschlagen ist. Allerdings glaube ich das momentan nicht so recht.« Mit diesen Worten drehte sich Jarmer um und ging in Richtung der Ausgangstür.

Kurz vor Verlassen des Sektionssaales drehte er sich aber noch einmal zu der Sektionsassistentin um und sagte: »Aber glauben ist nicht wissen … *Time will tell.*«

14. KAPITEL

Berlin-Moabit, Institut für Rechtsmedizin:
Freitag, 11. September, 13.36 Uhr

»Ich halte es zumindest für durchaus wahrscheinlich, dass wir es hier mit einem Tötungsdelikt zu tun haben.« Jarmer stand am Fenster seines Büros und blickte auf die Birkenstraße.

»Und wie genau sind Sie zu dieser Erkenntnis gelangt?«, fragte Hauptkommissar Reichelt am anderen Ende der Leitung.

»Tatsächlich hat die Untersuchung keine hundertprozentigen Befunde ergeben, die auf einen gewaltsamen Tod hindeuten. Ertrinken: sehr wahrscheinlich, soweit das bei der Leichenfäulnis überhaupt noch zu beurteilen ist, aber keine tödlichen Verletzungen durch äußere Gewalteinwirkung, keine Zeichen eines Angriffes gegen den Hals. Aber der Mann hat am Rücken ein Hämatom an einer Stelle, die darauf hindeutet, dass er einen Tritt oder heftigen Schlag von hinten abbekommen hat. Und genau das könnte die Ursache dafür gewesen sein, dass er in den Kanal gelangte und ertrunken ist.«

»Okay, das verstehe ich. Aber wäre es nicht auch möglich, dass der Tote kurz vorher, ehe er – aus welchen Gründen auch immer – ins Wasser gelangt ist und vollkommen unabhängig davon von jemandem geschlagen wurde und es sich um einen Unfall oder vielleicht sogar einen Suizid handelt?«, hakte Reichelt nach.

»Ja, das ist natürlich möglich«, erwiderte Jarmer. »Mir liegt mittlerweile auch das Ergebnis der chemisch-toxikologischen Untersuchung vor. Und daraus ergibt sich, dass der Tote betrunken war.«

Jarmer drehte sich vom Fenster weg und ging langsam zu seinem Schreibtisch.

»Betrunken?«

»Ganz genau. Unser Unbekannter hatte eine Alkoholkonzentration von 1,1 Promille zum Zeitpunkt seines Todes.«

»Na ja, das ist zwar nicht wenig, aber nun wiederum auch nicht erschreckend ungewöhnlich, oder? Spricht das dann nicht für die Unfalltheorie?«

»Theoretisch ja. Aber eben nur theoretisch. Ich meine, alles ist möglich. Nicht wenige Suizidenten trinken sich Mut an, ehe sie sich das Leben nehmen. Und ein Betrunkener ist natürlich auch ein leichteres Opfer einer Attacke als jemand, der nüchtern ist.«

»Hm«, meinte der Kommissar. »Ich weiß, um ehrlich zu sein, nicht genau, worauf Sie hinauswollen.«

»Was ich sagen will, ist, dass alles möglich ist, ich aber ein komisches Gefühl bei diesem massiven Hämatom habe, das sich zudem in sehr ungewöhnlicher Lokalisation befindet. Irgendetwas sagt mir, dass da mehr als nur ein Sturz infolge eines Unfalls oder ein Springen, oder nennen wir es meinetwegen auch Stürzen ins Wasser, in suizidaler Absicht, dahintersteckt.«

»Ich verstehe immer noch nicht, worauf Sie hinauswollen, Herr Doktor.«

»Das sieht alles einfach nicht nach einem Zufall aus. Das passt irgendwie nicht zusammen.«

»Und das machen Sie woran fest?«

»Intuition, die auf knapp zwanzig Jahren Arbeit im Sektionssaal beruht, Herr Reichelt. Bei vielen Hundert Wasserleichen habe ich so etwas noch nicht gesehen.«

»Okay«, nahm der Kommissar den Ball auf. »Es könnte also einen Streit oder einen Überfall gegeben haben, meinen Sie. Das könnte schon sein. Und es würde dann auch zu den übrigen Indizien passen. Denn Portemonnaie oder irgendwelche Wertsachen hatte er ja auch keine bei sich.«

Der Kommissar machte eine kurze Pause, und Jarmer hörte Papierrascheln am anderen Ende der Leitung.

»Können Sie mir den Bericht rübersenden?«, fragte Reichelt dann, ganz offensichtlich, nachdem er seine Notizen und vorbereiteten Fragen durchgesehen hatte.

»Mache ich«, erwiderte Jarmer. »Und was die Identifizierung des Toten betrifft, habe ich auch einen Hinweis für Sie. Unser Mann hat drei Brustwarzen. Vielleicht hilft Ihnen das ja weiter.«

»Drei Brustwarzen!«, rief der Polizist mit dem Ausdruck des Erstaunens aus. »Wie Scaramanga?«

»Ja, wie Scaramanga«, lachte Jarmer und freute sich, dass er mit seinem James-Bond-Wissen doch nicht allein dastand.

15. KAPITEL

Berlin-Neukölln, eine Shisha-Bar
in der Hermannstraße:
Freitag, 11. September, 16.02 Uhr

Kamil Gazal ließ die Zigarette auf den Boden fallen und trat sie mit der Spitze seines maßgefertigten Schuhs aus.

»Du wirst mir jetzt ganz genau zuhören«, sagte er ruhig in sein Telefon. »Du fährst weiter Richtung Moabit und siehst zu, dass sie dich nicht kriegen, hast du das verstanden?«

Während die Stimme seines Gesprächspartners laut und hektisch durch den Hörer schallte, griff Gazal in die Tasche seines dunklen Sakkos und holte eine weitere Zigarette aus seinem goldenen Etui. Nachdem er sie angezündet und einen tiefen Zug genommen hatte, unterbrach er den anderen Mann mitten im Satz.

»Mustafa, halt jetzt die Klappe und konzentriere dich auf den Verkehr! Ich melde mich gleich wieder bei dir und sage dir, wohin du genau fahren wirst.«

Ohne auf eine Antwort zu warten, beendete er das Gespräch, nur um unmittelbar im Anschluss daran einen weiteren Anruf zu tätigen.

16. KAPITEL

Berlin-Charlottenburg, Fasanenstraße 72,
Kanzlei Eberhardt:
Freitag, 11. September, 16.07 Uhr

Der Stapel der Akten auf Roccos Schreibtisch war so groß, dass er nicht wusste, wo er anfangen sollte. Für den Rest des Nachmittags hatte er keine anderen Termine, weshalb er Klara Schubert freigegeben und die Zentralnummer auf den Anrufbeantworter weitergeleitet hatte. Erst mal die Wichtigen von den Unwichtigen trennen, beschloss er und griff nach dem obersten Ordner, als sein Handy klingelte. *Rangehen oder nicht rangehen?*, überlegte Rocco und entschied sich wie immer für die erste Variante. Als er sah, wer der Anrufer war, zog er kurz die Augenbrauen hoch. *Also noch mehr Arbeit.*

»Kamil Gazal«, begrüßte er den Anrufer mit einem süffisanten Lächeln in der Stimme und fragte sich, was Berlins berüchtigtster Verbrecherboss wohl von ihm wollte.

Samtweich erwiderte Gazal: »Herr Rechtsanwalt. Gut, dass ich Sie erreiche. Ich hoffe, ich störe Sie nicht.«

Natürlich störst du mich. Aber, was soll's. Ist ja schließlich mein Job.

»Was kann ich für Sie tun?«, antwortete Rocco gelassen. Ohne Frage war er einer von maximal einer Handvoll Menschen, die den Clanchef zwar kannten, sich aber in keiner Weise von ihm eingeschüchtert fühlten.

»Nun, ich habe ein Anliegen, bei dem Sie mir vielleicht helfen könnten«, gab Gazal ebenso gelassen zurück. »Ein Bekannter von mir befindet sich in diesem Moment in einer Situation, die etwas, sagen wir mal, ungünstig ist.«

»Und würden Sie vielleicht näher erläutern, um was für eine Situation es sich dabei handelt«, entgegnete Rocco und vermutete nichts Gutes. Nicht umsonst war Gazal als der Pate von Berlin ebenso bekannt wie berüchtigt. Mit seinen Truppen kontrollierte er einen wesentlichen Teil des organisierten Verbrechens der Hauptstadt und beherrschte neben dem Drogenhandel und dem Rotlichtmilieu auch immer mehr Spiel- und Wettbüros.

»Durch einen dummen Zufall befindet ebenjener Bekannter sich gerade auf der Flucht vor den Ordnungshütern.«

»Auf der Flucht vor der Polizei? Wie meinen Sie das?«

»Um genau zu sein, fährt er gerade von Berlin-Mitte Richtung Moabit.«

»Und vor was flieht er? Oder vielmehr warum?«, hakte Rocco nach und geriet langsam an die Grenzen seiner Geduld. Warum kam Gazal nicht zum Punkt?

»Nun, es ist so, dass er eine Waffe in seinem Auto hat, die vermutlich schon einmal bei einem unaufgeklärten Vorfall verwendet worden ist.«

Rocco konnte nicht fassen, wie entspannt Gazal war, so als unterhielte er sich gerade mit seiner Frau darüber, was sie heute zu Abend essen wollten. Er hatte schon viele Verbrecher in seinem Leben getroffen, aber keinen, der derart kaltblütig war. Es schien tatsächlich nichts zu geben, was ihn aus der Ruhe brachte.

»Okay, lassen Sie mich nachdenken.« Roccos erster Impuls war, Gazal und seinen Mann mit dieser Situation sich selbst zu überlassen und kurzerhand aufzulegen. Andererseits wusste er um die Gefährlichkeit der Situation. Ein Verbrecher mit einer geladenen Schusswaffe auf der Flucht vor der Polizei war eine tickende Zeitbombe. Und Rocco hegte die Befürchtung, dass es für Gazals Mann keine Option war, sich ohne Gegenwehr festnehmen zu lassen. Die Rädchen in Roccos Gehirn drehten sich auf Hochtouren. Wie könnte er die Sache am besten auflösen? Ob Gazals

Mann jetzt festgenommen werden würde oder nicht, war zweitrangig. Er wollte die Waffe aus dem Verkehr ziehen, um zu verhindern, dass es zu einer Schießerei kam. Dann hatte er eine Idee.

»Wie weit ist Ihr Mann von meiner Kanzlei entfernt?«, fragte Rocco seelenruhig und meinte, Gazal am anderen Ende der Leitung lächeln zu hören. Offensichtlich tat er genau das, was Gazal von ihm erwartete.

»Er könnte, vorausgesetzt, alles geht gut, in etwa fünf Minuten bei Ihnen sein.«

»Gut, dann soll er direkt vor der Tür halten und gleich in meine Kanzlei in der ersten Etage laufen. Ich werde die Haustür öffnen.« Rocco atmete kurz durch, ehe er hinzufügte: »Und dann wird er mir die Waffe übergeben. Ist das klar?«

»Genauso wird es geschehen«, bestätigte Gazal und legte auf.

Rocco blickte auf die Uhr. Noch vier Minuten. Er rannte aus seinem Büro, hastete die Treppe hinunter und öffnete die schwere, hölzerne Eingangstür. Er hängte den kleinen, metallenen Haken in die Öse an der Wand, sodass sie offen blieb, blickte sich erst kurz auf dem Gehsteig und dann im Hausflur um. Er betete, dass ihnen jetzt kein anderer Mieter oder Passant in die Quere käme. Die Gefahr der Situation war nicht zu unterschätzen, und es würde mehr als nur ein bisschen Glück brauchen, damit das Ganze nicht in einer Katastrophe endete. Mit großen Schritten, immer drei Stufen auf einmal nehmend, eilte Rocco zurück in seine Kanzlei. *Warum muss immer mir so etwas passieren?*

Keine Minute später hörte er, wie ein Wagen mit quietschenden Reifen auf der Straße bremste. Eine Autotür knallte, kurz darauf rannte jemand mit polternden Schritten die Treppe hoch. Sekunden später stand ein höchstens Anfang zwanzigjähriger dunkelhaariger Mann im Trainingsanzug vor Rocco im Eingang seiner Kanzlei. In der Hand hielt er eine Revolver. Mit Panik in den Augen blickte er Rocco an. »Bist du der Anwalt?«, keuchte er.

»Ja«, sagte Rocco. »Wie heißt du? Vor- und Nachname.«
»Faris Mazin.«
»Möchtest du, dass ich dich als Anwalt vertrete?«
»Natürlich.«
»Gut«, sagte Rocco und streckte die Hand aus. »Hiermit bin ich offiziell dein Anwalt. Und jetzt gib mir die Pistole.«

Ohne zu zögern, reichte Mazin ihm die Schusswaffe und sah ihn dann fragend an.

»Den Gang runter ist eine Toilette, wenn du mal aufs Klo musst. Und dahinter ist eine Tür, die zu dem alten Dienstbotenausgang führt, nur für den Fall, dass dich das interessiert.«

Der Mann nickte und sprintete den Flur entlang. Kurz darauf hörte Rocco, wie eine weitere Tür ins Schloss fiel. Dann war Ruhe. Er ging selbst in die hinteren Räume seiner Kanzlei und vergewisserte sich, dass sein *neuer Mandant* verschwunden war. Dann griff er sich ein Geschirrhandtuch aus der Küche und wischte sorgfältig die Waffe ab. *Eine Glock. Nicht schlecht.* Rocco drückte den Magazinknopf und ließ das Magazin in seine Hand fallen. Er drehte die Waffe und legte seinen rechten Daumen unter den Schlittenfang, schob die Waffe nach vorne und drückte den kleinen Hebel nach oben. Danach schob er die Patrone nach vorne und entlud das Magazin, um als Nächstes jede einzelne Patrone mit dem Tuch zu reinigen. Schließlich legte er die Waffe mit offenem Verschluss vor sich auf den Boden, Magazin und alle siebzehn Patronen daneben, und hängte das Handtuch wieder in die Küche. Kurz darauf hörte er, wie wenigstens zwei Personen über das Treppenhaus nach oben rannten.

17. KAPITEL

Berlin-Charlottenburg, Fasanenstraße 72,
Kanzlei Eberhardt:
Freitag, 11. September, 16.17 Uhr

Mit erhobenen Händen, einen Meter hinter der Waffe stehend, blickte Rocco in die Gesichter zweier Polizeibeamter, die mit gezogenen Waffen in seinen Flur stürmten.

»Es ist alles unter Kontrolle«, sagte er und deutete auf die Glock.

»Wo ist er?«, herrschte ihn der erste Polizist an.

»Hier ist niemand außer mir«, erwiderte Rocco vollkommen ruhig. »Ich werde Sie gerne durch meine Kanzlei führen, aber nehmen Sie bitte Ihre Waffen runter.«

Hektisch blickten sich die beiden Beamten um. In ihren Augen stand eine Mischung aus angespannter Wachsamkeit und Wut.

»Er ist weg!«, stellte Rocco die Situation noch einmal klar. »Wen auch immer Sie suchen, er ist nicht mehr hier.«

Die Polizisten sahen erst sich und dann Rocco an, ehe sie tatsächlich ihre Dienstwaffen sinken ließen.

»Ich glaube, Sie haben uns einiges zu erklären«, echauffierte sich der erste Beamte und kam bis auf wenige Zentimeter an Rocco heran. »Sie haben einem Verbrecher zur Flucht verholfen. Das wird Konsequenzen haben.«

»Bevor wir dazu kommen«, sagte Rocco, »werden wir uns alle erst einmal beruhigen. Und dann wollen wir eine Sache klarstellen.« Herausfordernd sah er die beiden an. »Ich habe gerade dafür gesorgt, dass ein Unglück verhindert wurde. Und …«, fügte er hinzu, »… dass eine Waffe aus dem Verkehr gezogen wurde, ohne dass es zu einer Eskalation gekommen ist.«

18. KAPITEL

Berlin-Charlottenburg, Fasanenstraße 72,
Kanzlei Eberhardt:
Freitag, 11. September, 16.33 Uhr

Rocco hatte den Beamten klargemacht, dass er ihnen aufgrund des Mandantengeheimnisses keine weiteren Informationen geben würde. Konsterniert verließen sie zehn Minuten später die Kanzlei. Unverrichteter Dinge, aber zumindest mit der Glock, mit der nun niemand weiteren Schaden anrichten konnte.

Als Rocco wieder alleine war, hatte er sich als Erstes einen doppelten Espresso gemacht. Dem spontanen Impuls, sich bei Gazal zu melden, widerstand er allerdings. Erstens würde Mazin das längst erledigt haben, und zweitens sollte Gazal sich bei ihm melden, wenn er was wolle. Ein erneuter Blick auf den Aktenstapel sagte ihm, dass er ohnehin keine Zeit hatte, sich weiter damit auseinanderzusetzen, und so machte er sich wohl oder übel an die Arbeit. Zwei Stunden und zahlreiche Diktate später klappte Rocco den Deckel der vorerst letzten Akte, die dringend bearbeitet werden musste, zu. Zufrieden lehnte er sich in seinem Schreibtischsessel zurück. Langsam überkam ihn das Gefühl, wieder Struktur in seinen Alltag zu bringen. Er blickte auf die Uhr und beschloss, den Tag in der Kanzlei zu beenden, als sein Telefon klingelte. Es war Tobi. Gespannt, was sein bester Freund zu berichten hatte, nahm Rocco das Gespräch an. Er hatte instinktiv das Gefühl, dass Tobi etwas Wichtiges entdeckt hatte.

Und tatsächlich, ohne Rocco auch nur zu begrüßen, legte der gleich los: »Zwei Personen, auf die unsere Beschreibung passen würde und deren Identität bislang ungeklärt ist, sind in den letzten vierzehn Tagen tot aufgefunden worden«, begann er seinen Bericht mit so viel Begeisterung in der Stimme, dass Rocco sofort klar war, Tobi musste einen Volltreffer gelandet haben. Aber er gönnte ihm seinen Auftritt und hörte deshalb zu, ohne ihn zu unterbrechen. Ehre, wem Ehre gebührt.

»Einer davon«, fuhr Baumann fort, »wurde von einem Busfahrer am Ende der Route in seinem Fahrgastsitz gefunden. Der Fahrer dachte zuerst, dass der Mann schlafen würde. Nachdem er ihn aber nicht wecken konnte, wurde ihm die Sache unheimlich, und er hat Polizei und Krankenwagen verständigt. Wie sich herausgestellt hat, war da nichts mehr zu machen, und sämtliche Versuche der Sanitäter, den Mann zu reanimieren, blieben erfolglos. Die rechtsmedizinische Untersuchung hat ergeben, dass der Mann infolge eines Herzleidens eines natürlichen Todes gestorben war. Er trug keinerlei Papiere bei sich, aber seine äußere Erscheinung und sein verwahrloster Allgemeinzustand deuteten darauf hin, dass der Mann schon seit einigen Jahren auf der Straße lebte. Bisher konnte er noch nicht identifiziert werden.«

Rocco war klar, dass dies nur das Vorspiel zu der großen Enthüllung gewesen sein konnte, die Tobi ihm gleich präsentieren würde. »Klingt nicht nach unserem Mann, oder?«, kommentierte er deshalb rein rhetorisch.

»Ja, denke ich auch nicht. Ich habe dir das Foto von dem Toten gerade per E-Mail geschickt. Frag doch bitte Krampe mal, ob es sich dabei um Grünwald handelt, damit wir das sicher ausschließen können.«

»Und der andere?«, hakte Rocco nach und merkte, wie er langsam von einer bleiernen Müdigkeit überfallen wurde.

»Ja, das ist die Frage«, antwortete Baumann mit einem Eifer in der Stimme, die Rocco an ein Kind denken ließ, das seinen Eltern das erste Mal einen Zaubertrick vorführte. »Der könnte es schon viel eher sein. Allerdings ist von dem nicht mehr viel übrig.«

»Wie meinst du das, nicht mehr viel übrig?«

»Na ja, der Typ ist eine Wasserleiche, wie sie im Buche steht. Muss schon 'ne ganze Weile rumgetrieben sein, ehe sie ihn am Montag aus dem Landwehrkanal gezogen haben.«

»Und hast du mehr Infos oder ein Foto?«, fragte Rocco weiter, während ihn das ungute Gefühl beschlich, dass sie hier zwar einen Treffer gelandet haben könnten, dass das für ihren Fall aber nicht eben eine große Hilfe sein würde.

»Nein, habe ich nicht. Aber was anderes Interessantes. Wie meine Quelle bei der Kripo mir mitgeteilt hat, könnte es sich bei diesem Toten sogar um das Opfer eines Verbrechens handeln.«

Rocco setzte sich mit einem Mal aufrecht in seinem Sessel hin. Die Sache fing an, interessant zu werden. Langsam kam etwas Spannung in den Fall. »Und wie kommen wir an weitere Infos?«

»Nicht wir«, gab Tobias Baumann zurück. »Du!«

»Wieso ich?«, fragte Rocco und hatte nicht die geringste Ahnung, worauf Tobi hinauswollte.

»Na ja, dein alter Freund Jarmer hat ihn obduziert. Und da ich bei der Polizei nicht weiterkomme, dachte ich, dass du jetzt mal deine Beziehung zur Rechtsmedizin spielen lässt.«

Jarmer! Rocco musste schmunzeln. Es war gerade mal eine Woche her, dass er den renommierten Rechtsmediziner im Gerichtssaal getroffen hatte. In der Sache Nölting war es nicht zuletzt Jarmers Beobachtungsgabe zu verdanken gewesen, dass der Fall von einem Moment auf den anderen noch eine überraschende Wendung genommen hatte und er und Jarmer gute Bekannte, wenn nicht sogar so etwas wie Freunde, geworden waren. Jetzt sollten sich ihre Wege also erneut kreuzen. Rocco bedankte sich bei Tobi für die schnelle und gute Arbeit und beendete das Gespräch, nur um unmittelbar danach eine Nummer zu wählen, die er seit Kurzem eingespeichert hatte.

19. KAPITEL

Berlin-Moabit, Institut für Rechtsmedizin:
Freitag, 11. September, 19.47 Uhr

»Herr Eberhardt, welchem Umstand habe ich denn die Ehre Ihres späten Anrufes zu verdanken?«, begrüßte Jarmer Rocco, noch bevor dieser sich überhaupt zu erkennen gegeben hatte.

»Tja«, erwiderte Rocco mit einem Lächeln auf den Lippen. »Das ist tatsächlich eine gute Frage. Aber, ich wusste ja gar nicht, dass Sie meine Nummer gespeichert haben.« Woher hätte Jarmer sonst wissen sollen, dass er es war, der ihn anrief? Insgeheim freute Rocco sich darüber. Seit er und Jarmer sich erst kürzlich besser kennengelernt hatten, war aus einer beobachtenden Bekanntschaft ein zunehmend vertrauensvolleres Verhältnis geworden. Die beiden hatten trotz ihrer unterschiedlichen Betrachtungsweisen in der Sache Nölting von Anfang an einen gewissen Respekt vor der Person und später auch eine Akzeptanz vor der Meinung des anderen entwickelt.

»Reine Macht der Gewohnheit. Kein Grund, sich darauf etwas einzubilden«, konterte Jarmer fröhlich. »Also, was gibt's? Was kann ich für Sie tun?«

»Das ist unter Umständen etwas heikel, und ich bin mir gar nicht sicher, ob Sie mir helfen können«, sagte Rocco, ehe er hinzufügte: »Oder vielmehr, ob Sie mir helfen dürfen.«

»Jetzt haben Sie mich aber neugierig gemacht.«

»Ich habe gehört, dass Sie vor Kurzem eine Wasserleiche obduziert haben. Den Toten, der aus dem Landwehrkanal geborgen wurde.«

Jarmer antwortete nicht gleich. *Vermutlich fragt er sich, woher ich diese Info habe,* ging es Rocco durch den Kopf. Damit schien er den Nagel auf den Kopf getroffen zu haben.

»Ich bin immer wieder beeindruckt, über welches Netzwerk Sie verfügen«, erwiderte Jarmer. »Aber um ehrlich zu sein, möchte ich gar nicht so genau wissen, wie Sie an diese Information gelangt sind.«

Er machte eine Pause, und als Rocco gerade etwas sagen wollte, fuhr er fort: »Sagen wir mal, diese Auskunft wäre zutreffend. Welche Fragen hätten Sie dann an mich?«

Rocco, der nicht viel davon hielt, lange um den heißen Brei herumzureden, kam gleich zur Sache: »Ganz einfach. Ich habe ein Mandat übernommen, bei dem einer der Akteure vor Kurzem von der Bildfläche verschwunden ist. Und es könnte gut sein, dass dieser Jemand Ihre Wasserleiche ist.«

»Und wie genau kommen Sie darauf?«, wollte Jarmer wissen.

»Nun, Zeitpunkt des Verschwindens der Person und Auftauchen des Körpers passen beide ins Bild.« Rocco hielt kurz inne. »Und, auch wenn das vielleicht etwas weit hergeholt klingt, eine gewisse Ahnung eines erfahrenen Strafverteidigers spielt dabei auch eine Rolle.«

»Ihnen ist aber schon klar, dass wir in Berlin mehr als einen Toten in zwei Wochen haben, oder?«, fügte Jarmer mit halb belustigtem und halb ernstem Ton hinzu.

»Na klar. Und danke übrigens für den Hinweis«, lachte Eberhardt, dem nicht entgangen war, dass der Rechtsmediziner einen Zeitrahmen von zwei Wochen erwähnt hatte. Das konnte mit dem Urlaub und dem verpassten Interview des Vermissten hinkommen.

»Nicht schlecht«, sagte Jarmer. »Sie sind ja doch ein ganz passabler Zuhörer. Allerdings kann ich Ihnen vermutlich nicht viel weiterhelfen, denn der Verstorbene trug keinerlei Papiere bei sich. Und aufgrund der Länge der Zeit, die er im Landwehrkanal zugebracht hat, dürfte auch eine Identifikation mit bloßem Auge nahezu ausgeschlossen sein.«

»Was genau meinen Sie mit *vermutlich?*«, nahm Rocco den nächsten Ball auf, den Jarmer ihm zugeworfen hatte.

»Na ja, vielleicht gibt es ja ein anderes Merkmal an der Leiche, das für eine Identifikation hilfreich sein könnte. Neben der Kleidung, die in Teilen noch ganz gut erhalten war.«

»Und was für ein Hinweis könnte das sein?«, wollte Rocco wissen und war dankbar, dass Jarmer so offen war. Doch die Freude währte nur kurz, denn Jarmer war immer noch Jarmer. Und das bedeutete, dass er einem sehr genauen Kompass folgte, wenn es darum ging, Informationen zu teilen oder eben nicht.

»Das, mein lieber Eberhardt, kann ich Ihnen leider nicht sagen.«

»Wieso können Sie mir das nicht sagen?«, fragte Rocco enttäuscht und mit der leisen Hoffnung, dass Jarmer es sich vielleicht noch einmal anders überlegen würde. Doch tatsächlich glaubte er nicht wirklich daran. Und er war sich auch sicher, dass er den Grund kannte. Wer auch immer die Leiche war, die Person musste Opfer einer Straftat geworden sein. Denn ansonsten hätte Jarmer keine Notwendigkeit zu einer derartigen Zurückhaltung verspürt.

»Mord oder Totschlag also«, bluffte er deshalb und war auf Jarmers Reaktion gespannt.

»Wenn dem so wäre, dann wissen wir beide, dass ich das nicht bestätigen dürfte«, erwiderte Jarmer, wodurch er jedoch genau das tat. »Aber vielleicht könnte Ihnen ja jemand anders etwas dazu sagen«, fuhr er nach einer kleinen Pause fort.

»Und wer könnte das wohl sein?«, fragte Eberhardt weiter nach.

»Probieren Sie es doch mal bei Claudia Spatzierer.«

20. KAPITEL

Berlin-Charlottenburg, Fasanenstraße 72,
Kanzlei Eberhardt:
Freitag, 11. September, 20.17 Uhr

Claudia Spatzierer. Rocco lehnte seinen Kopf zurück, schloss die Augen und reiste in seinen Gedanken in die Vergangenheit. Ein Gesicht zeichnete sich immer klarer ab. Lange blonde Haare, strahlend blaue Augen und ein Blick, der gleichermaßen Offenheit wie Entschlossenheit ausstrahlte. Claudia Spatzierer war mehr als nur eine flüchtige Bekanntschaft. Sie war ihm bereits im ersten Semester aufgefallen. Und das wollte etwas heißen, bei den über fünfhundert Studenten, die zur gleichen Zeit wie Rocco am Fachbereich Rechtswissenschaften der Freien Universität Berlin ihre juristische Ausbildung begonnen hatten. Wie schnell verschwanden Einzelne in der anonymen Masse der vielen.

Richtig kennengelernt hatten sie sich aber erst während eines strafrechtlichen Seminars im fünften Semester. Rocco und Claudia waren zunächst heftig aneinandergeraten, weil sie in einem Streit über die Auslegung eines juristischen Problems grundverschiedene Auffassungen vertraten. Aber genau diese Leidenschaft, sich für eine Sache einzusetzen, hatte sie am Ende zusammengebracht. Sie hatten sich erst auf einen Kaffee getroffen, waren später abends ausgegangen und schließlich ein Paar geworden. Als Claudia allerdings im siebten Semester für sechs Monate nach Frankreich gegangen war, hatten sie sich nach und nach voneinander entfernt. Es war ein schleichender Prozess gewesen, den keiner von beiden abgesehen hatte und in dessen Folge ihre Anrufe ebenso wie ihre E-Mails mit der Zeit seltener geworden waren.

Als Claudia schließlich wieder nach Berlin kam, hatten sie sich getroffen und beide festgestellt, dass es vorbei war.

Rocco war sich sicher, dass ihr gegenseitiges Versprechen, Freunde bleiben zu wollen, damals ehrlich gemeint war. In der Realität hatten sie sich aber aus den Augen verloren. Bis jetzt. Rocco griff nach seinem iPhone und fragte sich, ob er ihre Nummer noch in seinen Kontakten hatte. Er scrollte bis zum Buchstaben C. Und tatsächlich. Der Eintrag war noch da: Claudia Handy.

21. KAPITEL

Berlin-Mitte, Senatsverwaltung für Inneres und Sport,
Klosterstraße 47:
Freitag, 11. September, 21.13 Uhr

Es war schon spät. Wie eigentlich jeden Tag in letzter Zeit. Das brachte der Job mit sich. Markus Palme störte das aber nicht im Geringsten. Ganz im Gegenteil. Er war Politiker mit ganzem Herzen. Und das war bekanntermaßen kein »nine-to-five-job«.

Ein letztes Mal blickte er auf die Zahlen, eher er die Zeitung auf die Seite seines großen massiven Eichenholzschreibtisches legte.

Jetzt galt es nur noch ein Problem zu lösen. Wenn er Bürgermeister würde, müsste er einen Nachfolger für seinen aktuellen Posten finden, der seine Arbeit mit genauso harter Hand weiterführte. Jemanden, den er wie eine Marionette nach seiner Pfeife tanzen lassen konnte. Palme hatte bereits einen Plan und einen nahezu perfekten Kandidaten. Er war sicher, dass dieser nur darauf wartete, sich endlich in der Politik beweisen zu dürfen. Oberstaatsanwalt Doktor Bäumler liebte das Rampenlicht und die Öffentlichkeit und hatte es nach der krachenden juristischen Niederlage in dem letzten sehr prominenten Strafverfahren sogar geschafft, innerhalb weniger Tage die öffentliche Meinung wieder für sich einzunehmen. Das musste man Bäumler lassen: Presse konnte er.

Allerdings gab es da ein kleines Problem. Palme hatte kürzlich erfahren, dass Bäumler möglicherweise in eine unschöne Sache verwickelt war. Er hatte beschlossen, sich in den nächsten Tagen einmal genau anzusehen, was wirklich dahintersteckte. Denn für ihn kam nur ein Nachfolger infrage, der eine blütenweiße Weste hatte. Zumindest nach außen. Palme hatte große Pläne für die Hauptstadt. Nach den vielen negativen Schlagzeilen der vergangenen Jahre, von denen wenigstens die Hälfte auf die Verzögerungen bei der Fertigstellung des Flughafens zurückzuführen waren, war es an der Zeit, die Berliner wieder mit Stolz auf ihre Stadt zu erfüllen. Das sollte sein politisches Erbe werden. Und das würde er sich von niemandem nehmen lassen.

22. KAPITEL

Berlin-Wilmersdorf, Tübinger Straße:
Samstag, 12. September, 11.27 Uhr

»Rocco, bist du das?« Die vertraute Stimme erklang aus dem Lautsprecher seines iPhones, und von einer Sekunde auf die andere schossen tausend Erinnerungen durch sein Gehirn. Das gibt es doch gar nicht, dachte er, und ihm fiel ein Satz ein, den seine italienische Oma, seine Nonna, ihm immer wieder gesagt hatte: Stimmen, Melodien und Gerüche. Alle drei ermöglichen eine direkte Verbindung ins Gehirn und vermögen es, Schubladen aufzuziehen, die lange Zeit verschlossen waren.

»Ja, ich bin's«, erwiderte Rocco und merkte, wie sich seine Mundwinkel zu einem Lächeln nach oben zogen. »Ich hoffe, ich störe nicht?«

»Nein, überhaupt nicht, ganz und gar nicht. Perfekter Zeitpunkt«, antwortete Claudia, und Rocco meinte in ihrer Stimme so etwas wie Freude zu hören. »Das muss ja mehr als zehn Jahre her sein«, fuhr sie fort. »Ja, definitiv, mehr als zehn Jahre.«

»Viel zu lange auf jeden Fall«, gab Rocco zurück.

»Und?«, fragte sie. »Warum rufst du an? Einfach so, oder gibt es einen bestimmten Grund?«

»Na ja«, rückte Rocco sofort mit der Wahrheit raus, weil ihm klar war, dass alles andere das Gespräch sehr schnell in eine falsche Richtung gelenkt hätte. »Um ehrlich zu sein, bin ich im Rahmen eines neuen Mandates über deinen Namen gestolpert. Du arbeitest jetzt ja bei der Abteilung für Kapitaldelikte der Staatsanwaltschaft, und genau da liegt der Zusammenhang.« Er hielt kurz inne, ehe er hinzufügte: »Ich hoffte, es gäbe eine romantischere

Erklärung. Aber wenn ich mir was ausgedacht hätte, hättest du mich eh sofort durchschaut.« Nach einer kurzen Pause fügte er hinzu: »So wie früher. So wie immer.«

»Stimmt!«, lachte Claudia. »Flunkern war noch nie deine Stärke. Na ja, vielleicht ist das ja gar nicht so schlecht.«

Auch wenn Rocco froh war, dass er Claudia nichts vormachte, schämte er sich insgeheim dafür, dass er sich nach all den Jahren erst aufgrund eines beruflichen Anlasses gemeldet hatte. Ein früherer Anruf, und sei es nur, um Claudia zu ihrem Geburtstag zu gratulieren, war längst überfällig gewesen. Doch dafür war es jetzt zu spät. *Was soll's*, dachte er und schob den Gedanken beiseite. Das konnte er jetzt auch nicht mehr ändern.

»Ich habe gehört, dass du den Fall von dem Unbekannten übernommen hast. Dem aus dem Landwehrkanal.«

Es entstand eine kurze Pause, und Rocco vermutete, dass Claudia überlegte, wie sie sein Statement einordnen sollte.

»Ich bin mir jetzt nicht sicher, ob ich beeindruckt oder verärgert sein soll, dass du Zugriff auf diese Interna hast«, erwiderte sie jetzt schon etwas sachlicher. »Also, wie kommst du darauf?«

Rocco überlegte kurz, was er sagen sollte. Einerseits wollte er Jarmer nicht bloßstellen, andererseits war es auch keine Option, Claudia etwas vorzumachen.

Noch bevor er antworten konnte, kam sie ihm zuvor. »Jarmer! Du musst es von Jarmer haben«, sagte sie, und die Kälte wich einem Triumphieren in ihrer Stimme. »Na klar. Seit der Sache Nölting seid ihr ja quasi ein Team, wie man auf den Moabiter Gerichtsfluren immer wieder hört.«

Rocco musste lachen. Claudia war blitzgescheit und schnell. Schon immer.

»Ist auch egal, woher du es weißt. Viel mehr interessiert mich, warum du mich das fragst!«

»Tja, ich habe da so eine Ahnung, wer dein Opfer sein könnte.

Aber das würde ich lieber persönlich mit dir besprechen. Was meinst du, wollen wir uns am Montag auf einen Kaffee treffen?«

»Moment, ich gucke mal eben nach«, erwiderte Claudia, und Rocco hörte ein Rascheln am anderen Ende der Leitung.

»Ja, Montag geht. Vormittags habe ich zwei Sitzungen, aber um 14 Uhr müsste es gehen. Was hältst du anstelle eines Kaffees von einem späten Lunch im *Delphin – Fisch & Steak* in der Putlitzstraße? Hatte mir neulich ein Bekannter erzählt, dass der Laden ganz nett sein soll. Ich selbst war allerdings noch nicht da.«

»Passt gut«, erwiderte Rocco und notierte sich den Termin in dem Kanzleikalender auf seinem Handy.

Nachdem sie sich verabschiedet hatten, blickte Rocco gedankenverloren über die Dächer der umliegenden Häuser, die vor seiner Dachterrasse in den unterschiedlichsten Farben im Licht der Sonne leuchteten. *Mal sehen, wohin das führt,* dachte er und war sich im selben Moment nicht sicher, ob er dabei eher an seinen Fall und an Claudia als Staatsanwältin dachte, oder ob er gespannt auf das Wiedersehen mit seiner ehemaligen großen Liebe war.

23. KAPITEL

Berlin-Kladow, Golf Club Gatow e.V.:
Sonntag, 13. September, 9.45 Uhr

Trotz seines Namens lag der 1969 gegründete Golf Club Gatow eigentlich im Ortsteil Kladow, im ehemals Westberliner Bezirk Spandau. Die Anlage wurde bis zu ihrem Abzug im Jahr 1994 von den britischen Streitkräften genutzt und ging im Anschluss in die Hände des heutigen Betreibers über.

Zufrieden blickte Markus Palme von der ausladenden Terrasse des eleganten und ganz in Weiß gehaltenen Clubhauses über die weitläufige Fläche des 18-Loch-Platzes. Trotz seines für einen Politiker typisch vollen Kalenders nahm Palme sich immer wieder die Zeit, bei einer Runde zu entspannen. Auch heute freute er sich auf den willkommenen Tapetenwechsel, wenngleich der Anlass ein ernster war und er Beruf und Vergnügen miteinander verbinden würde.

Mit geschlossenen Augen schluckte er den Rest seines Darjeeling-Tees herunter, den er seit seinem Studium in England in den Siebzigerjahren mit einem kleinen bisschen Milch genoss. Er stellte die Tasse ab, griff sich sein Golfbag und machte sich auf den Weg zum ersten Loch, wo er mit seinem Gast verabredet war.

Schon von Weitem sah er, dass dieser bereits eingetroffen war.

»Doktor Bäumler«, begrüßte Palme den Oberstaatsanwalt und schüttelte ihm herzlich die Hand. »Wie schön, dass Sie heute Zeit für ein klein bisschen Sport gefunden haben.«

»Aber gerne doch«, antwortete Bäumler jovial und erwiderte Palmes Händedruck. Ganz offensichtlich schätzte er dieses private Treffen mit dem Spitzenpolitiker. »Für Sie habe ich immer Zeit.«

»Na dann, legen wir sogleich los. Warum spielen wir nicht ein paar Löcher und unterhalten uns dabei über die Möglichkeiten einer künftigen Zusammenarbeit.«

»Ausgezeichnet, ich bin dabei.« In der ihm eigenen, gleichermaßen selbstbewussten und von sich selbst völlig überzeugten Art zog Bäumler einen Driver aus seinem Bag und platzierte den Ball auf dem Abschlag.

Eine gute halbe Stunde später, nachdem die beiden Männer ganz allgemein über die anstehende Wahl und das politische Klima in der Hauptstadt geplaudert hatten, kam Palme zur Sache.

»Ich möchte offen sein, lieber Bäumler. Wie Sie ja wissen, stellt sich mir, gesetzt den Fall, dass sich die Wahl zu unseren Gunsten entscheidet, die Aufgabe, meine aktuelle Position nachzubesetzen. Und wie Sie zu Recht vermutet haben, sind Sie mein absoluter Wunschkandidat.«

Bäumler strahlte Palme an. »Ich stehe zu Ihrer Verfügung. Und wenn ich mir die Bemerkung erlauben darf, glaube ich, Ihre strenge Linie auch mit gleicher Härte fortführen zu können.« Er räusperte sich kurz. »Dass ich über die entsprechende Fachkunde verfüge, habe ich ja in den vergangenen Jahren unter Beweis gestellt. Und«, fügte er hinzu, »ich glaube, zusammen können wir weiter in der Stadt aufräumen.«

Palme lächelte und dachte sich seinen Teil. Er war von der Kompetenz Bäumlers überzeugt. Und auch wenn er dessen Aufmerksamkeit heischendes Verhalten immer etwas skeptisch beurteilte, war er doch sicher, dass gerade das in den letzten Wahlkampfwochen hilfreich sein könnte. Bäumler, der jede Gelegenheit nutzte, in den Medien seine Erfolge als knallharter Ermittler und Strafverfolger darzustellen, war in Berlin bekannt wie ein bunter Hund. Und auch wenn sein Verhalten ohne Frage polarisierte, würde es genug konservative Wähler an die Urnen locken, die ihm weitere Stimmen bringen würden. Der Umstand, dass

Bäumler selbst keiner Partei angehörte, war nur von Vorteil. Denn mit seiner bisweilen reaktionären Art sprach er gerade die Bevölkerungsgruppe an, die traditionell keine SPD-Wähler waren.

»Ihre Erfahrung und Ihr Ruf stehen außer Frage«, stimmte er Bäumler deshalb zu. »Aber, und das wissen wir beide, ich brauche einen gänzlich unbelasteten Innensenator. Und was das betrifft, könnten wir hier ein kleines Problem haben, nicht wahr?«

Mit einem Schlag verzog sich das Gesicht des Oberstaatsanwaltes. Bäumler brauchte einige Sekunden, um seine Gelassenheit zurückzugewinnen. Ohne Frage schien er genau zu wissen, worauf Palme anspielte.

»Nun, ich bin mir sicher, dass es sich dabei um einen Irrtum handelt und sich das Ganze in Wohlgefallen auflösen wird. So wie es aussieht, handelt es sich wohl eher um eine Wirtschaftssache, in der mein Name ganz am Rande gefallen sein muss«, sagte Bäumler mit offensichtlich bewusst beiläufiger Stimme, ehe er seine Aufmerksamkeit wieder dem nächsten Schlag widmete. Er holte aus und trieb den Ball mit absoluter Präzision von dem Fairway auf das knapp hundert Meter entfernte Grün. »Nichts also, worüber wir beide uns sorgen müssten, oder sehen Sie das anders?«

Was für eine Chuzpe, dachte Palme. Aber vermutlich genau das, was es in dieser Position brauchte. »Wir werden sehen«, fügte er nur hinzu und griff seinerseits zu einem Eisen neun. »Ich werde mich der Sache annehmen. Vielleicht lässt sich das Ganze ja wirklich in Wohlgefallen auflösen.«

24. KAPITEL

Berlin-Moabit, Restaurant Delphin – Fisch & Steak,
Putlitzstraße 1:
Montag, 14. September, 13.55 Uhr

Rocco hatte sein schlechtes Gewissen, dass er sich all die Jahre nicht bei Claudia gemeldet hatte, beiseitegeschoben. Jetzt freute er sich aufrichtig auf ihr erstes Treffen nach viel zu langer Zeit. Er stellte seinen Alfa auf der gegenüberliegenden Seite des Delphin ab, wo er zu seiner großen Überraschung direkt einen Parkplatz gefunden hatte.

Das kleine und, wie Rocco im Internet recherchiert hatte, für seine mediterranen Spezialitäten bekannte Restaurant wirkte auf den ersten Blick völlig fehl am Platz. Wie ein etwas zu großer eingeschossiger Container mit angebauter Terrasse stand es mitten auf dem kleinen Platz, an der spitz zulaufenden Ecke Stephanstraße und An der Putlitzbrücke. Eingerahmt wurde es von einem Altbau auf der einen und einem Shopping-Center auf der anderen Seite.

Das Design wirkte indessen modern und einladend. Drinnen oder draußen, überlegte Rocco und blickte nach oben. Mit bedächtiger Geschwindigkeit zogen weiße Wolken über den Himmel und sorgten für einen Wechsel von Sonne und Schatten. Im Vergleich zum Wochenende war die Temperatur deutlich gefallen. Es waren höchstens achtzehn Grad. Rocco, der zwar das heiße Sommerwetter der sich nähernden herbstlichen Frische grundsätzlich vorzog, entschied sich dennoch für einen Tisch auf der kleinen Terrasse des Delphin. Er war sich sicher, dass Claudia auch lieber an der frischen Luft sitzen wollte. Früher, während ihrer Studienzeit, waren sie am Abend oft noch mit einer Flasche Wein an die Krumme Lanke, den kleinen und malerisch gelegenen See unweit der Freien Universität, gefahren.

»Rocco, du bist ja schon da«, hörte er plötzlich eine vertraute Stimme hinter sich und merkte, wie sein Herz schneller zu schlagen begann. *Verrückt*, dachte er. *Warum bin ich denn aufgeregt?* Und noch bevor er sich umdrehen und Claudia willkommen heißen konnte, war sie schon mit wenigen Schritten über die kleine Treppe auf die Terrasse gekommen und hatte auf dem Stuhl ihm gegenüber Platz genommen. Rocco musste schmunzeln. Sie hatte sich kein bisschen verändert. Die gleichen strahlenden Augen, die gleichen langen blonden Haare. Nur die vom vielen Lächeln ausgeprägten Grübchen auf beiden Seiten ihrer Lippen waren vielleicht etwas ausgeprägter.

»So sprachlos kenne ich dich ja gar nicht«, fuhr sie fort. »Gut siehst du aus, vielleicht ein bisschen älter, aber gut.« Sie lachte ihn an, und Rocco stimmte in das Lachen ein. Claudia hatte nichts von ihrer Energie eingebüßt, und es fühlte sich so an, als hätten sie sich erst gestern das letzte Mal gesehen.

»Ja, irgendwie komisch nach so langer Zeit«, sagte Rocco und kam sich dabei ungewohnt unbeholfen vor. »Und irgendwie auch gar nicht.«

Claudia stellte ihre Tasche neben sich auf dem Stuhl ab und lehnte sich über den Tisch nach vorne. Sie schaute ihm direkt in die Augen. »Stimmt«, erwiderte sie zwinkernd. »Also, Herr erfolgreicher Rechtsanwalt, über den man in den letzten Wochen in jeder Zeitung gelesen hat, wie geht es dir denn? Was hast du so gemacht?« Sie hielt kurz inne und blickte ihn mit zusammengekniffenen Augen an, ganz so, als überlegte sie, wie wohl die Antwort auf ihre Frage lautete. »Verheiratet? Kinder?«

Rocco schüttelte vergnügt den Kopf. »Single. Immer noch. Oder immer wieder. Keine Kinder. Und du?«

»Verheiratet und einen Sohn.«

Rocco zuckte innerlich zusammen und ertappte sich dabei, dass er sich eine andere Antwort gewünscht hätte. Er versuchte aber, sich nichts anmerken zu lassen.

»Ein Sohn, cool. Wie alt? Und wie heißt er?«

»Nick. Dreizehn. Und schon fünf Zentimeter größer als ich.«

»Klasse, das freut mich. Und sonst so, wie sieht es bei dir aus?«

Claudia spitzte die Lippen und schaute Richtung Himmel. Doch noch bevor sie antworten konnte, kam der Kellner mit zwei Speisekarten. Sie einigten sich auf eine Flasche Pellegrino und bestellten auch gleich die gegrillten Scampi mit Salat von der Wochenkarte.

»Gut geht es mir«, antwortete sie dann. »Viel zu tun bei der Staatsanwaltschaft, aber das ist ja nicht wirklich verwunderlich. Wir haben einfach zu viele Fälle für zu wenige Sachbearbeiter. Und es fühlt sich so an, als wenn es täglich mehr werden.« Rocco nickte. Die vertrackte Situation bei der Staatsanwaltschaft war allgemein bekannt.

Er griff eine Scheibe Weißbrot aus dem Korb vor sich und brach ein Stück ab.

»Ist bei mir auch nicht anders. Viel zu tun, und es bleibt immer viel zu viel liegen«, sagte er.

»Weiter Einzelkämpfer, oder wie machst du das?«, hakte Claudia nach.

»Ja, schon. Reicht ja auch. Ist im Strafrecht nicht so ungewöhnlich. Also, auf meiner Seite.« Rocco stopfte sich ein weiteres Stück Brot in den Mund.

»Und deine Schwester? Alessia, oder?«

»Genau. Die ist jetzt mit Tobi zusammen«, fuhr Rocco fort und merkte, dass er sich bei ihrem Small Talk langsam etwas unwohl fühlte. Ob das daran lag, dass er insgeheim gehofft hatte, Claudia wäre nicht verheiratet, oder daran, dass ihm die Sache mit Timo Krampe keine Ruhe ließ, wusste er selbst in dem Moment nicht.

»Mit Tobi, deinem besten Freund? Au Mann, das gibt es ja gar nicht.« Auch Claudia griff jetzt nach dem Brot. »Lecker«, sagte sie genüsslich. »Ob die das hier selbst machen?«

»Weiß ich ehrlich gesagt nicht, bin ja auch zum ersten Mal hier«, erwiderte er, fest entschlossen, jetzt das Thema zu wechseln. »Aber sag mal, du hast ja bestimmt auch nicht ewig Zeit heute, kann ich dich mal zu der Sache fragen, wegen der ich angerufen habe?«

Claudia hielt beim Kauen inne und schaute ihn etwas irritiert an. Und von einem Moment auf den anderen verlor das Lächeln in ihrem Gesicht an Strahlkraft.

Verdammt, dachte er. Das hatte er nicht gewollt.

»Der Fall, na klar«, sagte Claudia etwas sachlicher. Sie goss beiden etwas Wasser nach und sah Rocco herausfordernd an. Der bedauerte, dass jetzt nicht mehr Claudia, seine ehemalige Freundin, sondern Staatsanwältin Spatzierer, die professionelle Ermittlerin und Anklagevertreterin, vor ihm saß. Na ja, dachte er. *Wer weiß, wofür das noch gut ist.* Immerhin war Claudia verheiratet, und da hätten irgendwelche alten Gefühle eh keinen Platz gehabt.

»Die Wasserleiche. Du hast also nicht nur von ihr gehört, sondern weißt auch, wer das ist? Erzähl mal.«

»Ja, tatsächlich habe ich da so eine Vermutung. Ich habe dir doch von meinem Mandanten erzählt, der einen Freund vermisst, und auch wenn das nun wirklich nichts heißen muss, habe ich so eine Befürchtung, dass das deine Leiche sein könnte.«

In den nächsten fünf Minuten begann Rocco von dem Termin mit Krampe und Liebig zu erzählen, allerdings ohne deren Namen zu nennen. Er nahm seine anwaltliche Verschwiegenheitspflicht sehr ernst, ganz gleich, wie vertraut ihm die Person war, mit der er sich unterhielt.

Claudia hatte erst nur zugehört und sich dann einen kleinen Block mit Stift aus der Tasche gezogen, auf dem sie sich etliche

Notizen machte. Gerade als Rocco von dem Granther-Experiment erzählte, kam der Kellner und stellte die Teller mit Salat und jeweils sechs Scampi vor ihnen ab.

»Vorsicht, ist sehr heiß«, warnte der Kellner, ehe er ihnen einen guten Appetit wünschte.

Nachdem er wieder im Inneren des Restaurants verschwunden war, sah Claudia Rocco an.

»Das ist ja eine unglaubliche Geschichte. Staatlich tolerierter Kindesmissbrauch. Das gibt es doch gar nicht.«

»Ja, habe ich auch gedacht. Und ich hatte ebenfalls noch nie davon gehört, bis mir Liebig, die Redakteurin von der *Tagespost*, davon erzählt hat.« Rocco nahm einen der Scampi auf die Gabel und biss vorsichtig ein Stück ab, ehe er fortfuhr. »Sie hat mir erzählt, dass die beiden Männer schon einiges zusammen unternommen haben. Zu zweit haben sie sich vor Jahren an das Jugendamt Tempelhof-Schöneberg gewandt. Sie waren sich sicher, dass man ihnen da zuhört und dass sie jemanden finden, der auch ein Interesse daran haben müsste, den Fall aufzuklären und die Verantwortlichen zur Rechenschaft zu ziehen. Und am Anfang sah es sogar ganz gut aus. Der Behördenleiter hat wohl ein paar Telefonate geführt und dann eine Sachbearbeiterin mit der Sache beauftragt.«

»Und was ist dabei rausgekommen?«

»Na ja, zunächst ging es ganz gut voran. Die Redakteurin meinte, dass die im Jugendamt tatsächlich Berge von Akten gewälzt haben. Es gab auch ein Ermittlungsverfahren bei der Staatsanwaltschaft, dem sich sogar die zuständige Senatsverwaltung angeschlossen hat. Doch das Ende der Geschichte war ernüchternd: Die Ermittlungen wurden eingestellt.«

»Verjährung?«

»Spielte auch eine Rolle. Vermute ich zumindest.«

»Und dann?«

»Die beiden hatten keine Lust aufzugeben. Das war jetzt einfach ein wichtiger Teil ihres Lebens, und sie hatten schon so viel Zeit reingesteckt. Sie sind dann zur Zeitung gegangen. Direkt zur *Tagespost*. Und da sind sie auf Liebig gestoßen.«

»Aber davon habe ich noch gar nichts gelesen. Oder ist mir das nur nicht aufgefallen?«

»Nein, nein«, erwiderte Rocco. »Da gibt es nichts. Noch nicht. Denn eigentlich sollte letzten Sonntag die ganze Sache mit einem Interview starten …«

»… aber das ging nicht, weil der eine der beiden verschwunden war«, vollendete Claudia Roccos Satz.

»Ganz genau so sieht es aus. Weshalb die Redakteurin mit dem anderen bei mir in der Kanzlei auftauchte.«

»Und wieso glaubst du, dass der verschwundene Freund meine Wasserleiche sein könnte?«

»Zwei Punkte. Zum einen passt die Beschreibung ziemlich gut auf die nicht identifizierten Toten, die in dem entsprechenden Zeitfenster gefunden wurden. Und zum anderen reiner Instinkt. Irgendwie passt das zusammen. Außerdem habe ich gehört, dass es da vielleicht ein eindeutiges Merkmal an deiner Leiche gibt, das bei der Identifikation helfen könnte. Stimmt das?«

Claudia Spatzierer antwortete nicht gleich auf Roccos Frage. Es schien ihm, als überlegte sie, wie viel sie ihm sagen durfte. Schließlich sah sie ihn vertrauensvoll an. »Na ja, das gibt es schon. Und weißt du was? Wir nehmen ja grundsätzlich jeden sachdienlichen Hinweis, der zur Identifikation von Vermissten führen könnte, auf. Das müsste also auch umgekehrt gelten.«

Rocco nickte.

»Auch wenn der Tote kein Gesicht mehr hat, das irgendwas mit seinem früheren Aussehen zu tun hätte, gibt es da tatsächlich was.« Sie machte eine kleine Pause und blickte ihm direkt in die Augen. »Der Tote hat drei Brustwarzen.«

25. KAPITEL

Berlin-Moabit, Hanseatenweg 6:
Montag, 14. September, 15.02 Uhr

Timo Krampe war weiterhin krankgeschrieben. Es ging ihm nicht gut, und er hatte kaum geschlafen. Die Ereignisse der letzten Tage hatten ihn vollkommen überfordert. Er lag auf seinem Sofa und hatte die Tür zu dem kleinen Balkon geöffnet, um etwas frische Luft in sein Zimmer zu lassen. Die ersten Ausläufer des Herbstes hatten von der Hauptstadt Besitz ergriffen, und es wurde langsam kühler in Berlin. Krampe griff nach der dünnen grünen Decke neben sich und hüllte sich bis zum Hals ein. *Schon besser.* Dann versuchte er, seine Gedanken zu ordnen.

Jörg war fort, und Krampe wollte gar nicht darüber nachdenken, was ihm möglicherweise Schreckliches zugestoßen war. Das Interview mit der *Tagespost* war geplatzt, weil das nur mit seinem Freund ging. Liebig meinte, das würden sie so schnell wie möglich nachholen, und dann würden sie auch nach und nach die ganze Story veröffentlichen. Krampe wusste nicht, ob er der Journalistin vertrauen konnte. Er wollte es so gerne, aber er war sich nicht sicher. Zu oft waren er und Jörg in den letzten Jahren enttäuscht worden.

Dann waren sie bei dem Rechtsanwalt gewesen, von dem er nicht wusste, was er von ihm halten sollte. Eigentlich hatte er da gar nicht hingewollt, aber Liebig hatte ihn überredet, ja geradezu gedrängt, Eberhardt aufzusuchen. Würde der wirklich helfen, oder war das einer von denen, die nur auf Geld aus waren?

Keine Ahnung. Aber vielleicht gab es ja doch noch eine Chance. Er spürte, wie der Kampfeswille ganz langsam wieder in ihm zu wachsen begann. Eine Kraft, die so sehr in ihm steckte. Eine Stärke, die ihn über Jahre in den schlimmsten Zeiten hatte überleben lassen. Krampe schob die Decke von sich und stand von seiner Couch auf. Er ging in die Küche und setzte eine Kanne Kaffee auf. Schluss mit der Lethargie. Es war Zeit, wieder das Ruder in die Hand zu nehmen. Seine Geschichte, die Geschichte des Granther-Experiments, musste an die Öffentlichkeit. Er würde nicht zur Ruhe kommen, ehe die Verantwortlichen nicht endlich an den Pranger gestellt wurden. Das war er sich und Jörg schuldig. Und all den anderen Kindern. Aber was war als Erstes zu tun? Gerade als er sich das fragte, klingelte das Telefon.

Krampe griff sein Android und nahm das Gespräch an. Es war Eberhardt, der Anwalt, an den er gerade noch gedacht hatte.

»Hallo, Herr Krampe, ich hoffe, ich störe Sie nicht. Haben Sie ein paar Minuten Zeit für mich?«

»Klar, natürlich«, antwortete Krampe. »Worum geht es denn?«

»Es könnte sein, dass wir neue Informationen zu Ihrem Freund haben. Ich würde das gerne in Ruhe mit Ihnen in der Kanzlei besprechen. Könnten Sie heute am Abend oder morgen in der Früh vorbeikommen?«

Krampe fühlte, wie sich sein Herzschlag beschleunigte. Hatten sie Jörg gefunden? Das änderte alles.

»Welche Informationen?«, fragte er atemlos.

»Das ist nichts, was ich am Telefon besprechen möchte, das machen wir am besten persönlich.«

Krampe wusste nicht, ob das eine gute oder schlechte Nachricht war. Gleichzeitig wollte er unbedingt wissen, um was es ging. »Okay, na klar, ich kann vorbeikommen. Heute noch«, entgegnete er rasch.

»Ausgezeichnet. Und am besten bringen Sie auch gleich Frau Liebig mit, dann sind wir alle informiert.«

Krampe zögerte kurz, ehe er antwortete. »Gut, ich werde ihr Bescheid geben.«

26. KAPITEL

Berlin-Charlottenburg, Fasanenstraße 72,
Kanzlei Eberhardt:
Montag, 14. September, 19.17 Uhr

»Nein, das kann ich Ihnen nicht sagen. Nein, da müssen Sie sich schon gedulden oder direkt an Ihren *Mitarbeiter* wenden. Ich werde Ihnen dazu überhaupt nichts sagen«, beendete Rocco Eberhardt leicht genervt das Telefonat mit Kamil Gazal. Es war eine Sache, Gazal einen Gefallen zu tun, ein schnelles Mandat zu übernehmen und sich um einen seiner Männer zu kümmern. Eine gänzlich andere Sache war es aber, seinen Beruf anständig auszuüben. Und dazu gehörte es, dass er sich an die Regeln der Strafverteidigung hielt. Gazal darüber zu informieren, was sich in seiner Kanzlei abgespielt hatte und inwiefern das Konsequenzen nach sich zog, gehörte sicher nicht dazu. Faris Mazin war sein Mandant. Nicht Kamil Gazal. Und seinem Mandanten war er die sich aus dem Gesetz ergebende Verschwiegenheitspflicht schuldig. Und das Gesetz zu brechen, kam für ihn nicht infrage.

Gewiss, als Strafverteidiger hatte er es häufig mit schlimmen, teilweise abgrundtief bösen Menschen zu tun. Und er hatte sich mehr als einmal mit Freunden, Verwandten oder auch Journalisten darüber unterhalten, wie man solche Verbrecher überhaupt vertreten konnte. Roccos Meinung dazu war eindeutig: Das Rechtssystem der Bundesrepublik Deutschland, ebenso wie das der meisten demokratischen Länder, beruhte auf dem Prinzip, dass jeder Mensch einen Anspruch auf Verteidigung hatte. Das bedeutete allerdings nicht, dass Rocco auf Teufel komm raus immer für den Freispruch eines schuldigen Verbrechers kämpfte, was in der Regel ohnehin illusorisch war. Rocco vertrat vielmehr die Auffassung, dass es das bestmögliche Ergebnis zu erzielen galt. Nicht mehr und nicht weniger.

Er schob den Gedanken an Gazal beiseite, als er durch die Tür seines Büros hörte, wie Klara Schubert Krampe und Liebig empfing.

»Danke, dass Sie so spät noch vorbeigekommen sind«, begrüßte Rocco die beiden, als sie kurz darauf an seinem gläsernen Besprechungstisch Platz genommen hatten. Rocco hatte keine Ahnung, wie Krampe mit der Information umgehen würde, die er den beiden gleich mitteilen würde, und war insgeheim froh darüber, dass die junge Redakteurin mit dabei war. Nur für alle Fälle.

»Ich will gleich zum Punkt kommen. Die Polizei hat vor Kurzem einen Leichnam aus dem Landwehrkanal geborgen, auf den die Beschreibung Ihres Freundes weitestgehend zutrifft. Genau kann man das aber erst nach weiteren Untersuchungen sagen.«

Rocco sah, wie Krampe die Farbe aus dem Gesicht wich. Seine ohnehin schon blasse Hautfarbe nahm jetzt ein fahles Grau an.

Auch Anja Liebig schien die Nachricht mehr mitzunehmen, als Rocco vermutet hatte. Nervös rutschte sie auf ihrem Stuhl nach vorne. »Aber da können Sie sich doch nicht sicher sein, oder? Ich meine, da kommen doch auch noch andere in Betracht.«

»Absolut, genauso ist es. Es gibt allerdings ein Merkmal, das sehr auffällig ist und das den Kreis erheblich einschränken würde.« Rocco machte eine kurze Pause. »Der Mann hat eine dritte Brustwarze. Sie ist nicht so groß wie die beiden normalen Brustwarzen und könnte auch leicht mit einem Hautmal, einem etwas zu großen Leberfleck, verwechselt werden. Aber das ist ein so außergewöhnliches Merkmal, dass ich Sie fragen wollte, Herr Krampe, ob Ihnen etwas in der Richtung bekannt ist.«

Krampe blickte auf und sah Rocco direkt in die Augen. Stumme Tränen liefen ihm über die Wangen.

27. KAPITEL

Berlin-Charlottenburg, Fasanenstraße 72,
Kanzlei Eberhardt:
Montag, 14. September, 20.37 Uhr

»Dann hast du also tatsächlich recht gehabt«, sagte Claudia am anderen Ende der Leitung. »Jörg Grünwald also.«

»Ja, sieht ganz so aus«, erwiderte Rocco und griff nach dem Rotwein, den er sich nach seiner Meinung an diesem langen Tag verdient hatte.

»Dann werde ich alles an Jarmer weitergeben, damit er die Information verifizieren kann.«

»Okay«, entgegnete Rocco. »Aber du wirst morgen der Sache doch auch nachgehen und das LKA darauf ansetzen, oder?«

»Natürlich, alles, was erforderlich ist«, gab Claudia leicht genervt zurück.

Rocco hatte das Gefühl, dass sie unter großem Druck stand.

»Ich habe aber auch noch zahlreiche andere Fälle, um die ich mich kümmern muss. Ein Mordfall, bei dem der Täter bis jetzt flüchtig ist, raubt mir die meiste Zeit. Allerdings haben wir einen Verdächtigen, um den sich die Schlinge immer weiter zuzieht. Abgesehen davon müssen wir bei Grünwald aber ohnehin noch wenigstens so lange warten, bis wir ihn eindeutig identifiziert haben. Und dann stellt sich die Frage, ob er wirklich Opfer eines Verbrechens geworden ist oder nicht doch einfach in den Kanal gefallen und ertrunken ist.«

Rocco wusste, dass Claudia recht hatte und sich nicht sofort in die Ermittlungen stürzen würde, auch wenn ihm das nicht im Geringsten gefiel.

28. KAPITEL

Berlin-Moabit, Institut für Rechtsmedizin:
Dienstag, 15. September, 8.18 Uhr

Jörg Grünwald. Eberhardt hatte also wirklich den richtigen Riecher, dachte Jarmer und schrieb den Namen mit dem Kugelschreiber in großen Lettern auf den weißen Zettel vor sich. Claudia Spatzierer, die zuständige Staatsanwältin in dem Ermittlungsverfahren der Wasserleiche, hatte ihn informiert. Die offizielle Identifizierung, die in diesen Fällen einer fortgeschrittenen Fäulnis der Leiche über den Zahnstatus erfolgen würde, stand allerdings noch aus. Konkret bedeutete das, dass die Kripo entsprechende Unterlagen über die Krankenkasse oder direkt über den Zahnarzt von Grünwald besorgen würde, anhand derer er diesen eindeutig identifizieren könnte. Doch Jarmers Erfahrung sagte ihm auch ohne diese Bestätigung, dass sie ihren Mann gefunden hatten. Dass zufällig jemand in Berlin zur gleichen Zeit verschwunden sein sollte, bei dem Größe, Haarfarbe und die Besonderheit des Vorhandenseins einer dritten Brustwarze – einer extrem seltenen anatomischen Variante – gegeben wäre, war ausgeschlossen.

Aber das war es nicht, was ihn nachdenklich stimmte. Irgendwie kam ihm der Name bekannt vor. Jörg Grünwald. Er war sich sicher, dass er ihn schon einmal gehört hatte. Aber in welchem Zusammenhang? Der Name war nicht wirklich außergewöhnlich, allerdings auch nicht so häufig wie Michael Müller oder Thomas Schmidt. Der Gedanke ließ ihm keine Ruhe. Jarmer setzte sich an seinen Dienstrechner und gab auf gut Glück den Namen in das Suchfeld der Datenbank ein. Innerhalb kürzester Zeit warf der Computer zahlreiche Ergebnisse aus dem Institutsverzeichnis für den Vornamen Jörg aus, allerdings kein einziges für den Nachnamen Grünwald.

Dann hatte es nichts mit uns zu tun, dachte Jarmer. Kannte er den Namen aus einer privaten Verbindung? Nein, das war es ganz sicher nicht. Jarmer ließ seinen Blick durch sein Büro schweifen und blieb an dem aktuellen Flyer des Deutschen Kindervereins hängen, der an seiner Pinnwand hing. Und mit einem Mal fiel es ihm wie Schuppen von den Augen. Als hätte jemand einen Vorhang zurückgezogen und den Blick für ihn frei gemacht. Jörg Grünwald war eines der Kinder aus diesem unsäglichen Granther-Experiment gewesen, das ihn vor vielen Jahren einmal beschäftigt hatte. Schon vor seinem Engagement als Botschafter des 2012 gegründeten Deutschen Kindervereins e.V. setzte Jarmer sich für misshandelte Kinder ein. Und in diesem Rahmen war er auf Granther und seine »Forschungen« gestoßen. Das musste Anfang der Zweitausender gewesen sein.

Jarmer merkte, wie Wut in ihm aufstieg. Und das war für ihn sehr untypisch. Zumindest in seinem Berufsalltag. Doch wenn es um Gewalt gegen Kinder ging, gelang es ihm nicht immer, sich seine sonst so nüchterne, analytische Art, die Grundlage für seine Arbeit in der Rechtsmedizin war, zu bewahren.

Er wollte wissen, was es damit genau auf sich hatte. Wollte den Hintergrund ausleuchten. Schließlich war Grünwald seiner Ansicht nach ja nicht einfach in den Kanal gefallen und infolge eines Unfalls ums Leben gekommen. Das Hämatom am Rücken deutete vielmehr darauf hin, dass Grünwald Opfer eines Verbrechens geworden sein könnte. Aber wer hatte seine Finger im Spiel? Und inwiefern stand die Angelegenheit in Zusammenhang mit Rocco Eberhardt? Nun, zumindest Letzteres herauszufinden, sollte nicht allzu schwer sein.

29. KAPITEL

Berlin-Charlottenburg, Fasanenstraße 72,
Kanzlei Eberhardt:
Dienstag, 15. September, 9.13 Uhr

Rocco liebte seinen Kaffee heiß und schwarz. Während er einen großen Schluck aus dem hellblauen Becher mit dem orangefarbenen Griff trank, den Alessia ihm letztes Jahr zum Geburtstag geschenkt hatte, musste er an das mögliche Strafverfahren gegen seinen Vater denken. Er überlegte, ob er ihn in den nächsten Tagen anrufen und sich mit ihm zum Essen verabreden sollte. Oder vielleicht auch lieber nicht? Erst mal abwarten. Bisher gab es ja nichts Offizielles, und somit war die ganze Sache fürs Erste nicht so dringend. Ganz im Unterschied zu dem Fall Krampe. Hier hatte Rocco das Bedürfnis, Struktur in die bisherigen Geschehnisse zu bringen. Er wollte sich darüber klar werden, was hier überhaupt zu tun war. Schließlich bewegte er sich seit exakt einer Woche auf ziemlich unbekanntem Terrain. Normalerweise verteidigte er Männer und Frauen, denen eine Straftat vorgeworfen wurde, mit dem Ziel, ein möglichst vorteilhaftes Ergebnis für diese zu erzielen. Das reichte von der Einstellung des Verfahrens über einen Freispruch bis hin zu einer interessengerechten Geld- oder Freiheitsstrafe. In diesem Fall aber hatten Krampe und Liebig ihn aufgesucht, um bei der Vermisstensuche zu helfen. Nach Jörg Grünwald. So wie es aussah, hatten sie ihn gefunden. Auch wenn das Ergebnis alles andere als erfreulich war. Aber war der Fall damit abgeschlossen?

Um zehn würden Krampe und Liebig erneut in die Kanzlei kommen, so hatten sie es am Vorabend besprochen. Dann wollten sie alles Weitere klären. Aber was würde das sein? Grünwald war nach Einschätzung von Jarmer keines natürlichen Todes und auch nicht infolge eines Unfalls gestorben. Claudia war sich da nicht so sicher. Und damit stand sie nicht alleine da. Auch Rocco hatte Zweifel. Es gab keine hieb- und stichfesten Beweise, wenngleich er zugeben musste, dass die ganze Sache schon ungewöhnlich war.

Ein Klingeln riss Rocco aus seinen Gedanken. Auf dem Display seines Telefons prangte in großen Lettern der Name des Anrufers: Jarmer!

»Doktor Jarmer, hallo. Was kann ich für Sie tun?«, nahm Rocco das Gespräch an.

»Hallo Herr Eberhardt. Gut, dass ich Sie erreiche. Was Sie für mich tun können? Vermutlich gar nichts. Aber vielleicht kann ich etwas für Sie tun.«

»Okay. Und was könnte das wohl sein?«

»Nun, der Tote, die Wasserleiche. So wie es aussieht, hatten Sie mit Ihrer Vermutung recht. Hundert Prozent sicher können wir zwar erst sein, wenn ich die Identität anhand des Zahnstatus verifiziert habe, aber es würde mich schon sehr wundern, wenn das nicht Ihr Mann wäre.«

»Das ist wohl sehr wahrscheinlich«, stimmte Rocco zu, ehe er neugierig nachfragte: »Und womit genau können Sie mir helfen?«

»Ganz einfach. Ich kenne Grünwald. Also nicht direkt, aber ich kenne den Fall. Das Granther-Experiment.«

Rocco horchte auf. Was um alles in der Welt hatte Jarmer mit dem Granther-Experiment zu tun?

»Sie wissen doch«, fuhr der Mediziner fort, »dass ich mich seit Jahren im Bereich Kinderschutz engagiere. Immer wieder gibt es in der Gesellschaft mehr oder weniger bekannte Fälle, in denen Gewalt gegen Kinder verübt wird. Mit dem Deutschen Kinderverein versuchen wir, das zum einen zu verhindern und zum anderen eben auch für Öffentlichkeit und ein stärkeres Bewusstsein in der Bevölkerung zu werben, dass Kinder immer wieder Opfer von Misshandlung werden und vieles davon hinter verschlossenen Türen passiert. Und in diesem Rahmen habe ich vor vielen Jahren auch von dem Granther-Experiment gehört.«

»Okay, das ist ausgesprochen interessant. Und was Ihr Engagement angeht, muss ich gestehen, mir war nicht bewusst, dass Sie das machen«, entgegnete Rocco, und ihn überkam spontan ein schlechtes Gewissen. Dass er keine Ahnung von Jarmers Engagement hatte, war eine Sache. Aber dass er sich selbst kaum sozial engagierte, mit der Ausnahme von unregelmäßigen Spenden an wohltätige Organisationen einmal abgesehen, war eine ganz andere Geschichte. Er machte sich eine kurze Notiz auf einem Zettel, um sich mit dieser Leerstelle bei Gelegenheit genauer zu befassen.

»Nun, wie auch immer«, fuhr Jarmer fort. »Vor gut fünfzehn Jahren hat eine Referentin im Rahmen einer Veranstaltung einen Vortrag über Granther und seine Forschungen gehalten. Und in diesem Zug hat sie auch von dem Fall Grünwald berichtet. Ich war damals, wie alle anderen Zuhörer, fassungslos und entsetzt. Aber weil Granther verstorben war und die Jugendämter von dem Granther-Experiment zwischenzeitlich Abstand genommen hatten, habe ich die Sache über die Jahre aus den Augen verloren. Bis gerade eben, als mich Staatsanwältin Spatzierer angerufen und mir den Namen Grünwald genannt hat.« Jarmer räusperte sich. »Jetzt liegt er bei uns im Institut und ist vermutlich, zumindest nach meiner Einschätzung, Oper einer Straftat geworden. Da habe ich gedacht, dass Sie vielleicht etwas mit der Information anfangen können.«

»Das kann ich in der Tat. Und leider bestätigt das eine meiner Vermutungen. Denn ich hege mittlerweile die Befürchtung, dass das mit meinem aktuellen Mandanten zu tun haben könnte.«

Rocco dachte nach. *Wenn es Zusammenhänge zwischen dem Tod*

von Grünwald und dem Granther-Experiment gab, könnte das Ganze in Zusammenhang mit den neuerlichen Recherchen von Anja Liebig stehen. War sie im Rahmen ihrer Nachforschungen jemandem so sehr auf die Füße getreten, dass eine einzelne Person oder eine Gruppe anfing, Zeugen zu beseitigen?

»Wissen Sie was, Doktor Jarmer? Ich habe später noch ein Treffen mit meinem Mandanten und Frau Liebig, einer Redakteurin von der *Tagespost*. Die beiden sind zu mir gekommen, weil Grünwald, der Freund von meinem Mandanten Timo Krampe, plötzlich verschwunden war. Krampe ist auch Opfer des Granther-Experimentes und hatte sich mit Grünwald an die *Tagespost* gewandt. Liebig hat die Story sofort aufgenommen, um darüber zu berichten. Langsam habe ich das Gefühl, dass das alles miteinander zusammenhängen könnte. Ich bin mir sicher, dass ich nach dem Treffen etwas schlauer bin. Ich melde mich am Abend noch mal bei Ihnen, wäre das okay?«

»Auf jeden Fall, so machen wir das«, entgegnete Jarmer. »Ich bin nach wie vor verwundert, dass die ganze Geschichte um Granther nie ins Visier der Öffentlichkeit geraten ist. Die Verantwortlichen von damals wurden nie zur Rechenschaft gezogen. Vielleicht hat der ein oder andere sogar zwischenzeitlich Karriere gemacht. Da dürften jedenfalls einige Personen großes Interesse daran haben, dass die unehrenvollen Hintergründe nicht ans Licht kommen. Und sei es nur, damit es ihnen in ihren heutigen Positionen nicht schadet. Verbleiben wir doch so: Sie erreichen mich bis neunzehn Uhr auf dem Handy, danach wird es schwer. Dann vermutlich erst morgen.«

»Kein Problem – das kriege ich hin«, erwiderte Rocco, und die beiden verabschiedeten sich.

Verrückt, dachte Rocco und hatte das untrügliche Gefühl, dass die Sache Krampe mit dem Fund von Grünwald nicht abgeschlossen war, sondern gerade erst ihren Anfang nahm.

30. KAPITEL

Berlin-Charlottenburg, Fasanenstraße 72,
Kanzlei Eberhardt:
Dienstag, 15. September, 10.03 Uhr

»Eigentlich ist mein Auftrag erledigt, oder?«, stellte Rocco nüchtern fest und ärgerte sich im selben Moment über seine etwas unsensible Wortwahl. Schließlich war Grünwald ein enger Freund von Krampe, und sein Mandant hatte erst gestern erfahren, dass dieser verstorben war. Aber Rocco hatte das Gefühl, nicht die ganze Geschichte zu kennen und dass sein Mandant oder Liebig noch nicht alle Infos mit ihm geteilt hatten.

Krampe hatte ganz offensichtlich mit der Sache zu kämpfen. Wie ein Häufchen Elend saß er in sich zusammengesunken und blass neben Liebig.

Die junge Redakteurin zog die Augenbrauen hoch und schaute Rocco streng an.

»Verzeihen Sie bitte meine Ausdrucksweise«, entschuldigte der sich. »Das war nicht so gemeint, wie es rüberkam. Was ich sagen wollte, ist, dass Sie mit der Bitte, Ihnen bei der Suche nach Herrn Grünwald zu helfen, zu mir gekommen sind. Und auch wenn das Ergebnis ganz sicher ein anderes ist, als wir uns alle erhofft haben, haben wir Herrn Grünwald aller Wahrscheinlichkeit nach gefunden.« Rocco machte eine Pause und verschränkte seine Hände vor sich auf dem Tisch. »Sollte Herr Grünwald tatsächlich Opfer einer Gewaltstraftat geworden und nicht aufgrund eines Unfalls gestorben sein, wird die Kriminalpolizei das ganz sicher ermitteln.«

Während Rocco sprach, bemerkte er, wie Krampe immer weiter in seinem Stuhl zusammensackte. *Oh Mann,* dachte er und hoffte im gleichen Moment, dass die Sache hier bald zu Ende ging. Er bewegte sich hier nicht nur auf unbekanntem Terrain, sondern er hatte auch das Gefühl, dass er der Falsche für diese Arbeit war. Er verteidigte Straftäter, lieferte sich Gefechte mit der Staatsanwaltschaft und versuchte, diese mit den besseren Argumenten zu schlagen. Darin war er gut. Richtig gut. Einer der Besten. Aber hier ging es um das genaue Gegenteil. Krampe brauchte jemanden, der ihn bei der Aufklärung eines tragischen Schicksals unterstützte. Jemanden, der einen Täter zur Verantwortung zog, nicht verteidigte.

»Aber das ist doch genau der Punkt«, ergriff Anja Liebig das Wort. »Wenn Grünwald Opfer eines Verbrechens geworden ist, dann hat das doch vielleicht etwas mit meinem Artikel zu tun.«

Rocco merkte, wie das Gespräch immer weiter in eine Richtung abdriftete, die ihm überhaupt nicht passte. Krampe stand auf ziemlich verlorenem Posten. Die Staatsanwaltschaft war bei der Vielzahl der Straftaten, die jeden Tag in Berlin ihre Opfer fanden, so überlastet, dass er nicht darauf hoffen konnte, dass sie alle Ressourcen in diesen Fall investieren würden. Und das konnte er ihnen nicht einmal verübeln. Die Indizien waren vage. Und es war ja nicht einmal klar, ob hier überhaupt eine Straftat vorlag. Und ob und wie sie den Zusammenhang zu den Geschehnissen um Granther mit Grünwalds Tod in Verbindung brachten, stand in den Sternen. Von der Seite konnte er also kaum auf Unterstützung hoffen. Und Liebig alleine konnte noch so viele Artikel veröffentlichen. Ohne einen anständigen Ermittlungsapparat würde das Ganze niemals zielführend aufgeklärt werden.

Als hätte sie seine Gedanken gelesen, setzte Anja Liebig genau an dem Punkt an, an dem Rocco in Gedanken angelangt war. »Und wenn das so ist, lieber Herr Eberhardt, dann können Sie uns jetzt doch nicht im Stich lassen. Dann steht Herr Krampe nämlich vollkommen allein da. Dann ist da niemand, der ihm hilft, die Hintergründe der Tat zu ergründen. Und vielleicht auch zu verstehen.«

Rocco schnaufte. Und sosehr er sich auch dagegen sträubte, musste er Anja Liebig recht geben. »Und was schlagen Sie jetzt vor?«, erwiderte er in einem letzten Versuch, sich doch noch aus der Affäre zu ziehen.

»Ganz einfach. Lassen Sie Ihre Kontakte und Ihr Wissen spielen. Und helfen Sie uns, helfen Sie der Gerechtigkeit zum Ziel. Für mich stellt sich die Sache so dar: Wir haben eine schlafende Bestie geweckt. Meine Recherchen oder die Sorge davor, was ich noch ans Licht der Öffentlichkeit bringen werde, haben irgendjemanden aufgescheucht. Es ist doch offensichtlich, dass es da einen Zusammenhang geben muss.«

Große Worte, dachte Rocco und hatte das dringende Bedürfnis, Anja Liebig in Anbetracht ihrer allzu pathetischen Ausführungen ein wenig einzubremsen.

»Ich bin mir nicht sicher, ob ich das alles überhaupt will«, meldete Krampe sich in dem Moment zu Wort. »Ich habe das Gefühl, dass mir das alles über den Kopf wächst. Jörg ist tot, und die Ermittlungen werden ihn auch nicht wieder lebendig machen. Und in den letzten Jahren hat sich auch keiner darum geschert. Ich weiß nicht, ob das alles noch Sinn macht.«

Rocco verstand, was Krampe meinte. War es am Ende ein sinnloses Unterfangen, das nicht nur alte Wunden aufreißen, sondern nach all den Geschehnissen der Vergangenheit in einer weiteren Niederlage enden würde? Auf der anderen Seite konnte Rocco auch Liebigs Ansatz nachvollziehen. In der Sache hatte sie ja recht. Aber er wollte nicht sofort zustimmen. Nicht ohne sich zuvor noch einmal zu beraten. Denn wenn er sich wirklich weiter in den Fall reinhängen würde, konnte er das nicht alleine. Dann brauchte er jemanden an seiner Seite. Jemanden, der besser als er selbst in der Lage war, den allerkleinsten Hinweis zu erkennen und Licht ins Dunkel zu bringen.

31. KAPITEL

Berlin-Charlottenburg, Fasanenstraße 72,
Kanzlei Eberhardt:
Dienstag, 15. September, 11.17 Uhr

»Rocco, was denkst denn du? Klar, Mann. Natürlich machen wir das!«

»Und wo, bitte, sollen wir anfangen?«, wunderte sich Rocco, der nicht ansatzweise damit gerechnet hatte, dass sein bester Freund und Privatermittler sich so sehr für dieses Mandat einsetzen würde.

»Na ja, vielleicht am besten da, wo wir am meisten Aussicht auf Erfolg haben. Du hängst dich an deine alte Liebe und an deinen Rechtsmediziner, und ich kümmere mich um klassische Detektivarbeit und werde die letzten Stunden von Grünwald rekonstruieren. Freunde sprechen, mich bei seiner Arbeit umschauen, seine Kreditkarten und Telefondaten checken. Da sollte doch was rauszukriegen sein.« Tobi atmete laut hörbar. »Mann, Rocco! Ich kann gar nicht verstehen, dass du das infrage stellst.«

»Na ja, hat eigentlich nichts mit dem zu tun, was ich sonst mache«, verteidigte sich Rocco und fühlte sich gar nicht wohl dabei, von Tobi dermaßen entschlossen in die Ecke gedrängt zu werden.

»Ach, hast du nicht immer getönt, du hättest Jura studiert, weil du Menschen helfen wolltest? Du warst doch derjenige, der immer gesagt hat, dass Rechtsanwälte Probleme lösen, die ihre Mandanten nicht selbst in den Griff kriegen.«

Stimmt, dachte Rocco. Das hatte er mehr als einmal gesagt, und es hörte sich immer gut und geradezu philanthropisch an. *Von diesem Idealismus war im Laufe der Zeit nicht so viel übrig geblieben*, musste er sich selbst eingestehen. Das Problemlösen war in den vergangenen Jahren mehr zu einem Spiel geworden, das er gewinnen wollte. Je höher der Einsatz, auch finanziell, desto besser. Doch das hatte sich vor gar nicht so langer Zeit maßgeblich geändert. Schuld daran war Jarmer. Wenn man hier von Schuld sprechen konnte. Mit seiner penetrant moralischen Art hatte er Rocco in der Sache Nölting zum Nachdenken gebracht und ihn an genau das erinnert, was auch Tobi ihm jetzt vorhielt. Vollkommen zu Recht. Und auch wenn bei der ganzen Sache Krampe finanziell überhaupt nichts zu holen war, hatte Rocco immer mehr das Gefühl, dass das überhaupt keine Rolle spielte. Ja, gar keine Rolle spielen durfte. Auch Jarmer, der wie Rocco keinen nine-to-five-Job hatte und obendrein auch noch Vater zweier Kinder und Ehemann war, engagierte sich nebenbei in seiner wenigen Freizeit zusätzlich ehrenamtlich für Kinder. Da sollte es doch mit dem Teufel zugehen, wenn er nicht in der Lage war, über seinen Schatten zu springen. Trotzdem hakte er ein weiteres Mal nach, weil er sich nicht vollkommen sicher war.

»Und was soll dabei im besten Fall rauskommen?«

»Na, dass wir zum Beispiel den Mörder von Grünwald finden. Und dann auch noch die Sache mit dem Granther-Experiment richtigstellen. Sieht ja ganz so aus, als hätte dafür bis jetzt keiner die Verantwortung übernommen. Und die können ja nicht alle tot sein, die den Mist verbockt haben, oder?«

Rocco musste für einen Moment nachdenken. Sollten sie das wirklich tun? War dieser Fall nicht eine Nummer zu groß für Tobi und ihn? Granther und der Todesfall Grünwald? Sie hatten nur beschränkte Ressourcen. Aber am Ende ging es darum, das Richtige zu tun. So wie Jarmer es auch jeden Tag aufs Neue tat.

»Okay. Wir machen es. Aber beschwer dich hinterher nicht bei mir, wenn es zu wenig Kohle gibt«, stellte Rocco klar.

Er hörte, wie Tobi am anderen Ende der Leitung lachen musste.

»Als hätte ich mich jemals darüber beschwert, dass du echt beschissen zahlst.«

Jetzt musste auch Rocco lachen, denn er konnte sich an keinen Auftrag erinnern, bei dem Tobi sich nicht darüber beschwert hätte, dass er eigentlich mehr Geld verdient hätte.

»Deal«, stimmte Tobi zu, und die Freunde verabschiedeten sich voneinander.

Nachdem Rocco aufgelegt hatte, fühlte er sich besser. Die Last der Unentschlossenheit war von seinen Schultern abgefallen. Und er wusste, was jetzt zu tun war. *Auf in den Kampf,* dachte er und wählte die Nummer von Claudia.

32. KAPITEL

Berlin-Charlottenburg, Fasanenstraße 72,
Kanzlei Eberhardt:
Dienstag, 15. September, 12.03 Uhr

»Hey Rocco, was willst du denn schon wieder?«, meldete Claudia und hörte sich dabei nicht gerade so an, als hätte sie auf Roccos Anruf gewartet. »Ich habe echt keine Zeit, du weißt schon, die andere Mordsache, von der ich dir erzählt habe.«

»Okay, verstehe. Aber bitte ganz kurz. Also, ich habe mich jetzt entschieden, das Mandat weiter zu bearbeiten. Irgendwie mal auf der anderen Seite als sonst. Krampe ist echt am Boden zerstört, und ich habe mit Tobi gesprochen, und wir werden versuchen, der Sache auf den Grund zu gehen. Und weißt du was, Jarmer kennt Grünwald auch.«

»Jarmer kennt Grünwald? Woher das denn?«, horchte Claudia auf.

»Das Granther-Experiment. Diese Missbrauchsgeschichte. Er ist doch im Kinderschutz aktiv, und die Sache war vor gut fünfzehn Jahren wohl mal Thema bei einem Vortrag, den er besucht hat. Wie auch immer. Es könnte sein, dass das zusammenhängt. Ich meine wirklich. Das kann doch kein Zufall sein. Liebig will in der *Tagespost* über diese Sache berichten, und wenig später wird einer der beiden Männer, die ihre Geschichte erzählen wollen, vielleicht umgebracht. Da könnte doch echt was dahinterstecken.«

»Und was genau kann ich jetzt für dich tun? Ich habe dir doch gesagt, dass der Tote noch nicht mal identifiziert ist.«

»Ja, stimmt. Aber das ist doch nur noch eine Formsache. Und

dann wird das für dich auch zum Thema! Also, ich wollte dich fragen, ob du nicht Zugriff auf die alten Akten hast. Darüber hatten wir doch neulich schon gesprochen. Da gab es doch dieses Ermittlungsverfahren wegen Missbrauchs.«

»Na klar werde ich der Sache nachgehen. Muss ich ja auch. Und das mit dem Missbrauch spielt da natürlich eine Rolle.« Ihr Ton wirkte schroff und sachlich. Rocco fragte sich, ob das seine Schuld war und mit ihrem etwas missglückten Treffen zu tun hatte, oder ob Claudia einfach wirklich zu viel zu tun hatte.

»Also«, fuhr sie fort. »Sobald ich von Jarmer die Auskunft habe und der Tote einwandfrei identifiziert ist, werde ich natürlich aktiv. Aber so weit sind wir noch nicht.«

»Und wann seid ihr so weit?«, hakte Rocco weiter nach, weil er keine Lust hatte, sich jetzt so einfach abbügeln zu lassen.

Doch anstatt einer Antwort hörte er am anderen Ende der Leitung nur ein Rascheln mit Papier, als würde Claudia Spatzierer etwas suchen oder sortieren.

»Ich vermute mal«, nahm sie dann das Gespräch wieder auf, »dass ich bis Donnerstag Feedback von Jarmer habe. Also melde dich doch Ende der Woche noch einmal bei mir, okay?«

Na also, dachte Rocco, *geht doch*. Mit seinem versöhnlichsten Ton verabschiedete er sich. Dass Claudia die Sache bearbeitete, könnte von Vorteil sein. Auch wenn irgendetwas zwischen ihnen zu stehen schien, woran er nicht ganz unschuldig war, war sie doch eine exzellente Ermittlerin. Und er vertraute ihr zu einhundert Prozent. Und auch Jarmer schien an dem Fall interessiert zu sein. Kein schlechtes Team. Wenn sich etwas Großes dahinter verbarg, würden sie es herauskriegen.

33. KAPITEL

Berlin-Moabit, Staatsanwaltschaft Berlin,
Abteilung Kapitalverbrechen:
Freitag, 18. September, 10.14 Uhr

Als Claudia Spatzierer Mitglied der Abteilung Kapitalverbrechen wurde, hatte ihr Chef ihr gesagt, dass sie damit in die Champions League aufgestiegen war. Und das war bei Weitem keine Übertreibung. Neben der sich immer weiter ausdehnenden Clankriminalität beherrschten Mord und Totschlag mehr als alles andere die Schlagzeilen der Berliner Boulevardpresse. Das lag auch an dem gleichermaßen charismatischen wie engagierten Leiter der Abteilung, Oberstaatsanwalt Körthen, der nie um ein Interview verlegen schien.

Nachdem die Beamten des LKA Claudias Mörder gestern gefasst hatten und nachdem Doktor Jarmer Donnerstagnachmittag die Wasserleiche eindeutig als Jörg Grünwald identifiziert hatte, bekam der Fall eine völlig neue Bedeutung. Nicht nur, dass sie jetzt wieder etwas mehr Zeit hatte, sich darum zu kümmern, sondern auch, weil sie gestern Morgen einen Anruf von Anja Liebig, der Reporterin der *Tagespost,* erhalten hatte. Liebig hätte das mit Rocco besprochen, und er hatte sie gebeten, Claudia alle Informationen weiterzugeben, über die sie verfügte. Nach Liebigs Einschätzung gab es eine Verbindung zwischen Grünwalds Tod und ihrer Recherche rund um das Granther-Experiment. Zumindest hielt sie das für sehr wahrscheinlich. Und Liebig hatte sie darüber informiert, dass sie in der kommenden Woche den ersten Teil der Story über Krampe und Grünwald veröffentlichen wollte.

Claudia wusste um die Wirkung der Presse. Im Guten wie im

Schlechten. In diesem Fall würde die Öffentlichkeit vermutlich mehr helfen als schaden. Und das hatte auch zur Folge, dass die Sache Grünwald auf ihrer Prioritätenliste eine bedeutende Position eingenommen hatte. Denn Fälle, die durch die Medien gingen, zogen schnell Fragen nach sich. Und Claudia Spatzierer hasste es, wenn sie Antworten schuldig blieb.

Sie blätterte noch einmal alle Unterlagen durch, die sie über den Fall gesammelt hatte. Sie würde sich mit ihrem Chef beraten müssen, wie sie in der Sache vorgehen würde. Und sie überlegte, inwieweit sie mit Rocco sprechen sollte. Ja, inwieweit sie mit ihm sprechen durfte. Rocco! Von einem Moment auf den anderen war er wieder in ihr Leben getreten. Sie konnte nicht umhin, sich einzugestehen, dass sie sich insgeheim darüber freute. Er hatte zweifellos etwas an sich. Auch nach all den Jahren. Aber eigentlich hatte sie jetzt weder Zeit noch Muße, sich darüber Gedanken zu machen. Ihre Arbeit ließ ihr kaum Zeit für ein Privatleben. Und das lag ohnehin in Trümmern.

34. KA[...]

Berlin-Lichterfelde, Drak[...]
Freitag, 18. September, 19.[...]

»Steak oder Wurst?«

»Steak. Eindeutig«, erwiderte Rocco und hielt To[...] ler entgegen. Nachdem der frühe Herbst der Haupts[...] ungewöhnlich heißen Tag beschert hatte, hatten sich Ro[...] Tobias abends zum Grillen verabredet. Zum Einen, weil es la[...] überfällig war, und zum anderen, weil Rocco hoffte, die eine od[...] andere gute Idee in der Sache Krampe zu entwickeln. Er hatte das Gefühl, das ging manchmal leichter, wenn er nicht in der Kanzlei war.

»*Here you go*«, sagte Tobi und legte Rocco zwei der leicht verbrannten Nackensteaks auf den Teller.

Nachdem die beiden an dem wackligen kleinen Gartentisch Platz genommen und sich über ihr Essen hergemacht hatten, war es Tobi, der als Erster das Wort ergriff.

»Und, was meinst du zu unserm außergewöhnlichen Fall?«

»Hm …«, erwiderte Rocco mit vollem Mund. »Ich denke, wir müssen ein bisschen in der Vergangenheit graben, und ich glaube, das Ganze startet mit dem Granther-Experiment. Wer war überhaupt dafür verantwortlich, und was hat es damit auf sich? Ich glaube, da ist der Schlüssel für alles Weitere versteckt.«

»Ja, das wird stimmen«, erwiderte Tobi. »Und ich denke, du solltest dich wieder mit Krampe und Liebig treffen. Ich habe das Gefühl, dass vor allem Krampe noch etwas Zeit braucht, um über all die Geschehnisse aus seiner Kindheit zu reden. Könnte mir vorstellen, dass das echt nicht leicht ist.«

... mit beträchtlichem Einfluss«, erwiderte Rocco.

»Trotzdem ist das komisch«, sagte Tobi. »So schlimm das alles ist, aber es gehört schon einiges dazu, wenn jemand dafür bereit wäre, Grünwald um die Ecke zu bringen.«

»Keine Ahnung«, sagte Rocco und griff in seine Hosentasche, weil er merkte, dass sein Telefon vibrierte. Er zog das iPhone heraus und sah auf das Display.

»Anja Liebig«, sagte Rocco und nahm das Gespräch an.

»Was«, rief er kurz darauf. »Im Krankenhaus? Wieso das denn?« Er blickte Tobi entsetzt an. »Natürlich, wir machen uns sofort auf den Weg.«

Nachdem Rocco das Gespräch beendet hatte, stand er auf. »Krampe ist in der Westendklinik. Liebig sagt, jemand hat ihn vor einen Bus gestoßen.«

35. KAPITEL

Berlin-Mitte, Senatsverwaltung für Inneres und Sport,
Klosterstraße 47:
Freitag, 18. September, 20.44 Uhr

Markus Palme schob die Unterlagen der letzten Ausschusssitzung auf den großen Stapel von Akten, um die er sich morgen kümmern wollte. Oder sonst wann. Das musste jetzt warten. Andere Sachen waren dringender. Es gab nur ein Ziel, dem er jetzt alles unterordnete. Und das war der Wahlkampf. Er hatte nicht vor, die Arbeit der letzten Jahre leichtfertig wegen dieser *Bagatelle* aufs Spiel zu setzen. Dafür hatte er nicht derart hart gekämpft. Politik war ein schmutziges Geschäft. Zumindest in der Liga, in der er seit zehn Jahren, seit zwei Legislaturperioden, spielte. Das gefiel ihm nicht, denn im Grunde seines Herzens war er kein schlechter Mensch. Zumindest war er davon überzeugt. Sicher, auch er hatte etliche Fehler begangen. Aber das gehörte dazu. Wo gehobelt wird, da fallen auch Späne. Ganz gleich, in welcher Branche. Er befand sich jetzt auf der Zielgeraden. Die Umfragewerte verbesserten sich von Woche zu Woche. Und er würde sich seinen Sieg nicht nehmen lassen. Aber es ging um das Big Picture. Das große Ganze. Und dafür mussten manchmal auch Opfer gebracht werden. Er war sich so sicher, dass er einiges in der Stadt bewegen würde. Die Schulpolitik. Die war wichtig. Und die Digitalisierung würde er vorantreiben. Die war nun wahrlich auf der Strecke geblieben. Das würde Unternehmen anziehen, und die würden in die Stadt investieren. Das sicherte Arbeitsplätze. Und Steuereinnahmen. Und dann die Wohnungspolitik. Lächerlich, was der aktuelle Regierende da veranstaltet hatte. Das würde er ändern.

Bezahlbarer Wohnraum war unabdingbar. Für alle Berliner. Ja, so war es. Und was zählte da schon das Schicksal eines Einzelnen, der dabei auf der Strecke blieb. Er würde sich um knapp vier Millionen Bürger kümmern. Vier Millionen gegen einen. Oder gegen zwei. Wenn er es so sah, hatte er sich nichts vorzuwerfen. Politik war ein dreckiges Geschäft. Aber am Ende zählte das große Ganze.

36. KAPITEL

Berlin-Charlottenburg, Westendkliniken:
Freitag, 18. September, 21.12 Uhr

»Die Polizei ist gerade bei ihm«, erklärte Anja Liebig, als sie Rocco Eberhardt und Tobias Baumann im Eingangsbereich der Notaufnahme des traditionsreichen Krankenhauses im Herzen des Westends entgegenkam. Sie schien schwer erschüttert und rang ganz offensichtlich um Fassung.

»Die Polizei?«, frage Rocco. »Was genau ist denn passiert? Und vor allem, wie geht es Krampe?«

»So wie es aussieht, hat er verdammtes Glück im Unglück gehabt«, berichtete sie. »Nach allem, was ich weiß, hat ihn vor einer guten Stunde jemand in Moabit vor einen Bus gestoßen. Krampe konnte sich wohl im letzten Moment durch einen Sprung nach vorne retten. Sonst wäre er vermutlich von dem Bus überrollt worden.«

»Und dann?«, hakte Tobias nach.

»Der Busfahrer hat einen Krankenwagen gerufen, der ihn direkt hierhergebracht hat«, erwiderte Liebig.

»Und wer hat Sie informiert?«, fragte Rocco.

»Er selbst hat mich angerufen. Aus dem Krankenwagen.«

»Und jetzt ist die Polizei bei ihm«, stellte Rocco eher fest, als dass er danach fragte. »Wo genau sind sie denn?«

»In einem Behandlungsraum, in welchem, weiß ich nicht. Das hat mir die Pflegekraft nicht verraten«, sagte Liebig und zeigte auf eine resolut wirkende mittelalte Frau, die gerade auf sie zukam.

»Ich muss Sie bitten, den Bereich hier frei zu machen, nehmen

Sie doch im Wartezimmer Platz«, sagte sie in einem Ton, der keinen Widerspruch duldete.

»Einen Moment«, erwiderte Rocco. »Ich bin der Anwalt von Herrn Krampe, ich möchte zu meinem Mandanten.«

»Sein Anwalt? Wozu braucht er denn einen Anwalt?«, erwiderte sie erstaunt.

»Das, meine liebe Dame, kann ich Ihnen leider nicht sagen. Aber wenn die Polizei gerade bei ihm ist, sollte das ja wohl kein Problem sein.«

Die Mitarbeiterin zuckte mit den Schultern und zeigte den Gang herunter. »Da vorne. Raum fünf.« Dann drehte sie sich um und war im nächsten Moment in entgegengesetzter Richtung verschwunden.

Rocco nickte Tobias zu, und die beiden Männer machten sich in Richtung des Zimmers auf. Anja Liebig schien für einen Moment unschlüssig zu sein, folgte ihnen dann aber.

In dem Behandlungsraum standen zwei Polizisten und ein Arzt vor einer Liege, auf der Krampe lag. Seine Kleidung lag in einer Kiste am Fußende des Bettes auf einem Stuhl. Krampe selbst trug lediglich einen blauen Kittel. An beiden Armen hatte er Verbände, und die linke Seite seines Gesichts wies zahlreiche Abschürfungen auf, die mit einer orangefarbenen Tinktur behandelt worden waren.

Kurz nachdem Rocco sich als Krampes Anwalt ausgewiesen hatte, bat er die Beamten, sie anschließend draußen sprechen zu können. Die beiden nickten, sagten, sie seien ohnehin mit ihrer Befragung durch, und verließen das Zimmer.

Der behandelnde Arzt schaute Rocco mit hochgezogenen Augenbrauen an.

»Wie steht es denn um Herrn Krampe, ich meine, wie ernst ist es?«, fragte Rocco.

Der Mediziner blickte zu Krampe, um sich zu vergewissern, dass er Rocco Auskunft geben durfte. Krampe nickte kurz.

»Sieht so aus, als hätte er Glück gehabt. Ich würde ihn zwar gerne noch über Nacht hierbehalten, denke aber, dass er morgen wieder nach Hause kann.«

»Gut«, erwiderte Rocco und bedankte sich.

Nachdem auch der Arzt den Raum verlassen hatte, waren sie mit Krampe alleine.

»Wie geht es Ihnen? Scheint ja so, als seien Sie zum Glück halbwegs glimpflich davongekommen.«

Krampe schaute Rocco aus leeren Augen an, ohne jedoch etwas zu sagen.

»Das hier ist übrigens Tobias Baumann, ein Mitarbeiter von mir, der uns bei den Ermittlungen unterstützt«, stellte Rocco Tobi vor und schaute Krampe zuversichtlich an. »Und jetzt erzählen Sie mal, was ist denn da passiert?« Rocco hoffte, von Krampe selbst etwas mehr zu erfahren, als sie bislang von Liebig gehört hatten.

Krampe schloss die Augen und atmete schwer. »Ich weiß auch nicht genau«, fing er mit unsicherer Stimme an. »Ich stand an der Bushaltestelle, und gerade als der Bus einfuhr, hat mich jemand von hinten geschubst.«

»Wie … geschubst?«, fragte Rocco, nachdem Krampe keine Anstalten zu machen schien, den Vorfall weiter zu schildern.

»Von hinten, gegen den Rücken. Kurz und heftig.«

»Und dann?«

»Ich bin direkt vor den Bus gefallen, konnte mich aber irgendwie gerade noch abrollen, sodass er mich nicht voll erwischt hat, bevor ich auf die Straße geknallt bin. Und dann konnte der Bus noch bremsen.«

»Und ist Ihnen vorher irgendjemand an der Haltestelle aufgefallen? Jemand, der sich verdächtig verhalten hat?«, fragte Baumann weiter.

Krampe sah ihn misstrauisch an.

»Kann ich ihm trauen?«, fragte er Rocco.

»Auf jeden Fall. Herr Baumann und ich arbeiten seit vielen Jahren zusammen. Er darf alles wissen, was Sie auch mir erzählen. Und er ist ebenso wie ich zur Verschwiegenheit verpflichtet.«

Tobi nickte Krampe mit einem freundlichen Lächeln zu, doch der schaute rasch weg.

»Nein, ich habe niemanden gesehen«, wandte er sich wieder an Rocco. »Das ging alles viel zu schnell. Und im nächsten Moment hatte mir schon jemand aufgeholfen. Ich weiß gar nicht mehr, wer das war. Der Busfahrer vielleicht? Und kurz danach kam auch schon der Krankenwagen. Da hatte ich auf dem Bordstein gesessen. Und die haben mich dann verarztet und hierhergebracht.«

»Und die Polizei?«, wollte Rocco wissen.

»Die sind kurz danach hier aufgetaucht.«

»Und was haben Sie denen erzählt?«

»Das Gleiche wie Ihnen.«

»Haben Sie Jörg Grünwald erwähnt?«, fragte Tobi.

Krampe schüttelte den Kopf. »Nein, wieso?«

Tobi und Rocco schauten sich ungläubig an. Krampe hatte offensichtlich überhaupt keine Verbindung zwischen dem möglichen Anschlag auf Grünwald und dem Vorfall mit dem Bus hergestellt, dachte Rocco. Noch nicht.

»Okay, alles klar«, meinte Rocco. »So wie es aussieht, sind Sie hier in den besten Händen und bleiben ja auch über Nacht.« Er machte eine Pause und dachte nach. »Haben Sie jemanden, der Sie hier morgen abholen kann?«

»Nein, wieso?«

Rocco war langsam ein wenig ratlos. Er konnte nicht fassen, dass Krampe offensichtlich keine Ahnung hatte, was hier gerade vor sich ging.

»Herr Krampe, ich möchte einfach, dass es Ihnen gut geht. Dass Sie sicher sind. Wenn jemand Sie vor den Bus gestoßen hat, war das vielleicht kein Zufall. Es könnte ja sein, dass es jemand auf Sie abgesehen hat. Das wäre nach der Sache mit Ihrem Freund durchaus möglich. Und wir sollten alles dafür tun, dass das nicht wieder passiert. Verstehen Sie, was ich meine?«

Krampe sah Rocco irritiert an. »Glauben Sie, ich bin in Gefahr?«

Ja, verdammt noch mal, das glaube ich, dachte Rocco und gab sich alle Mühe, seine Fassung zu bewahren. *War Krampe wirklich derart naiv?*

Ruhig fuhr er deshalb fort: »Ich schlage vor, dass ich gleich mit den beiden Polizisten spreche und wir dafür sorgen, dass jemand ein Auge auf Sie hat.«

Krampes Ausdruck wechselte innerhalb weniger Sekunden von Unsicherheit auf Ablehnung. »Die Polizei, nein. Auf keinen Fall!«

Noch ehe Rocco etwas erwidern konnte, schaltete sich Liebig ein. »Sie müssen das verstehen, Herr Eberhardt. Herr Krampe hat nun wirklich keine guten Erfahrungen in der Vergangenheit mit den staatlichen Stellen gemacht. Er hat sämtliches Vertrauen verloren.«

»Aber…«, mischte sich Tobi ein, doch Krampe schnitt ihm das Wort ab.

»Auf keinen Fall die Polizei. Ich traue denen nicht.« Seine Stimme überschlug sich, und der Monitor, an den er angeschlossen war, zeigte, wie sein Herzschlag in die Höhe schnellte.

Rocco hob beschwichtigend die Hände und redete dann beruhigend auf Krampe ein: »Okay, wir machen Folgendes: Ich kümmere mich darum, dass Sie morgen jemand abholt und nach Hause bringt. Sie rufen mich einfach an, wenn Sie entlassen werden, und warten dann, okay?«

Krampe nickte, und es schien so, als wenn er sich mit diesem Vorschlag sehr viel wohler fühlte. Langsam beruhigte er sich, nur um dann die Augen zu schließen. Im nächsten Moment sank er in seinem Bett in sich zusammen. Rocco hatte das Gefühl, dass er durch und durch erschöpft war, und beschloss, dass es wohl das Beste war, Krampe jetzt alleine zu lassen. Im Krankenhaus war er erst mal sicher. Und wenn er keinen Polizeischutz wollte, würde er ihn dazu auch nicht zwingen können.

Was um alles in der Welt hast du durchgemacht, fragte sich Rocco, *dass du so eine Panik vor den Behörden hast?*

Aber hier und jetzt war weder die Zeit noch der Ort, um dieser Frage nachzugehen. Rocco nickte Liebig und Tobi zu, verabschiedete sich von Krampe. Gemeinsam verließen sie den Behandlungsraum.

Vor der Tür warteten die beiden Beamten.

»Herr Eberhardt, oder?«, fragte der Ranghöhere der beiden, den Rocco an den beiden silbernen Sternen auf seiner Uniform als Polizeioberkommissar erkannte.

»Ja, das bin ich. Vielen Dank, dass Sie noch gewartet haben.«

»Was genau können wir für Sie tun?«

»Ich wollte gern wissen, wie Sie die Sache beurteilen«, sagte Rocco entgegen seiner ursprünglichen Absicht, die beiden um Polizeischutz zu bitten. Er respektierte die Entscheidung seines Mandanten, wenngleich das seine Arbeit nicht einfacher machen würde.

»Schwer zu sagen«, erwiderte der Polizist. »Dass irgendwelche Idioten jemanden vor den Bus stoßen, kommt leider immer wieder vor. Von den Zeugen, mit denen unsere Kollegen an der Bushaltestelle gesprochen haben, hat keiner was gesehen. Bleibt also ein weiteres Verfahren gegen Unbekannt.«

»Und das wird vermutlich im Sande verlaufen«, spann Rocco den Faden weiter.

»Vermutlich schon. Leider. Ich gehe nicht davon aus, dass viel dabei herauskommt.«

Rocco nickte. *Kein Wunder, ihr kennt ja auch nur einen Bruchteil der Geschichte.*

»Alles klar, sehe ich auch so.« Rocco ließ sich noch das Aktenzeichen der Ermittlung geben und verabschiedete sich dann von den beiden Beamten. Danach ging er mit Liebig und Tobi in Richtung der Zentrale der Notaufnahme.

»Entschuldigen Sie«, wandte er sich an die Pflegefachfrau, die sie zuvor bereits angetroffen hatten. »Mein Name ist Rocco Eberhardt. Hier ist meine Karte. Tun Sie mir doch bitte einen Gefallen und rufen mich morgen direkt an, wenn mein Mandant entlassen wird. Ich sorge dann für seinen Transport nach Hause.«

Die Mitarbeiterin nahm ihm seine Visitenkarte ab und legte sie auf den Schreibtisch neben sich.

»In Ordnung«, sagte sie und widmete sich im nächsten Moment wieder ihrer Arbeit.

Rocco wandte sich an Tobi und Liebig. »Lasst uns bitte das Ganze draußen noch kurz besprechen. Ich habe das Gefühl, dass die Sache hier langsam aus dem Ruder läuft.«

37. KAPITEL

Berlin-Charlottenburg, Westendkliniken:
Freitag, 18. September, 22.17 Uhr

»War das also wirklich ein Anschlag auf Krampe?«, fragte Anja Liebig und blickte Rocco und Tobias mit einer Mischung aus Entsetzen und Ungläubigkeit an.

»Tja, ich bin zwar kein Hellseher«, antwortete Tobi mit leicht zynischem Unterton, »aber für einen Zufall wäre das nach der Sache mit Grünwald schon *sehr* zufällig, oder?«

Rocco nickte. »Ich weiß nicht, was da im Gange ist, aber das nimmt langsam unangenehme Züge an.« An Liebig gewandt, fuhr er fort: »Ich glaube, wir müssen davon ausgehen, dass sowohl Grünwald als auch Krampe Opfer eines Anschlags geworden sind, der in Zusammenhang mit Ihrer Story steht.«

Liebig stimmte ihm zu. »Sehe ich auch so. Langsam gibt es wohl keine andere Möglichkeit der Deutung mehr.« Sie blickte auf den Boden und dann abwechselnd zwischen Rocco und Baumann hin und her. »Ich hatte nie die Absicht, jemanden zu gefährden.«

»Vorsicht«, sagte Rocco sofort, weil er nicht wollte, dass Liebig Schuld auf sich lud, die sie nicht tragen musste. »Sie dürfen auf keinen Fall die Verantwortlichkeiten durcheinanderbringen. Nicht Sie, sondern wer-auch-immer-dahintersteckt ist für die Anschläge verantwortlich. Und nicht Sie sind auf Krampe und Grünwald zugegangen, sondern die beiden haben sich an Sie gewandt. Also werfen Sie sich bitte nichts vor. Das macht überhaupt keinen Sinn und hilft niemandem etwas.«

Liebig nickte. »Vermutlich haben Sie recht. Aber jetzt wird es niemanden mehr geben, der mich von der Veröffentlichung abhalten kann. Auch wenn ich mich dadurch selbst in Gefahr bringen sollte.«

Jetzt war es Tobi, der das Wort ergriff. »Ich glaube nicht, dass Sie sich Sorgen machen müssen. Am Ende steht und fällt die Story mit Krampe und Grünwald. Wenn die beiden nicht mehr da sind, wird das schwer.«

Liebig schaute ihn nachdenklich an.

»Nur mal angenommen«, fuhr Tobi fort, »jemand würde wirklich verhindern wollen, dass Sie weiter über den Fall berichten, dann würde die Geschichte bei der *Tagespost* doch erst recht Aufmerksamkeit auf sich ziehen. Man würde doch ziemlich sicher in jedem Fall an der Story dranbleiben, und die Entstehung des Artikels könnte letztlich nicht verhindert werden, oder?«

Liebig schien nachzudenken. Dann stimmte sie Tobi zu. »Sie haben recht, eine ganze Zeitung zu stoppen, ist unmöglich. Aber wenn die die Story nicht verhindern können, warum machen die das denn überhaupt? Das ergibt doch gar keinen Sinn.«

Tobi und Rocco sahen sich an, ehe Tobi antwortete: »Das stimmt grundsätzlich durchaus, aber eine Story ohne Quelle ist nur halb so gut wie eine Story mit Quelle.«

Anja Liebig nickte. »Dann stellt sich wohl als Nächstes die Frage, wie wir Krampe am besten schützen können!«

38. KAPITEL

Mecklenburg-Vorpommern:
Samstag, 19. September, 7.06 Uhr

Mit zugekniffenen Augen blickte Jarmer von der kleinen Terrasse seines Ferienhauses in die aufgehende Sonne über den um diese Zeit ruhig daliegenden Kölpinsee. Er hatte das etwa achthundert Quadratmeter große Wassergrundstück mit dem kleinen Haus vor einem guten Jahr gekauft, um mit seiner Familie dann und wann in Ruhe etwas gemeinsame Zeit verbringen zu können. Neben seiner Arbeit als Rechtsmediziner und seinem ehrenamtlichen Engagement beim Deutschen Kinderverein wurde er auch häufiger für Vorträge bei medizinischen Kongressen angefragt. Im Ergebnis war er deshalb immer seltener zu Hause und verbrachte außer an den Wochenenden kaum noch Zeit mit seinen beiden Kindern Frederik und Florentine. Und ausgerechnet am vergangenen Samstag, als sein neunjähriger Sohn das Abschlussspiel mit seinem Fußballverein gehabt hatte, wurde Jarmer spontan an einen Tatort gerufen. Frederik war die Enttäuschung anzusehen, als sein Vater sich kurz vor dem Anpfiff auf den Weg machen musste.

Deshalb hatte Jarmer gestern schon um sechzehn Uhr das Büro verlassen, kurzerhand seine Familie ins Auto geladen und war mit ihnen in ihr Wochenendhaus gefahren. Er hatte seinem Sohn versprochen, dass dieses Wochenende ganz ihnen gehörte. Sie wollten mit dem kleinen Boot, das er im Frühjahr gekauft hatte, zum Angeln hinausfahren, und so wie es aussah, spielte das Wetter ihnen in die Karten.

Er trank einen Schluck heißen Kaffee und freute sich auf die Stunden, die vor ihnen lagen. Er hatte keinen Bereitschaftsdienst und deshalb auch gestern am frühen Abend sein Telefon ausgeschaltet, als er mit seiner Frau und seinen Kindern einen langen und ausgiebigen Spieleabend begonnen hatte. Er hatte Frederik und Florentine in den vergangenen Weihnachtsferien Rommé beigebracht, und sie hatten bei Chips und Schokolade, was eine absolute Ausnahme im Hause Jarmer war, noch bis spät in die Nacht Karten gespielt. Und was sollte seitdem schon passiert sein.

Mehr einer Gewohnheit folgend, als dass er bewusst darüber nachgedacht hatte, griff er in die Tasche seiner Cargoshorts und schaltete sein iPhone an. Dann steckte er das Telefon wieder in seine Hose. Keine zehn Sekunden später, als das Gerät sich mit dem Netz verbunden hatte, spürte er das vertraute, kurze Vibrieren, das den Eingang einer oder mehrerer Nachrichten signalisierte. Er zog das Handy wieder aus seiner Tasche und blickte auf das Display. Er hatte drei Anrufe in Abwesenheit. Alle waren von Rocco Eberhardt.

39. KAPITEL

Berlin-Wilmersdorf, Tübinger Straße:
Samstag, 19. September, 7.24 Uhr

Rocco Eberhardt schreckte aus einem unruhigen Schlaf auf. Was war das? Er öffnete die Augen und stellte zu seiner Überraschung fest, dass er nicht in seinem Bett, sondern auf seinem Sofa lag. Auf dem großen Fernseher, der an der Stirnseite seines Wohnzimmers neben dem alten Kaminofen an der Wand angebracht war, lief die zehnte Folge einer US-Krimiserie. Rocco schüttelte den Kopf. Er musste gestern bei der ersten Episode eingeschlafen sein.

Er brauchte einen Moment, um zu sich zu kommen, und blickte sich um. Sein Telefon. Wo war sein Telefon? Er setzte sich auf und folgte mit seinen Augen dem Geräusch des Klingelns. Es war in die Ritze zwischen zwei Sofakissen gerutscht. Genau in dem Moment, als er das Smartphone herausgefummelt hatte, verstummte das Klingeln. Zu spät. Ein Blick aufs Display verriet, dass Jarmer ihn angerufen hatte. Er rief den Mediziner unmittelbar zurück. Die Stimme am anderen Ende sagte nur, dass der Anrufer gerade nicht zu erreichen war. Klassiker, dachte Rocco. Vermutlich spricht er mir gerade auf die Mailbox. Und keine zwei Sekunden später wurde seine Ahnung durch eine kurze Textnachricht bestätigt. Rocco rief Jarmer ein weiteres Mal an, und dieses Mal meldete der Mediziner sich sofort.

»Herr Eberhardt! Gut, dass ich Sie erreiche. Ich hoffe, ich habe Sie nicht geweckt? Ich dachte, es sei dringend, nachdem ich Ihre Nachricht abgehört hatte, dass ich Sie zurückrufen sollte.«

»Nein, nein, alles gut, ich war schon wach«, schwindelte Rocco. »Danke, dass Sie sich melden.«

»Worum geht es denn?«

»Um Krampe. Den Freund des verstorbenen Grünwald. Meinen Mandanten. Gestern Abend hat jemand versucht, ihn umzubringen. Na ja, zumindest können wir das nicht ausschließen. So wie es aussieht, hat ihn jemand vor einen Bus gestoßen.«

Rocco machte eine Pause, während Jarmer am anderen Ende der Leitung die Nachricht erst einmal einordnen musste.

»Und was ist ihm passiert?«, fragte er.

»Er hat Glück gehabt. Ist wohl mehr durch eine schnelle Reaktion mit einigen Schürfwunden davongekommen. Er liegt in den Westendkliniken und wird heute vermutlich entlassen. Der Arzt wollte ihn zur Beobachtung über Nacht dabehalten.«

»Und die Polizei?«, fragte Jarmer nach. »Was machen die?«

»Die haben gestern Abend den Fall erst mal aufgenommen, aber ich habe seitdem mit niemandem gesprochen. Das war ja alles auch schon recht spät, so gegen einundzwanzig Uhr.«

»Hängt das alles miteinander zusammen? Ich meine, das wäre doch naheliegend.«

»Spricht zumindest einiges dafür«, sagte Rocco.

»Meinen Sie, Krampe ist in Gefahr?«

»Wenn das alles kein Zufall ist, könnte das gut sein. Absolut, ja.«

»Dann sollten Sie sich wohl am besten um Polizeischutz kümmern, oder nicht?«

»Ohne Frage ein naheliegender Gedanke. Das hatte ich ihm auch gleich vorgeschlagen. Aber Krampe ist strikt dagegen. Er fürchtet die Polizei aus irgendeinem Grund. Ich vermute, das hängt alles mit diesem unseligen Granther-Experiment zusammen. Ist ja auch kein Wunder. Krampe hat zahlreiche Verfahren angestrengt, und entweder hat man ihm nicht geglaubt, oder die Sachen wurden eingestellt. Weiß der Himmel, was ihm damals als Kind noch alles widerfahren ist.«

»Und jetzt?«, hakte Jarmer nach.

»Jetzt müssen wir zwei Sachen erledigen. Ich werde Claudia Spatzierer in alles einweihen, was wir wissen. Zusammen sollten wir ja wohl in der Lage sein, etwas Licht ins Dunkel zu bringen und herauszufinden, wer und was maßgeblich in die Sache verwickelt ist. Aber zunächst einmal muss ich Krampe in Sicherheit bringen. Allerdings habe ich noch keine Ahnung, wie ich das bewerkstelligen soll.«

Nach einer kurzen Pause meinte Jarmer: »Ich habe da eine Idee. Ich habe einen guten Freund, der mir noch einen Gefallen schuldet. Bei ihm könnte Krampe erst mal unterkommen.«

»Einen guten Freund?«, fragte Rocco.

»Ja, aus meiner Zeit bei der Bundeswehr. Ich war vor meinem Studium bei den Gebirgsjägern und bin mir ziemlich sicher, dass ein ehemaliger Kamerad Krampe für eine Weile bei sich aufnehmen kann.«

Bei den Gebirgsjägern?, dachte Rocco und staunte nicht schlecht. *Jarmer ist ein Mann voller Geheimnisse.* Aber was soll's, das würde sein dringlichstes Problem lösen.

»Also gut«, sagte er. »Dann tun Sie mir doch einen Gefallen und geben mir Namen und Adresse durch, und ich sorge dafür, dass Baumann Krampe abholt und zu Ihrem Freund bringt.«

»Alles klar«, erwiderte Jarmer. Hätte Rocco ihn sehen können, hätte er ihm vielleicht die Erleichterung darüber, dass sich alles per Smartphone regeln ließ und er das Familienwochenende nicht drangeben musste, ansehen können. »Ich melde mich in den nächsten Stunden wieder bei Ihnen und gebe Ihnen dann alle Infos, die Sie brauchen.«

40. KAPITEL

Berlin-Wilmersdorf, Tübinger Straße:
Samstag, 19. September, 9.13 Uhr

Nachdem Rocco geduscht, sich angezogen und gefrühstückt hatte, rief er Claudia an. Als er die wesentlichen Informationen zusammengefasst hatte, war er nicht überrascht, dass sie ihren Plan mehr als infrage stellte.

»Aber Rocco, das ist doch vollkommen absurd. Wir könnten doch viel besser auf ihn aufpassen. Nach den Infos, die wir haben, sollten wir uns um Krampe kümmern. Nicht ihr.«

»Kann schon sein, aber ich kann Krampe unmöglich zu seinem Glück zwingen. Was aber nicht heißt, dass ich dir nicht bei deinen Ermittlungen weiterhelfen kann. Ich schlage vor, dass wir uns treffen und alle Infos auf den Tisch legen. Ich bin mir sicher, dass die Antworten auf alle Fragen in der Vergangenheit liegen.«

Claudia Spatzierer schien nicht sofort überzeugt zu sein und schwieg zu Roccos Vorschlag. Nach einer kurzen Pause willigte sie dann aber ein. »Okay, wie gesagt, ich werde sehen, dass ich alle Quellen zurückverfolge. Gib mir ein bisschen Zeit dafür. Warum treffen wir uns nicht am Montagabend und sehen dann weiter?«

»Montagabend klingt gut. Soll ich in die Staatsanwaltschaft kommen?«

»Nein, ich arbeite Montag von zu Hause. Komm doch einfach zu mir. So gegen neunzehn Uhr?«

Rocco spürte ein Gefühl der Freude in sich aufsteigen. Bei ihr zu Hause, das hörte sich gut an. »Alles klar. Dann bis Montagabend.« Doch seine Freude währte nur kurz, denn schlagartig fiel ihm wieder ein, dass Claudia ja in festen Händen war. Und sosehr er sich darauf freute, sie zu sehen, so wenig Lust hatte er, ihren Mann zu treffen. Wenn es um Persönliches ging, war er nicht besonders gut darin, seine Gefühle zu beherrschen. Gegenüber anderen zu verbergen, vielleicht. Gegenüber sich selbst? Auf gar keinen Fall. Und dass er wieder Gefühle für Claudia empfand, wurde ihm mit jedem Gespräch, das er mit ihr führte, immer klarer.

41. KAPITEL

Berlin-Grunewald, Knausstraße 3:
Sonntag, 20. September, 17.43 Uhr

Nachdenklich blickte Markus Palme auf das weiße Blatt Papier vor sich. Wie jeden Sonntagabend schrieb er alle wichtigen Punkte, die in der kommenden Woche auf ihn warteten und die er erledigen wollte, auf seine To-do-Liste. Eine Angewohnheit, die er vor vielen Jahren begonnen hatte und die ihm dabei half, seine Arbeit zu priorisieren. Der Alltag eines Politikers war so voller unerwarteter Geschehnisse, dass es nicht einfach war, die wirklich wichtigen Punkte konstant im Auge zu behalten.

Er wusste, dass er sich jetzt fokussieren musste. Mit jedem Tag, der verging, wurde ein Ereignis immer bedeutender: die anstehende Wahl zum Abgeordnetenhaus. In acht Wochen, am 15. November, war es so weit. Millionen von Berlinerinnen und Berlinern würden ihre Stimme abgeben und über das politische Schicksal der Hauptstadt in den nächsten vier Jahren entscheiden. Und über sein persönliches Los. Die Umfragewerte entwickelten sich weiter gut, gerade bei den jüngeren Wählern wuchs seine Beliebtheit überproportional.

Allein eine Sache bereitete ihm zunehmend Sorgen. Er schob seine To-do-Liste beiseite und widmete sich wieder dem kurzen Bericht, mit dem er sich jeden Morgen über den aktuellen Stand der Staatsanwaltschaften bei Kapitalverbrechen und Clankriminalität briefen ließ. Beide Themenbereiche lagen besonders im Fokus der Presse. Palme wollte vermeiden, von einem Journalisten eines Tages zu einem Verbrechen befragt zu werden, von dem er noch nicht gehört hatte.

Eine Sache stach ihm dabei besonders ins Auge. Das Ermittlungsverfahren wegen Totschlags an Jörg Grünwald. Grünwald! Ein Name aus der Vergangenheit. Aus einer Zeit, die er am liebsten aus seinem Gedächtnis gestrichen hätte. Eine Zeit, die ihn vor wenigen Wochen wieder eingeholt hatte. Mit unbarmherziger Härte. Er hatte immer die notwendigen Schritte eingeleitet, um diese Sache ein für alle Mal zu beerdigen. Doch ganz offensichtlich war das nicht gelungen. Ein Mitarbeiter hatte ihn auch darüber informiert, dass eine gewisse Anja Liebig von der *Tagespost* diverse Anfragen an Jugendämter und die Staatsanwaltschaften gestellt hatte. Warum musste diese Reporterin gerade jetzt in diesem unseligen Fall herumschnüffeln? Hätte sie damit nicht bis zum nächsten Jahr warten können? Dann wäre er schon längst zum Regierenden Bürgermeister gewählt und hätte ganz andere Möglichkeiten, sich der Sache anzunehmen. So aber war ihm keine andere Wahl geblieben, als das Ganze auf seine Art zu regeln. Nicht gerade ein erhebendes Gefühl, zu überlegen, wer einem noch einen Gefallen schulden oder für Bestechung empfänglich sein könnte – und entsprechende Andeutungen fallen zu lassen; oder wie ein schmieriger Ganove im Darknet herumzustochern, um dubiose Handlanger aufzutun. Und in gewisser Weise der Gipfel, weil es so mies und klein war: Akten verschwinden lassen, wie ein mickriger überforderter Beamter, der sich gerade so durchpfuschte, weil er irgendeinen Vorgang zunächst nicht beachtet und dann falsch eingeschätzt hatte, sodass jetzt nur noch Wegducken und Verschleiern halfen. *Dieses verdammte Granther-Experiment!*

Palme fluchte. Er wünschte sich, dass dieser obskure Wissenschaftler mit seinen vollkommen abwegigen Ideen niemals seinen Weg gekreuzt hätte. Damals hatte er überhaupt nicht begriffen, welche Tragweite seine Entscheidungen haben würden. Und um ehrlich zu sein, hatte er sich auch nicht wirklich darum geschert.

Ein Vorgang von vielen. Dachte er. Wenn er sich überhaupt etwas dabei gedacht hatte. Es war zu lange her. Er wusste es nicht mehr genau. Und eigentlich spielte es auch keine Rolle, was damals war. Vielmehr musste er jetzt damit umgehen. Ob er wollte oder nicht. Er hatte einiges unternommen. Gegen seine eigentliche Überzeugung. Er hatte nur das Interesse der Stadt im Sinn. Und seiner Bürger. Es gab so viel Wichtiges, um das er sich kümmern wollte. Ja, um das er sich kümmern musste. Das wollte er sich auf keinen Fall wegen dieser absurden Sache nehmen lassen. Das durfte nicht sein. Was zählte, war die Zukunft. Aber um diese zu gestalten, musste er die Vergangenheit bewältigen. Mit allen Mitteln. Koste es, was es wollte.

42. KAPITEL

Berlin-Charlottenburg,
Starbucks am Kurfürstendamm:
Montag, 21. September, 11.24 Uhr

»Ach, Frau Spatzierer, Sie haben ja keine Ahnung, wie schön es ist, morgens aufzuwachen und einfach mal nichts zu tun.« Gerlinde Flugeisen wies mit einer einladenden Geste auf den tiefen Sessel auf der anderen Seite des kleinen Tisches in der ersten Etage des Starbucks Flagship Stores, der unweit des Breitscheidplatzes am Kurfürstendamm gleichermaßen von Touristen wie von Berlinern geschätzt wurde. Die ehemalige Oberstaatsanwältin schien ihr Leben als Pensionärin in vollen Zügen zu genießen. »Bitte, nehmen Sie doch Platz.«

»Das mache ich gerne«, entgegnete Claudia Spatzierer fröhlich und stellte ihren Kaffee vor sich ab. »Und ja, das kann ich mir allerdings überhaupt nicht vorstellen. Nicht bei der Arbeit, die wir gerade haben. Aber da erzähle ich Ihnen ja nichts Neues.«

»Ja, tatsächlich nicht! Aber, liebe Kollegin, Sie sind ja sicherlich nicht hergekommen, um mit mir über meinen neuen Lebensentwurf zu sprechen, oder?«

»Nein, das stimmt. Und ich danke Ihnen von Herzen, dass Sie sich die Zeit für mich nehmen. Denn wie Sie sich sicherlich denken können, geht es um einen Fall, an dem ich gerade arbeite. Und, da will ich offen sein, bei dem ich gerade etwas ratlos bin.«

Mit großen Augen blickte Flugeisen sie an. »Aha, da bin ich ja mal gespannt. Ihr in der Abteilung Kapitalverbrechen spielt doch in einem ganz anderen Bereich, als ich jemals tätig war.«

»Stimmt – und andererseits auch wieder nicht«, gab Claudia zurück. Sie hatte sich nicht ohne Grund an Gerlinde Flugeisen gewandt, die über Jahre als Jugendstaatsanwältin in Straftaten ermittelt hatte, die von Jugendlichen, aber auch gegen Jugendliche und Kinder in Berlin verübt worden waren.

»Es geht da um eine Sache, die so lange zurückliegt, dass wir leider keine Akten mehr dazu haben.«

»Ja, das hatten Sie am Telefon erwähnt. Und ich hoffe, dass ich Ihnen da helfen kann. Um welche Sache geht es denn da genau?«

»Um das Granther-Experiment.«

Flugeisen verzog ihr Gesicht. »Granther«, sagte sie. »Eine schlimme Sache. Und überaus unbefriedigend.« Sie griff zu dem großen, weißen Porzellanbecher und trank einen Schluck ihres Kaffees.

»Wir sind damals leider in der Sache zu keinem Ergebnis gekommen. Obwohl es vom Grund her durchaus vielversprechend aussah.«

Claudia holte Block und Stift aus ihrer Tasche, um sich Notizen zu machen. Sie hatte das Gefühl, dass ihre pensionierte Kollegin einiges beizutragen hatte. »Und was war dann geschehen?«

»Nun, am Ende mussten wir alles einstellen.«

»Und warum?«

»Im Wesentlichen aus rein formalen Gründen. Die meisten infrage kommenden Straftaten waren schlichtweg verjährt.« Sie machte eine Pause und schüttelte den Kopf. »Aber was mich damals noch viel mehr geärgert hat, war, dass sich einige Mitarbeiter der Jugendämter so unkooperativ zeigten. Keiner von denen konnte sich mehr an irgendetwas erinnern und sie hätten nur auf Weisung gehandelt. Verantwortlich war immer jemand anders. Und die von uns angeforderten Akten des Jugendamtes haben wir entweder nur auszugsweise oder gar nicht erhalten.«

»Vermutlich hatte keiner Lust, an seiner eigenen Überführung mitzuwirken«, stellte Claudia ernüchtert fest.

Flugeisen trank einen weiteren Schluck ihres Kaffees, ehe sie hinzufügte: »Ich meine, wir beide wissen ja selbst, dass eine Akte durchaus mal verlegt wird. Aber damals war das schon eine auffällige Häufung.«

»Das klingt wirklich merkwürdig. Wollen Sie damit sagen, dass jemand die Akten bewusst zurückgehalten hat?«

»Na ja. Ich will jetzt niemanden zu Unrecht beschuldigen, aber ganz koscher wirkte es nicht. Aber sagen Sie mal, warum interessiert Sie das Ganze eigentlich, und was hat das Ganze mit Ihrer Abteilung zu tun?«

»Ich ermittle in einem Todesfall, der möglicherweise in Zusammenhang mit Granther steht. Auf jeden Fall deutet einiges darauf hin. Und da es nun mal keine Unterlagen mehr gibt«, antwortete Claudia Spatzierer mit einem zynischen Lächeln, »ist es nicht einfacher geworden.«

»Und welche Frage haben Sie jetzt genau?«

Claudia Spatzierer sah ihre Gesprächspartnerin mit ernster Miene an und lehnte sich über den kleinen Kaffeetisch nach vorne: »Wer war damals in die Sache verwickelt. Können Sie sich noch an irgendwelche handelnden Personen erinnern? Denn so wie es aussieht, reicht der Schatten der Vergangenheit bis in die Gegenwart.«

Nachdenklich blickte Gerlinde Flugeisen auf den Boden und berichtete von einigen allgemeinen Informationen zu dem Fall, die das Verfahren und die Umstände betrafen. Dann schüttelte sie den Kopf. »An mehr kann ich mich wirklich nicht erinnern. Es ist so lange her, und in nahezu jedem unserer Fälle bei der Jugendstaatsanwaltschaft haben wir auch eine Beteiligung der Jugendämter. Und häufig geht es um Missbrauch. Da würde ich die Namen der Mitarbeiter nach all den Jahren nur durcheinanderbringen.«

Die pensionierte Oberstaatsanwältin sah Claudia an. »Es tut mir leid. Ich wünschte, ich hätte brauchbarere Informationen für Sie.«

43. KAPITEL

Berlin-Dahlem, Habelschwerdter Allee:
Montag, 21. September, 18.57 Uhr

Nicht schlecht, dachte Rocco Eberhardt und stellte seinen schwarzen Alfa gegenüber der imposanten Stadtvilla ab. *Entweder hat Claudia geerbt oder im Lotto gewonnen. Oder ihr Mann ist sehr vermögend.* Er versuchte, den letzten Gedanken beiseitezuschieben, was ihm allerdings nicht gelang. *Am Ende habe ich es versaut. Aus uns hätte was werden können, aber ich bin gegangen. Wäre wirklich nicht fair, das jetzt gegen sie zu verwenden.*

Er griff nach der Flasche Rosé, die er auf dem Weg in der Weinhandlung Hardy gekauft hatte, und schloss sein Auto ab. Dann überquerte er die Straße und drückte um Punkt neunzehn Uhr auf den Klingelknopf unter dem Messingschild.

»Komm einfach rein, ich mach dir auf«, hörte er kurz danach in erstaunlich guter Klangqualität Claudias Stimme aus der Gegensprechanlage. Es summte kurz, und Rocco stieß das handgeschmiedete Tor auf. Die gut zehn Meter lief er durch den Vorgarten und erklomm die fünf Stufen der Jugendstilvilla mit zwei Sätzen. Im selben Moment, als er den Absatz erreichte, öffnete sich die Tür, und Claudia strahlte ihn an.

»Hey Rocco, schön, dich zu sehen«, sagte sie mit einladender Geste und bat ihn in den imposanten Vorraum. Rocco war unsicher, ein Gefühl, das er lange nicht mehr gehabt hatte. Nicht auf diese Art.

»Du kannst die Schuhe anlassen. Komm, ich bin noch beim Kochen.«

Rocco folgte ihr und stand kurz darauf neben ihr in der Küche, deren große Fenster den Blick auf den weitläufigen Garten freigaben.

»Danke«, sagte Claudia und nahm ihm den Wein ab. »Oh, der ist ja kalt. Willst du uns ein Glas eingießen?« Sie deutete auf eine antike Anrichte, auf der neben einigen Kochbüchern noch eine Schale mit Obst stand.

»In der Schublade ist ein Korkenzieher.«

Rocco nickte und freute sich. Claudia schien die Gereiztheit ihrer letzten Telefonate komplett abgelegt zu haben. Ihre Anspannung war wie weggewischt. Das hatte er früher schon immer an ihr bewundert. Sie war der am wenigsten nachtragende Mensch, den er kannte. Mit einem Mal fühlte er sich besser. Alles war ... sehr vertraut. So wie früher. Dann sah er sich um. In der Mitte der Küche war ein großer massivhölzerner Esstisch, auf dem neben einer Vase mit bunten Herbstblumen zwei tiefe Teller standen.

»Nick ist heute bei seinem Vater«, fuhr Claudia dann fort. »Guck mal, da in dem Schrank sind Gläser.«

Bei seinem Vater? Rocco schaute Claudia fragend an.

Mit einem breiten Lächeln erwiderte sie seinen Blick.

»Ach, das hatte ich dir ja gar nicht erzählt. Wir sind seit einiger Zeit getrennt. Mit Nicks Vater und mir hat es am Ende nicht geklappt.«

Rocco spürte, wie sein Herz einen Sprung machte. Er hatte sich vieles ausgemalt. Wie er wohl Claudias Sohn begegnen würde. Und ihrem Mann. Aber mit dieser Nachricht hatte er nicht gerechnet. Claudia war gar nicht mehr in einer Beziehung. Er spürte, wie sich seine Laune weiter verbesserte.

»Ach so, na klar. Da?«, fragte er und zeigte auf den Schrank neben dem Herd.

»Genau!«

Rocco wählte zwei Weißweingläser und stellte sie auf dem Tisch ab. Dann nahm er den Korkenzieher und die Flasche, öffnete sie mit geübten Handgriffen und goss die beiden Gläser ein.

»Wow, der hat ja einen perfekten Lachston! Die Farben kamen in einem Weinseminar vor, an dem ich mal teilgenommen habe.« Claudia grinste.

»Du bist inzwischen also eine Fachfrau«, lachte Rocco. Er reichte Claudia ein Glas, und sie stießen miteinander an.

»Auf alte Zeiten«, sagte sie.

»Auf alte Zeiten!«, erwiderte Rocco.

Sie sahen sich in die Augen und tranken dann einen großen Schluck.

»Komm, du kannst mir helfen«, meinte Claudia dann. »Kannst du den Salat waschen?«

Rocco nickte. Er sah Claudia an, die gerade einen Berg Salsiccia-Rädchen von einem Holzbrett in die gusseiserne Pfanne schob. Sofort fing die Wurst an, in dem heißen Olivenöl anzubraten, und ein angenehmer Geruch verbreitete sich in der Küche.

»Wird sicher nicht so gut wie bei deiner Mutter, aber es ist original ihr Rezept.«

Rocco musste lachen. »Wenn es ihr Rezept ist, dann wird es auch so gut wie bei ihr. Denn wenn du mit …«

»… Liebe kochst, ich weiß«, ergänzte Claudia Roccos Satz. »Das wahre Geheimnis der italienischen Küche.«

Rocco sah Claudia an, und sie erwiderte seinen Blick. Nur für einen Moment. Dann lächelte sie kurz und zeigte auf vier Schalotten, die neben einem großen Holzbrett auf der Anrichte lagen. »Magst du nach dem Salat noch die Zwiebeln schneiden?«

Rocco nickte und machte sich an die Arbeit. Er wusch den Lollo Rosso, trocknete ihn in der Schleuder und riss ihn dann in mundgerechte Stücke, die er in eine große Salatschüssel warf. Danach hackte er die Zwiebeln und gab sie zu der italienischen Wurst in die Pfanne. Dabei überlegte er, ob er mit Claudia über den eigentlichen Grund sprechen sollte, weshalb er heute hergekommen war. Die Sache Krampe. Er entschied sich zunächst dagegen. Dafür würde auch nach dem Essen noch Zeit sein.

»Wollen wir ein bisschen Musik hören?«, fragte er stattdessen, und Claudia nickte. Sie griff nach ihrem Smartphone. Kurz darauf erklang »Se bastasse una canzone« von Eros Ramazzotti aus dem großen Bluetooth-Lautsprecher, der neben einem Stapel von Tellern in einem großen alten Regal stand.

Schlagartig wurde Rocco in die Vergangenheit zurückgerissen, und von einem Moment auf den anderen schossen Erinnerungen durch seinen Kopf, die er längst hinter sich gelassen hatte. Das Lied, nein, das ganze Album »In ogni senso« hatten sie damals gemeinsam für sich entdeckt, obwohl es schon einige Jahre alt war, und einen Sommer lang rauf und runter gehört.

Schweigend bereiteten sie in den nächsten Minuten das Essen zu, und Rocco hatte das Gefühl, dass Claudia genauso wenig wie er wusste, wie sie diesen Moment einordnen sollte. Was soll's, dachte er. Einfach mal schauen, was passiert.

»Ist das eigentlich dein Haus?«, fragte er, um die Stille zu durchbrechen.

»Nein«, lachte Claudia jetzt auf. »Das gehört meinem Mann. Bald Ex-Mann, meine ich. Seine Familie besitzt zahlreiche Immobilien in Berlin, und er ist fürs Erste ins Zentrum gezogen. Nach der Scheidung werde ich vermutlich ausziehen, aber das wird sich wohl noch ein paar Monate hinziehen.«

Rocco nickte, ging aber nicht weiter darauf ein.

Eine knappe Stunde und zwei Teller Nudeln später goss Rocco den Rest des Rosés in Claudias Glas.

Er wischte sich den Mund mit der Serviette ab, faltete diese sorgfältig zusammen und legte sie neben seinen Teller. Sosehr er den Moment genoss, er wusste doch, dass er einen Job zu erledigen hatte.

»Claudia …«, fing er an, doch noch bevor er fortfahren konnte, hob sie die Hand.

»Ich weiß«, sagte sie. »Du willst wissen, wie unser Stand in der Sache Krampe ist. Keine Sorge, wir beide wissen, dass der Fall längst nicht ausgestanden ist, und wir beide haben eine Verantwortung. Tatsächlich habe ich inzwischen einiges rausbekommen.«

Rocco zog die Augenbrauen hoch.

»Also. Die Sache sieht so aus. Wie wir schon wussten, gab es damals in der Sache Granther-Experiment ein Ermittlungsverfahren, das auf Bestreben des Leiters des Jugendamtes Berlin-Kreuzberg angestrengt wurde. Im Raum standen wohl allerlei Vorwürfe, vor allem gegen Granther selbst. Wie es aussieht, hatte er die Ansicht vertreten, dass Kinder und Jugendliche aus zerrütteten Verhältnissen dann am besten wieder in ein geordnetes Leben zurückfinden würden, wenn man sie in die Obhut von Pädophilen geben würde. Seiner Ansicht nach würde ihnen dort ein liebevolles Umfeld geboten, das sich von ihrer bisherigen Situation positiv unterscheiden würde. Er verstrickte sich in eine krude, völlig verquere Mischung aus Verharmlosung des Missbrauchs und der Annahme, Pädophile hätten eine besondere Motivation, mit schwierigen Jugendlichen einen Alltag auszuhalten, den andere nicht auf die Dauer auf sich zu nehmen bereit wären.«

Angewidert schüttelte Rocco den Kopf. Auch wenn er diese Infos schon kannte, war er immer wieder aufs Neue entsetzt, wie so etwas hatte geschehen können.

»Wie nicht anders zu erwarten«, fuhr Claudia Spatzierer fort, »wurden dann zahlreiche ebendieser Kinder nachweislich Opfer von sexuellen Übergriffen ihrer *Pflegeväter*. Soweit sie die Gelegenheit hatten, darüber mit betreuenden Mitarbeitern zu sprechen, hatte man ihren Geschichten entweder keinen Glauben geschenkt oder diese schlichtweg nicht zum Anlass genommen, etwas zu ändern.«

»Das ist doch unfassbar«, entfuhr es Rocco.

»Das ist es. Aber damit noch nicht genug. Granther selbst hatte die Informationen zu seinem Experiment auch veröffentlicht. Allerdings erst zu einem Zeitpunkt, als er sich sicher sein konnte, dass die Taten allesamt verjährt waren, sodass er auch strafrechtlich nicht mehr verfolgt werden konnte.«

»Und wie ist das Ermittlungsverfahren dann gelaufen? Granther wurde doch nicht verurteilt, oder?«

»Wie zu erwarten wurde es wegen Verjährung eingestellt. Und auch aus Mangel von Beweisen, denn die Faktenlage war damals schon sehr dünn.«

»Und inzwischen ist Granther tot«, stellte Rocco fest.

»Ja, schon seit einigen Jahren.«

»Dann kann er nicht der Drahtzieher hinter unseren aktuellen Fällen sein«, kombinierte Rocco. »Wer aber könnte dann ein Interesse daran haben, unsere beiden Jungs verschwinden zu lassen, wenn nicht Granther selbst?« Er dachte für einen Moment nach und sah dann Claudia direkt in die Augen. »Wer außer Granther selbst hat jetzt noch ein Interesse daran, dass die Sache nicht ans Licht der Öffentlichkeit kommt? Die Verjährung schützt doch auch alle anderen.«

»Das ist die Eine-Million-Euro-Frage«, erwiderte sie.

»Dann müssen wir die Akten einfach von vorne bis hinten durchforsten und uns ansehen, wer damals in die Sache verwickelt war«, fuhr Rocco fort. »Und dann suchen wir nach dem Motiv der einzelnen Beteiligten.« Herausfordernd sah er Claudia an.

»Könntest du mir Kopien der Akten zur Verfügung stellen?«

Claudia schüttelte den Kopf, und auf Roccos Gesicht zeichnete sich eine Mischung aus Unverständnis und Enttäuschung ab. Doch noch bevor er etwas sagen konnte, erwiderte sie mit ernstem Ton: »Selbst wenn ich wollte, könnte ich das nicht.« Sie machte eine Pause. »Die Infos, die ich gerade mit dir geteilt habe, habe ich alle vom Hörensagen von ehemaligen Mitarbeitern. Die Akten hingegen sind allesamt entsprechend der Verordnung über die Aufbewahrungsfrist von Schriftgut der Gerichtsbarkeit, der Staatsanwaltschaften und der Justizvollzugsbehörden vernichtet worden.«

44. KAPITEL

Berlin-Wilmersdorf, Tübinger Straße:
Montag, 21. September, 22.13 Uhr

Enttäuscht parkte Rocco seinen Alfa unweit seiner Wohnung und stellte den Motor ab. So schön, wie der Abend begonnen hatte, so unerfreulich war er zu Ende gegangen. Die Freude, dass Claudia nicht mehr mit ihrem Mann zusammenlebte, war von den ernüchternden Informationen in der Sache Krampe überlagert worden. Sie standen wieder ganz am Anfang. Und ihre Lage hatte sich nicht eben verbessert. Nachdem Claudia ihm eröffnet hatte, dass sämtliche Akten der Staatsanwaltschaft vernichtet waren, hegte Rocco die ungute Vermutung, dass sie bei den Jugendämtern ebenso wenig Erfolg haben würden.

Rocco schloss den Wagen ab und machte sich auf in Richtung seiner Wohnung. Wie immer vermied er den Aufzug und lief die fünf Treppen bis ins Dachgeschoss, um wenigstens etwas Bewegung zu bekommen. Sein Job hatte ihm in den letzten Monaten kaum Zeit für Sport gelassen, und auch wenn er sich jeden Tag aufs Neue vornahm, wenigstens morgens eine halbe Stunde zu laufen, blieb es meistens bei dem guten Vorsatz. Mit großen Schritten, immer zwei Stufen auf einmal nehmend, erklomm er den letzten Absatz und stellte zufrieden fest, dass er wenigstens nicht außer Atem war.

Nachdem er die Wohnungstür hinter sich abgeschlossen und sich ein großes Glas Wein eingegossen hatte, überlegte er, ob er Tobi noch anrufen sollte. Sein bester Freund hatte in Situationen, in denen Rocco den Wald vor lauter Bäumen nicht sah, oft eine gute Idee. Und in diesem Moment fühlte Rocco sich genau so. Er entschied sich dann, Tobi eine WhatsApp zu schreiben. Keine zwei Minuten später klingelte sein Telefon.

»Hey, what's up, mein Lieber«, begrüßte ihn Tobi und schien bester Laune zu sein.

»Danke, dass du noch so spät zurückrufst«, erwiderte Rocco. »Um ehrlich zu sein, so lala«, fuhr er fort und erzählte Tobi von dem Abend bei Claudia Spatzierer.

»Wow, sie ist noch zu haben? Oder sollte ich sagen, wieder zu haben?«, lachte Tobi. »Na dann, viel Erfolg!«

Rocco stimmte in das Lachen ein, schüttelte dann aber seinen Kopf. »Ja, schon. Ist auch irgendwie cool, aber das ist ja gar nicht das Problem.«

»Au Mann«, hörte er seinen Freund am anderen Ende der Leitung. »Nun mach mal halblang. Erstens ist das mit Claudia eine verdammt gute Nachricht. Und was die Sache mit Krampe angeht, mach dir da mal keine Sorgen. Das kriegen wir schon hin. Übrigens habe ich dir noch gar nicht erzählt, dass ich ihn vorgestern wie verabredet im Krankenhaus abgeholt und dann zu Jarmers Freund gefahren habe. Ein krasser Typ. Carlo Holland. Wohnt in Brandenburg, ziemlich zurückgezogen auf einem alten Bauernhof in der Nähe von Michendorf. Mann, Rocco, der ist echt hardcore. Sieht aus wie ein Marine aus so einem Militärfilm. Kurze, graue Haare und Oberarme, die kaum in den Hemdsärmel passen. Voll klischeemäßig.«

Rocco horchte auf. Daran hatte er gar nicht mehr gedacht. »Und Krampe, wie ist er mit der Sache umgegangen?«

»Na ja, das war ziemlich ernüchternd, um ehrlich zu sein. Hat die ganze Fahrt über schweigend neben mir gesessen. War kein Wort aus ihm herauszukriegen. Merkwürdiger Kerl. Aber irgendwie vielleicht auch nicht verwunderlich. Bei seiner Vergangenheit und bei dem, was ihm in letzter Zeit alles passiert ist.«

»Und dann?«, hakte Rocco nach.

»Also, ich habe ihn abgeliefert. Bei Holland. Wir haben noch Nummern ausgetauscht, ehe ich wieder zurück nach Berlin gefahren bin.«

»Und euch ist auch keiner gefolgt?«

»Rocco, nun mach mal halblang. Hast du vergessen, wo ich ausgebildet wurde? Natürlich nicht.«

Rocco dachte kurz nach. Krampe war also erst mal in Sicherheit. Aber in ihrem Fall waren sie kein Stück weitergekommen. »Und was machen wir jetzt mit unserer Ermittlung?«, fragte er deshalb weiter.

Doch noch bevor Tobi antworten konnte, hörte Rocco jemanden im Hintergrund rufen. Auch wenn er nicht verstand, was es war, wusste er sofort, wer es war: seine Schwester Alessia!

»Hey, ich glaube, ich mache jetzt besser Schluss. Lass uns morgen weitersehen. Heute wird das sowieso nichts mehr. Aber keine Sorge, ich habe da schon ein paar Ideen. Lass uns doch zum Frühstück treffen, und dann besprechen wir alles, okay?«

»Okay, alles klar«, erwiderte Rocco und merkte, dass ihn langsam die Müdigkeit überfiel. Außerdem war er wieder ein bisschen mit sich und der Welt versöhnt. Es tat ihm gut, dass Tobi die Sache deutlich optimistischer sah als er selbst. Nachdem sie sich verabschiedet und einen Treffpunkt für den nächsten Tag vereinbart hatten, blickte Rocco auf das halb volle Glas Wein in seiner Hand. Dann kippte er es in den Ausguss. Er hatte genug für heute und brauchte morgen einen klaren Kopf.

45. KAPITEL

Berlin-Charlottenburg, Fasanenstraße 72,
Kanzlei Eberhardt:
Dienstag, 22. September, 8.12 Uhr

Rocco hatte das erste Mal seit langer Zeit das Gefühl, sich erholsam ausgeschlafen zu haben. Nach einer kurzen Dusche war er direkt in die Kanzlei gefahren. Während er sich einen Kaffee aus der Büroküche holte, checkte er die E-Mails auf seinem Handy. Anja Liebig hatte geschrieben und gefragt, ob alles mit Krampe geklappt hatte und wie es jetzt weiterging. Rocco stellte sich auf dem Telefon einen Wecker, der ihn daran erinnern sollte, die Journalistin im Laufe des Tages zurückzurufen. Zwei Minuten später ließ er sich in seinen Schreibtischstuhl fallen und wählte Jarmers Nummer. Er wollte ihn unbedingt vor dem Treffen mit Tobi auf den neuesten Stand bringen und schauen, ob er vielleicht noch eine gute Idee hätte.

Jarmer nahm das Gespräch bereits nach dem zweiten Klingeln an. »Herr Eberhardt, wie schön, dass Sie sich melden. Ich habe schon von meinem Freund gehört, dass Ihr Mandant gut bei ihm angekommen ist«, kam er gleich zur Sache.

»Ja, das ist er«, erwiderte Rocco. »Und lieben Dank noch einmal, dass Sie uns unterstützen.«

»Sehr gerne. Der Arme hat ohne Frage genug durchgemacht, da freut es mich, dass ich wenigstens etwas helfen kann. Wie sieht es denn sonst in dem Fall aus?«

»Um ehrlich zu sein, nicht besonders gut. Ich habe mich mit Staatsanwältin Spatzierer getroffen. Sie hat leider nur ein paar Infos von einer Kollegin erhalten, die damals an der Sache gearbeitet hat. Tatsächlich gab es sogar ein Ermittlungsverfahren, das dann aber eingestellt worden ist.«

»Verjährung?«, fragte Jarmer.

»Ganz genau.«

»Und es gibt natürlich auch keine Akten mehr, nehme ich an, sodass Sie nichts in der Hand haben«, mutmaßte der Rechtsmediziner weiter.

»Gar nichts, genauso sieht es aus. Und um ehrlich zu sein, hatte ich gehofft, dass Sie vielleicht eine Idee haben, wer uns da weiterhelfen könnte. Mir geht es hier vor allem um die Namen der Verantwortlichen von damals. Irgendjemanden, der heute ein gesteigertes Interesse haben könnte, dass die Sache nicht weiter ans Tageslicht gebracht wird.«

Jarmer überlegte einen Moment, ehe er sich wieder an Rocco wandte. »Vielleicht habe ich da tatsächlich etwas. Ich hatte Ihnen doch davon berichtet, dass ich damals über das Granther-Experiment und über Grünwald bei einem Vortrag gehört hatte. Vielleicht hat die Referentin von damals noch Unterlagen oder möglicherweise auch Kontakte, die sie uns zur Verfügung stellen kann. Ich könnte dem mal nachgehen.«

Rocco horchte auf. Daran hatte er überhaupt nicht gedacht. »Das ist eine ausgezeichnete Idee, damit würden Sie uns sehr helfen.«

»Gerne. Aber versprechen kann ich nichts. Geben Sie mir einfach ein paar Tage Zeit und ich melde mich bei Ihnen.«

»Unbedingt und vielen Dank«, erwiderte Rocco und legte auf.

Er blickte auf seine Uhr. Es war allerhöchste Zeit, wenn er noch pünktlich zu dem Frühstück mit Tobi kommen wollte.

46. KAPITEL

Berlin-Wilmersdorf, Uhlandstraße 49, Café Benedict:
Dienstag, 22. September, 10.07 Uhr

Wie an jedem Tag in der Woche war das Benedict, ein derzeit gehyptes Café, das über den ganzen Tag exzellentes Frühstück anbot, auch heute bis auf den letzten Platz besetzt. Die Wände waren zum Teil freigelegt, sodass das alte Mauerwerk darunter zum Vorschein kam. Die dunklen Dielen bildeten einen interessanten Kontrast zu den hellen und mit Pflanzen verzierten Wänden.

Zu Roccos Überraschung war Tobi schon da und hatte es sogar geschafft, ihnen einen Tisch in einer Nische zu organisieren, an dem sie einigermaßen ungestört miteinander reden konnten.

Zufrieden nahm er auf dem schlichten hölzernen Stuhl Platz und blickte zu seinem Freund.

»Bist du aus dem Bett gefallen?«, begrüßte er Tobi, der gewichtig den Mund verzog und Rocco dann mit der ihm eigenen guten Laune begrüßte.

»Nicht nur das, mein Lieber, ich war heute auch schon überaus aktiv.«

Rocco horchte auf. »Na, dann lass mal hören.«

»Gleich«, erwiderte Baumann. »Aber erst mal brauche ich einen Kaffee und was zu essen!« Er winkte eine der jungen Kellnerinnen an ihren Tisch, und sie bestellten zwei doppelte Espressos und zwei Bacon-Lettuce-Tomato & Gouda-Omeletts.

»Na, dann leg mal los«, sagte Rocco und blickte Tobi erwartungsvoll an.

»Also, ich habe in der Sache mit deinem Vater einige interessante Infos rausbekommen.«

Rocco blickte überrascht auf. Damit hatte er gar nicht gerechnet, weil er ganz auf den Fall Krampe fokussiert war. Er verspürte spontan ein schlechtes Gewissen, dass er das vollkommen aus den Augen verloren hatte, war aber umso gespannter, was Tobi zu berichten hatte.

»Also, so wie es aussieht, hat da jemand ein gesteigertes Interesse, Informationen zu unterdrücken. Nicht weniger als drei meiner Kontakte bei der Kripo und dem LKA haben mir gesagt, dass sie nichts zu sagen haben.«

Rocco zog überrascht die Augenbrauen hoch. »Aber das sind doch nicht gerade gute Neuigkeiten, oder?«

»Na ja, kommt drauf an, wie man es sieht. Denn tatsächlich haben zwei von dreien mir dann auch gesagt, warum sie nichts sagen können. Das Ganze hat tatsächlich wohl weniger etwas mit deinem Vater zu tun als vielmehr mit Bäumler.« Mit einem breiten Grinsen ergänzte er: »Oberstaatsanwalt Doktor Bäumler meine ich natürlich.«

»Na klar, so viel Zeit muss sein«, konnte Rocco sich nicht verkneifen. Er hatte keine besonders hohe Meinung von Bäumler, der stets Wert auf seinen akademischen Titel legte. »Aber dass er auch in die Sache verwickelt sein soll, wussten wir doch schon.«

»Stimmt, aber das hat kürzlich eine ganz neue Dimension erhalten.«

»Wieso?«, hakte Rocco nach.

»Weil Bäumler im Schattenkabinett Palme, der ja wohl die besten Aussichten auf den Posten des Regierenden Bürgermeisters nach der nächsten Abgeordnetenhauswahl haben dürfte, eine nicht unbedeutende Rolle spielen soll.«

»Bäumler? Unser Oberstaatsanwalt Bäumler?«, rief Rocco eine Spur zu laut, sodass Tobi rasch seinen Zeigefinger vor die Lippen hob, um keine unnötige Aufmerksamkeit auf ihr Gespräch zu ziehen.

»Ganz genau. Wie es aussieht, wird er für den Posten des nächsten Senators für Inneres und Sport gehandelt.«

Rocco schüttelte ungläubig den Kopf. Wenn Bäumler die Leitung über die Polizei übernehmen würde, bedeutete das nichts Gutes. Der selbstverliebte und mehr um sein Ansehen und sein Renommee als um Recht und Gesetz besorgte Ermittler hatte bei Berlins Strafverteidigern keinen guten Ruf. Er schaffte es immer wieder, die Prozesse, in denen er die Staatsanwaltschaft vertrat, zu wahren Medienereignissen hochzustilisieren. Nach Roccos Meinung legte er dabei weniger den Fokus auf die zur Verhandlung stehenden Fälle als vielmehr auf die Bedeutung seiner Person als knallharter Strafverfolger.

»Und inwiefern hat das eine Auswirkung auf die Sache mit meinem Vater?«

»Ich glaube«, erwiderte Baumann, »dass jemand Bäumler schützen möchte und daher die Ermittlungen nur einem ganz kleinen Kreis zugänglich sind.«

»Und was bedeutet das genau?«

»Dass hier erst mal nichts passieren wird. Sobald das Ganze aber wieder an Fahrt aufnimmt, werden mich meine Kontakte informieren.«

Rocco schüttete etwas Zucker in seine Tasse und rührte diesen mit dem kleinen Löffel langsam um. Er war unschlüssig, was er von den neuen Informationen halten sollte, konnte jetzt aber verstehen, warum Sven Beister vom LKA, der ihn überhaupt erst auf die Ermittlungen gegen seinen Vater aufmerksam gemacht hatte, von einem Tag auf den anderen keinen Ton mehr zu dem Verfahren sagen wollte. Offensichtlich hatte Palme, der aktuell die Geschicke der Polizei bestimmte und als Innensenator auch mittelbar Einfluss auf die Arbeit der Staatsanwaltschaften, die dem Justizsenator unterstanden, nehmen konnte, ein Machtwort gesprochen. Keine Frage, er wollte Bäumler als seinen Nachfolger schützen. Und dadurch war auch fürs Erste Ruhe im Hinblick auf seinen Vater. *Was soll's,* dachte Rocco. *Es ist, wie es ist.*

Tobi schien seine Gedanken lesen zu können, denn im nächsten Moment sagte er: »Hör zu, es lohnt sich momentan nicht, da weiter nachzubohren. Lass uns das einfach mal kurz beiseiteschieben. Ich glaube, wir haben mit der Sache Krampe einen etwas dringenderen Fall zu bearbeiten.«

Irgendetwas in Rocco sträubte sich dagegen. Immerhin ging es um seinen Vater. Schließlich musste er Tobi aber recht geben. Sein Vater war ja noch nicht einmal zu einer Vernehmung geladen worden. Das Verfahren musste folglich noch ganz am Anfang stehen. Und auf Krampe war vermutlich ein Mordanschlag verübt worden. Dieses Mandat musste Vorrang bekommen.

»Na gut«, stimmte er zu. »Dann also Krampe.« In den nächsten fünf Minuten berichtete er Tobi von seinem Gespräch mit Jarmer und dessen Idee, über die damalige Referentin weitere Infos zu erhalten.

»Gute Idee. Nicht schlecht, dein Leichenaufschneider«, schmunzelte Tobi. »Dann lass ihn doch mal diese Schiene nachgehen, und ich kümmere mich um meine Quellen.«

»Und an was hast du dabei gedacht?«

»Die Sache stammt aus einer Zeit, als Polizei und Staatsanwaltschaften noch nahezu ausschließlich mit Papierakten gearbeitet haben. Und auch wenn die Behörden die Akten offiziell als vernichtet vermerkt haben, bedeutet das lange noch nicht, dass wirklich alles vernichtet wurde.«

»Du meinst, dass es vielleicht noch irgendwo Kopien oder sonst etwas gibt?«

»Kopien, Faxe, Notizen«, fuhr Baumann fort. »Und dann haben wir schließlich die Jugendämter, oder? Da gibt es bestimmt auch noch Akten, oder vielleicht sogar den ein oder anderen Sachbearbeiter, der damals an dem Vorgang gearbeitet hat.«

Roccos anfängliche Skepsis wandelte sich mit jedem von Tobis Worten wieder in Zuversicht. Sein Freund hatte recht. Es gab so viele Ansatzpunkte, denen sie noch nicht nachgegangen waren, und Baumann war ein Experte darin, jede noch so kleine Spur aufzunehmen und bis zur Quelle zurückzuverfolgen. Mit dem ihm eigenen Optimismus, gepaart mit einer Beharrlichkeit, die manche als Penetranz bezeichnen würden, fand er regelmäßig alles, was es zu finden gab. Wenn man Tobi auf ein Ziel angesetzt hatte, verfolgte er es so lange, bis er es erreicht hatte.

Gerade als Rocco etwas dazu sagen wollte, brachte die Kellnerin ihr Essen.

»Na, das sieht doch mal gut aus«, bedankte sich Tobi und griff zu Messer und Gabel. Er schob sich ein großes Stück Omelett in den Mund, schloss die Augen und kaute langsam und genüsslich lächelnd.

Nachdem sie einige Minuten schweigend gegessen hatten, ergriff Rocco das Wort. »Also, dann lass uns mal sortieren, was wir haben. Krampe ist erst mal in Sicherheit bei Jarmers Freund. Das ist das Wichtigste und gibt uns die nötige Zeit, in Ruhe allen weiteren Spuren nachzugehen.«

»Ganz genau«, erwiderte Tobi. »Krampe sollten wir uns allerdings auch erneut vornehmen. Er muss noch mehr wissen. Außerdem ist da Jarmer, der über die Referentin versucht, einige Infos zu erhalten. Dann haben wir Anja Liebig, die ja einiges an Material zusammenrecherchiert haben dürfte. Und natürlich deine neue Liebe Claudia, die sogar offiziell in der Sache Grünwald ermittelt.«

Tobi konnte sich bei seiner letzten Bemerkung ein Grinsen nicht verkneifen.

Rocco zog kopfschüttelnd die Augenbrauen hoch, musste dann aber auch lächeln. »Stimmt. Und außerdem haben wir noch dich und dein untrügliches Gespür.«

Tobi nickte und sagte mit leicht zynischem Unterton: »Was ja wohl ohne Frage unser bestes Asset ist.«

»Na dann«, sagte Rocco, nachdem er die Rechnung bezahlt hatte, »legen wir los.«

47. KAPITEL

Travemünde, Schleswig-Holstein, Hotel Atlantic:
Mittwoch, 23. September, 12.37 Uhr

Normalerweise trank Jarmer nie Alkohol zum Mittagessen. Keine Drinks vor fünf Uhr abends war eine eiserne Regel in seinem Haus, die vor ihm schon sein Vater und auch sein Großvater beherzigt hatten. Doch heute machte er eine Ausnahme. Wenngleich eine unbeabsichtigte. Denn seine Gastgeberin hatte ihm, als er nur kurz auf die Toilette verschwunden war, ein Glas Rosé bestellt und hielt ihm jetzt das ihre prostend entgegen. »Auf ein längst überfälliges Wiedersehen nach so vielen Jahren, lieber Jarmer«, rief sie ihm freundlich zu. »Und auf den Schutz der Kinder.«

Jarmer, von der Situation überrumpelt, brachte es nicht über das Herz, diese so entwaffnend offene und sympathische Geste auszuschlagen. Innerlich widerwillig, denn er hasste eigentlich nichts mehr, als gegen seine eigenen Prinzipien zu verstoßen, allerdings galant genug, sich das nicht anmerken zu lassen, hob er gleichfalls sein Glas und stieß mit seinem Gegenüber an. *Die Zeit hat es gut mit dir gemeint*, dachte er und blickte in das für ihre fünfundsechzig Jahre unglaublich jugendlich aussehende Gesicht von Doktor Marianne Kramer. Die promovierte Psychologin war eine der Expertinnen auf dem Gebiet der Erforschung von Langzeitfolgen des Missbrauchs bei Kindern, die bereits in einem jungen Alter betroffen waren. Bei ihr handelte es sich um ebenjene Referentin, die vor einigen Jahren im Rahmen der von Jarmer besuchten Tagung über das Granther-Experiment und Jörg Grünwald berichtet hatte.

Es hatte Jarmer eine ganze Reihe von Anrufen und Recherchen gekostet, nicht nur ihren Namen, sondern auch ihren aktuellen Aufenthaltsort herauszufinden. Und als es ihm endlich gelungen war, war er kurzerhand aus Berlin aufgebrochen und hatte die gut dreihundert Kilometer Wegstrecke in knapp dreieinhalb Stunden Autobahn und Landstraße hinter sich gebracht. Jetzt saß er hier, auf der Terrasse des Atlantic, eines der schönsten Hotels, die Deutschland zu bieten hatte. Das ehemalige Casino, das unmittelbar am Strand des kleinen Küstenstädtchens lag, war vor einigen Jahren in ein Luxushotel umgebaut worden und beherbergte seit dieser Zeit ebenso Familien, die ihren Urlaub verbrachten, als auch Geschäftsleute, die hier ihre Seminare abhielten. In den langen Gängen des Gebäudes hingen zahlreiche Bilder aus längst vergangener Zeit, unter anderem auch von Thomas Mann, der seinerzeit zu den Stammgästen des Spielcasinos und der angeschlossenen Restauration zählte. Jarmer schwelgte allerdings weniger in der geschichtsträchtigen Vergangenheit als vielmehr im Hier und Jetzt. Vor sich auf dem weißen Tischtuch stand ein Salat mit edlen Fischfilets, und in seiner Hand hielt er das besagte und seiner Meinung nach für diese Zeit viel zu frühe Glas Wein.

»Aber jetzt verraten Sie mir doch bitte noch einmal, was genau Sie heute hierhergeführt hat«, sagte Kramer mit einem fragenden Lächeln, ehe sie verschmitzt hinzufügte: »Der Rosé war es ja wohl offensichtlich nicht.«

Jarmer, der sich ertappt fühlte, musste schmunzeln. »War das so offensichtlich?«, fragte er.

Kramer nickte wohlwollend.

»Der Wein ist gut«, versuchte Jarmer, sich zu entschuldigen. »Nur ist das normalerweise noch nicht meine Zeit. So früh, meine ich.«

Jetzt musste Kramer herzlich lachen. »Ach, lieber Kollege Jarmer. Dafür brauchen Sie sich weiß Gott nicht zu entschuldigen.

Aber genug vom Alkohol. Was kann ich denn nun wirklich für Sie tun?«

Jarmer räusperte sich. Und dann berichtete er ausführlich von dem Fall Grünwald. Mit jedem Wort zog er Kramer mehr in seinen Bann. Ganz offensichtlich war ihr der Vorgang noch präsenter, als er angenommen hatte. Denn als er an dem Punkt ankam, als Grünwald vermutlich Opfer eines Verbrechens geworden war, sah er, wie sehr dessen Schicksal die erfahrene Wissenschaftlerin offenbar nach wie vor berührte.

Als Jarmer zum Ende gekommen war, schwiegen beide für einen Moment, dann sagte Kramer mit belegter Stimme: »Auch wenn ich mein Leben dem Kampf für das Wohlergehen von Kindern und Jugendlichen gewidmet und Hunderte von Fällen betreut habe, ist es doch jedes Mal aufs Neue erschütternd. Das Erschreckende ist, dass es so viel mehr Fälle gibt, als die meisten Menschen auch nur erahnen. So schätzt beispielsweise die Weltgesundheitsorganisation, dass weltweit jedes fünfte Mädchen und jeder dreizehnte Junge Opfer eines Missbrauchs werden.« Kramer ließ ihren Blick über die ausladende Terrasse des Hotels, über den breiten Strand bis über die endlose Weite der Ostsee schweifen. »Und wenn ich Sie richtig verstehe, reicht der Schatten der Vergangenheit nicht nur zu den Opfern, sondern möglicherweise auch zu den Tätern?«

»Genau danach sieht es aus«, bestätigte Jarmer. »Wir, also ein guter Bekannter, der sich ebenfalls in der Sache engagiert, und ich, vermuten, dass die Täter von damals befürchten, ihre Tat könnte aufgedeckt werden und Auswirkungen auf das Hier und Jetzt haben.«

»Ich verstehe«, sagte sie. »Granther ist inzwischen tot, aber wir beide wissen, dass es noch zahlreiche andere Mitwisser, damalige Protagonisten und Akteure gibt, die dafür Verantwortung tragen.«

»Ganz genau.«

»Und wer sind diese anderen?«

»Das, liebe Frau Kramer, ist genau das, was wir herausbekommen wollen. Denn aufgrund der langen Zeit, die dieses unsägliche ›Experiment‹ jetzt her ist, gibt es nur noch wenige Aufzeichnungen. Zumindest bei den offiziellen Stellen.« Jarmer beugte sich in seinem Stuhl nach vorne. »Ich hatte gehofft, dass Sie vielleicht noch über einige Informationen verfügen, die Sie seinerzeit für Ihren Vortrag verwendet haben.«

Marianne Kramer ließ sich in ihrem Sitz nach hinten sinken und schloss die Augen, ganz so, als tauchte sie in die Vergangenheit ein, um dort Antworten auf Jarmers Fragen zu finden. Etwa zehn Sekunden verharrte sie in dieser Stellung, ehe sie ihre Augen wieder öffnete und Jarmer dann kopfschüttelnd anblickte. »Ich bin mir nicht sicher, ob ich Ihnen da noch helfen kann«, sagte sie. »Ich bin vor etwa sieben Jahren umgezogen, von Glücksburg nach Kiel. Von einem Haus in eine Wohnung. Mein Mann und ich hatten uns damals schweren Herzens von allerlei Sachen trennen müssen. Einfach weil wir den Platz nicht mehr hatten. Und im Zuge dessen habe ich auch zahlreiche Aktenordner vernichten lassen. Alles, was ich noch zu brauchen glaubte, habe ich digitalisieren lassen. Ich bin mir nicht sicher, ob ich die Unterlagen zu diesem Fall noch habe. Nicht ausgeschlossen, aber ich müsste erst noch einmal nachschauen.«

Jarmer nickte dankbar. »Damit würden Sie mir einen großen Gefallen erweisen. Und es könnte zudem sehr hilfreich für den vorliegenden Fall sein.«

»Ich werde das gleich übermorgen erledigen, wenn ich wieder zu Hause bin«, versprach sie.

»Ausgezeichnet«, entgegnete Jarmer und hoffte insgeheim, dass er den langen Weg nicht umsonst angetreten hatte.

»Aber«, fuhr die Psychologin dann fort, »warum nutzen wir nicht unsere Zeit und diese wunderbare Gegend für einen Spaziergang am Strand. Es gibt sicherlich noch vieles, worüber wir uns austauschen können. Ich habe bis fünfzehn Uhr noch eine Besprechung, aber danach würde es mir große Freude bereiten. Es ist ja wirklich eine ganze Weile her, dass wir zuletzt miteinander gesprochen haben. Was meinen Sie, hätten Sie noch etwas Zeit?«

Jarmer musste nicht lange überlegen. »Sehr gerne, ich habe mir den Tag ohnehin freigenommen, und ob ich etwas früher oder später nach Berlin zurückkomme, macht nun wirklich keinen Unterschied.«

48. KAPITEL

Travemünde, Schleswig-Holstein:
Mittwoch, 23. September, 15.02 Uhr

Justus Jarmer hatte die Zeit bis zu dem vereinbarten Strandspaziergang in vollen Zügen genossen. Sein Alltag war von Arbeit geprägt, und im Anschluss daran widmete er sich mit Freuden und aus voller Überzeugung seiner Familie. Er haderte nicht damit, ganz im Gegenteil, so hatte er sich sein Leben eingerichtet, und genau so machte es ihn glücklich. Dennoch waren die letzten beiden freien Stunden für ihn außergewöhnlich, und er hatte sich mit großer Freude in die Zeitungen vertieft, die auf der Terrasse des Hotels auslagen.

»Doktor Jarmer, ich hoffe, ich habe Sie nicht zu lange warten lassen«, schreckte Kramer ihn aus seiner Lektüre auf. Er faltete die aktuelle Ausgabe der *Zeit* zusammen und blickte sie freudig an. »Nicht im Geringsten, ganz im Gegenteil. Ich kann mich kaum erinnern, wann ich zuletzt die Gelegenheit hatte, mich in so einem schönen Ambiente mal der Journaille zu widmen.«

»Na dann«, lächelte sie ihn an. »Wollen wir?«

»Unbedingt«, gab Jarmer zurück, und sie machten sich auf den Weg durch den weitläufigen Garten Richtung Strand.

»Promenade oder barfuß am Wasser?«, fragte sie, und Jarmer musste nicht lange überlegen. Er zog Schuhe und Strümpfe aus und zeigte Richtung Ostsee. »Auf jeden Fall Strand.« Doktor Kramer tat es ihm gleich, und für einige Minuten liefen beide wortlos nebeneinanderher.

»Womit befassen Sie sich gerade?«, eröffnete Jarmer ihr Gespräch.

»Gute Frage. Vor allem mit einem Phänomen, das mich bei meiner Arbeit immer vor die größten Herausforderungen stellt.«

Jarmer zog neugierig die Augenbrauen hoch.

»Nach dem Missbrauch, den Kinder erleben, kommt es häufig zur Verdrängung der Taten. Wie Sie ja wissen, ist das ein bekanntes Phänomen in der Psychoanalyse. Die Opfer schützen sich, indem sie die schlimmen und belastenden Erinnerungen des sexuellen Missbrauchs in ihr Unterbewusstsein verschieben. Weit weg, in eine verschlossene Schublade.«

Jarmer nickte. Er kannte die Mechanismen des Selbstschutzes aus seiner langjährigen Arbeit im Kinderschutz nur zu gut.

»Und das macht es uns so schwer«, fuhr Kramer fort. »Um den Kindern zu helfen, müssen wir das Geschehene kennen, bevor wir es gemeinsam aufarbeiten und für die Betroffenen einen Weg finden können, mit dem Geschehenen umzugehen und leben zu lernen.«

Marianne Kramer blieb stehen und blickte für einen Moment auf das weite Meer hinaus. »Manchmal dauert es Jahrzehnte, bevor die Erinnerungen zurückkehren. Es gibt die unterschiedlichsten Auslöser, die oft ganz unerwartet die Schublade öffnen. Das können Gerüche sein, bestimmte Satz- oder Wortfragmente, Orte oder auch eine Melodie. Manchmal, so verrückt das klingen mag, sogar Jahreszahlen, die in irgendeinem Zusammenhang zu dem damaligen Ereignis stehen.«

»Ich verstehe«, sagte Jarmer. »Und weil die Erinnerungen oft so tief vergraben sind und die Kinder keinen Einfluss auf die Trigger haben, die den Schlüssel zu der Erinnerung in sich tragen, ist es so schwer, ihnen zu helfen.«

Kramer blickte Jarmer direkt in die Augen und nickte. »Damit aber nicht genug«, schloss sie an, »denn bis wir an dem Punkt ankommen, wo die Erinnerungen zurückkehren, müssen wir den Menschen auch helfen. Wir dürfen sie nicht alleine lassen mit sich, ihrer Situation und den akuten Begleiterscheinungen.«

Sie nahm einen Stein in die Hand und warf ihn in hohem Bogen über das Wasser, wo er zwischen den Wellen versank.

»Ich tue mich schwer damit, die Symptome über einen langen Zeitraum hinweg zu behandeln. Neben Depressionen, Ängsten, Schlaf- und Essstörungen zeigen die Opfer immer wieder auch Aggressionen und Störungen in ihrem eigenen Sexualverhalten.«

»Was nicht verwunderlich ist«, stimmte Jarmer ihr zu. »Bei den Erfahrungen, die ihre Kindheit geprägt haben.«

»Eben. Und genau deshalb ist es so wichtig, die Sache ernst zu nehmen. Ich finde es nach wie vor unerträglich, wie wenig das Thema in der Öffentlichkeit thematisiert wird. Geradezu tabuisiert. Dabei weisen immer mehr Daten darauf hin, dass die Dunkelziffer die Zahl der bekannten Straftaten um ein Vielfaches übersteigt.«

Später, nachdem sie sich voneinander verabschiedet hatten und Jarmer sich bereits auf dem Heimweg befand, dachte er noch eine Weile über ihr Gespräch nach. Er hoffte sehr, dass Doktor Kramer die Unterlagen und weitere Aufzeichnungen zu ihrem Vortrag noch finden würde. Zudem drehten sich seine Gedanken um ihre Einschätzung zu den Auswirkungen, die ein Missbrauch in früher Kindheit auf die Opfer hatte. Wie entwickelte sich ihre Psyche, welche Möglichkeiten der Bewältigung gab es, wie ließ sich umgehen mit all dem, was sie verdrängt und in die hintersten Ecken ihres Unterbewusstseins geschoben hatten? Und welche Auswirkungen hätte all das auf ihr konkretes Handeln und ihre Entscheidungen? Jarmer fragte sich, welche Rolle das in ihrem Fall spielte. Oder ganz konkret: Was ging in Krampe vor?

49. KAPITEL

Ein Bauernhof in der Nähe von
Michendorf in Brandenburg:
Mittwoch, 23. September, 15.19 Uhr

Timo Krampe musste all seine Kraft aufwenden, um die schwere Tür des Kuhstalls aufzuziehen. Ein schneidendes Quietschen ertönte, während sie sich nur langsam bewegen ließ. *Die braucht dringend Öl*, dachte Krampe. *Und richtig sauber hängt sie auch nicht in den Scharnieren.* Er nahm sich vor, das später mit Holland zu besprechen. Oder vielleicht fand er im Geräteschuppen auch noch etwas WD-40 und könnte sich alleine darum kümmern.

Krampe atmete tief ein, ging in die Knie, hob die mit Maisschrot voll beladene Schubkarre an und schob sie in die alte und dringend renovierungsbedürftige Scheune, die Holland erst kürzlich zu einem Kuhstall umfunktioniert hatte.

Cora, der Hofhund, lief um ihn herum, als er die Schubkarre mit Futter abstellte. Auch wenn hier noch einiges zu tun war, freute er sich, wie wohl sich die sechs Milchkühe in den neuen Liegeboxen offensichtlich fühlten. Er schaufelte ihnen das Futter hin, und die ersten Kühe erhoben sich. *Ihr wisst genau, was es jetzt gibt!* Cora fing aufgeregt zu bellen an, und Krampe griff in seine Tasche und warf ihr ein Leckerli zu. Geschickt schnappte der Hund seine Belohnung aus der Luft und wedelte heftig mit dem Schwanz.

Nachdem Krampe alle Tiere versorgt und auch die Tränke überprüft hatte, hielt er noch einen Moment inne. Irgendwie fühlte er sich in Gegenwart der Tiere ungewohnt wohl. Das erste Mal seit langer Zeit hatte er das Gefühl, etwas Sinnvolles zu tun. Etwas, das ihm Erfüllung und gleichermaßen Spaß brachte.

»Komm, Cora«, sagte er. »Lass uns jetzt mal nach den anderen Tieren schauen, die haben auch Hunger.«

Zusammen mit dem Hofhund verließ er die Scheune und machte sich auf den Weg zu dem Schuppen, in dem das Futter lagerte. Er lud dieses Mal eine kleinere Menge und schob sie in Richtung der kleinen Wiese. In dem durch Maschendrahtzaun abgegrenzten Gelände scharrten wenigstens zwanzig Hühner eifrig mit den Krallen. Mit einer ausladenden Bewegung warf er die Körner zwischen das Federvieh, das sich gierig darauf stürzte. Cora tänzelte um ihn herum, und Krampe warf ihr ein weiteres Leckerli zu.

Zeit für eine Pause. Zufrieden ließ er sich ins Gras fallen und legte sich auf den Rücken. Er schob Cora beiseite, die in einer Geste der Zuneigung sein Gesicht abzuschlecken versuchte. Dann schloss er die Augen und verfiel in einen Zustand vollkommener Ruhe. Hier war es wirklich schön. Anders als in Berlin. Und ohne dass er es beabsichtigt hätte, sprangen seine Gedanken von einem Moment auf den anderen zurück in die Hauptstadt. Und alles, was dort geschehen war. Und alles, was dort auf ihn wartete. Die Entspannung wich aus seinem Gesicht, und seine Mundwinkel zogen sich unwillkürlich nach unten. Er dachte an Jörg, seinen Freund, und in seinem Kopf begann alles, sich zu drehen.

Er konnte noch immer nicht glauben, dass er tot sein sollte. Unfassbar. Wie hatte das passieren können? Krampe spürte, wie Übelkeit in ihm aufstieg. Er öffnete die Augen und schaute in den Himmel, wo kleine weiße Wolken in großer Geschwindigkeit vorbeizogen. Er zwang sich, seine Gedanken zu sortieren. Seitdem Jörg nicht mehr da war, seitdem er von seinem Anwalt gehört hatte, dass die Wasserleiche als sein Freund identifiziert worden war, war nichts mehr wie vorher. Und sosehr er versuchte, das alles zu verdrängen, wusste er doch nur zu genau, dass ihm das nicht gelingen würde. Die Vergangenheit würde ihn immer wieder einholen. Und so schwer es ihm auch fiel, war ihm klar, dass er sich eines Tages der Situation stellen musste. Der Druck, die Belastung, die Angst, all diese Gefühle, die ihn niederzuringen drohten, würden nicht einfach verschwinden. Nicht nach all den Jahren. Krampe ballte die Faust und traf eine Entscheidung. Er nahm sich vor, spätestens am nächsten Tag noch einmal mit Anja Liebig zu sprechen. Sie mussten jetzt endlich das Interview durchführen. Viel zu lange hatten sie nur darüber gesprochen. Das musste ein Ende haben. Bevor es dafür zu spät war.

50. KAPITEL

Berlin-Charlottenburg, Fasanenstraße 72,
Kanzlei Eberhardt:
Donnerstag, 24. September, 7.33 Uhr

Zufrieden schob Rocco eine weitere Akte mit einem verhältnismäßig einfachen Verkehrsdelikt auf die linke Seite seines großen Schreibtisches. Er hatte ein ganz simples System für sich eingeführt. Rechts lag die Arbeit, links alles, was er erledigt hatte. Und in diesem Fall hatte ein Anruf bei der Amtsanwaltschaft genügt, gegen eine überschaubare Geldauflage einem Handelsvertreter seinen Führerschein zu retten. *One down, some more to go*, dachte er. *Aber nicht jetzt*, denn jetzt hatte er sich Zeit für die Sache Krampe in seinem Kalender geblockt.

Jarmer hatte ihn am Vorabend angerufen und darüber informiert, dass die Referentin von damals möglicherweise noch Unterlagen hätte, er aber für den Moment keine neuen Informationen beisteuern könne.

Tobi hatte ihm gesagt, dass er sich in diesen Tagen die Jugendämter vornehmen würde. Er wollte gleichermaßen nach vorhandenen Akten wie nach ehemaligen Mitarbeitern, die wertvolle Hinweise geben könnten, suchen.

Er selbst wollte mit Liebig noch einmal alles durchgehen, was die Journalistin recherchiert hatte, und schließlich stand auf seiner Agenda, sich mit Claudia zu treffen. Rocco blickte auf die Uhr. Es war zwischenzeitlich kurz nach halb neun. Keinesfalls zu früh für einen Anruf bei der Staatsanwaltschaft. Er griff nach seinem iPhone und entsperrte das Gerät. Doch noch bevor er die Nummer wählen konnte, klingelte es. Verrückt, dachte Rocco nach einem Blick auf sein Display. Es muss doch irgendetwas zwischen Himmel und Erde geben, das die Menschen miteinander verbindet. Der Anruf kam von Claudia.

51. KAPITEL

Berlin-Charlottenburg, Fasanenstraße 72,
Kanzlei Eberhardt:
Donnerstag, 24. September, 8.41 Uhr

»Ich weiß jetzt, wer dahintersteckt«, sprudelte es sogleich aus Claudia Spatzierer heraus, kaum dass Rocco das Gespräch angenommen hatte. »Es ist Palme. Markus Palme. Der oberste Chef unserer Polizei, sozusagen!«

»Palme?«, entfuhr es Rocco, und die Gedanken in seinem Kopf überschlugen sich. Gerade noch hatte er mit Tobi darüber gesprochen, dass der Spitzenkandidat der SPD auf das Amt des Regierenden Bürgermeisters von Berlin bei der nächsten Wahl ganz offensichtlich seine Hand im Spiel bei dem Verfahren gegen Roccos Vater und Oberstaatsanwalt Doktor Bäumler hatte. Und jetzt sollte er auch in die Sache Krampe verwickelt sein? Das waren nun doch ein bisschen viele Zufälle.

»Ja, Palme. Ob du es glaubst oder nicht, er war damals leitender Mitarbeiter im Jugendamt Schöneberg und hat eng mit Granther zusammengearbeitet. Oder zumindest hat er Granther damals unterstützt«, fuhr Claudia fort.

»Und woher hast du jetzt mit einem Mal diese Informationen?«, fragte Rocco und lehnte sich in seinem Schreibtischstuhl zurück.

»Von meiner ehemaligen Kollegin. Die, von der ich dir neulich schon erzählt hatte. Sie war damals in das Ermittlungsverfahren gegen Granther involviert, konnte sich allerdings nicht mehr an alles erinnern, als wir uns neulich getroffen hatten. Bis jetzt. Sie hat mich gerade eben angerufen, nachdem sie noch mal ihre alten

Unterlagen durchforstet hat. Dabei ist sie auf eine Aktennotiz mit Palmes Namen gestoßen.«

»Und was bedeutet das jetzt?«, fragte Rocco weiter.

»Na ja, das bedeutet, dass wir eine Spur haben, der ich nachgehen werde. Ich werde alles und jedes, was wir über Palme und seine Arbeit im Jugendamt finden können, untersuchen, um rauszufinden, wie genau er in die Sache verwickelt war. Ob er wirklich konkret etwas mit den Vorgängen um Grünwald zu tun hat, weiß ich natürlich nicht. Kann ich mir ehrlich gesagt nicht vorstellen. Aber das ist ja auch noch etwas zu früh, nicht wahr?«

Rocco nickte zustimmend. »Warum treffen wir uns nicht später, um uns abzustimmen. Ich werde noch mal mit Liebig sprechen und schauen, ob sie irgendetwas Neues für uns hat. Und ich rufe gleich einmal Tobi an.«

»Heute ist ungünstig, ich habe den ganzen Tag Sitzung und morgen auch. Da bleibt mir nur wenig Zeit. Genauso wie am Montag. Aber lass uns doch am Dienstag in der Früh treffen, da kann ich mir zwei Stunden blocken.«

Und warum nicht schon am Wochenende?, dachte Rocco bei sich, ohne diesen Gedanken jedoch zu erwähnen. Er spürte, dass er die Nähe zu Claudia vermisste. Und wie sehr sich für ihn Arbeit und Privates zu vermischen begannen.

52. KAPITEL

Berlin-Lichterfelde, Drakestraße 53:
Donnerstag, 24. September, 12.23 Uhr

Tobias Baumann war bestenfalls ein kleines bisschen überrascht, aber nicht ernsthaft verwundert, als Rocco ihm von Palmes möglicher Verwicklung berichtet hatte. Er hatte allgemein keine besonders hohe Meinung von Politikern und schon gar nicht von den sogenannten Saubermännern. Und genau in diese Kategorie fiel Palme.

Baumann hatte während seiner Zeit bei der Polizei und seiner anschließenden Karriere als Privatermittler oft genug erlebt, wie künstlich aufgebaute Lebensläufe in sich zusammenfielen. Und nicht selten waren es gerade die selbst ernannten Hüter der Moral, die besser vor ihrer eigenen Haustür hätten kehren sollen.

Was Baumann dabei am meisten wunderte, war der Umstand, dass sich doch mittlerweile rumgesprochen haben sollte, dass man mit »Scheiße nicht mehr durchkam«. Das lag vor allem daran, dass jeder Mensch auf dieser Erde Unmengen an digitalen Spuren hinterließ. Wenn man diese zusammenfügte, ergab sich meistens ein recht komplettes Bild, das Aufschluss über die Handlungen, aber auch über den Charakter einer Person gab.

Baumann wusste zum Beispiel, dass Facebook mit hoher Präzision voraussagen konnte, wann eine Beziehung in die Brüche ging. Vermutlich wusste das Programm das sogar noch vor den Betroffenen selbst. Und deshalb begann er seine Ermittlungen häufig genau dort: bei den digitalen Spuren.

Baumann verfügte über ein umfangreicheres und fundierteres Wissen in dieser Materie als die meisten anderen Detektive. Doch wenn es um Fälle von besonderer Bedeutung ging, verließ er sich nicht darauf. Dann ließ er sich unterstützen, und zwar von einem ehemaligen Mandanten von Rocco, den dieser vor fünf Jahren vor einer langen Haftstrafe bewahrt hatte: Lars Cleve.

Cleve entsprach nicht im Geringsten dem Bild, das man allgemein hin von einem Hacker hatte. Er war weder übergewichtig, noch verbrachte er die meiste Zeit in seinem Keller. Er machte sich nichts aus Pizza. Und *Star Trek* war ihm vollkommen egal. Stattdessen liebte er schnelle Autos, exotische Arbeitsplätze, wie die Bahamas, wo er eine Insel sein Eigen nannte, und genoss auch ansonsten all die Annehmlichkeiten, die ihm ein Leben als mehrfacher Millionär ermöglichte.

Keine zwei Stunden zuvor hatte Baumann Cleve eine verschlüsselte Sprachnachricht mit den ebenso kurzen wie prägnanten Fakten zukommen lassen: Welche digitalen Spuren hinterließ Markus Palme, die im Widerspruch zu seinem öffentlichen Image standen. Keine neunzig Minuten später hatte Cleve sich wieder bei ihm gemeldet. Er hätte die ersten brauchbaren Informationen.

Baumann klappte sein MacBook zu der verabredeten Zeit auf und verband sich mit dem Videolink, den Cleve ihm gesandt hatte. Nach etwa fünf Sekunden öffnete sich das digitale Fenster, und die Verbindung stand. Die Bild- und Tonqualität war so außergewöhnlich, dass Baumann nur staunen konnte.

»Hi Tobi«, begrüßte ihn der Hacker. »Wie geht's bei euch?«

»Alles gut so weit, danke. Und liebe Grüße soll ich dir von Rocco ausrichten. Wie läuft's bei dir?«

»Kann nicht klagen. Es gibt schlimmere Orte, um dem Müßiggang zu frönen«, lachte er und zeigte auf seinen Hintergrund. Neben Palmen, Felsen und Strand erkannte Baumann das azurblaue Meer. Ganz offensichtlich war Cleve in seinem Haus in der Karibik.

»Nun, jeder, wie er will. Und kann«, stimmte Baumann ihm zu, der Cleve seinen Reichtum ganz und gar gönnte. Der Mann war ein Genie und hatte es sich verdient. »Aber mal deine Insel beiseitegelassen, was hast du für uns?«

»Na ja«, entgegnete Cleve. »Ich habe noch ein paar Programme, die weitere Daten suchen und bewerten, aber für den Anfang kann ich euch schon einiges sagen. War, um ehrlich zu sein, nicht besonders schwer. Denn mal abgesehen von einer Firewall und einem Virenscanner hat Palme wenig getan, um seinen privaten Rechner zu sichern.«

»Okay«, gab Baumann zurück. »Du hast mich neugierig gemacht. Ich bin ganz Ohr.«

»Also, fangen wir mal ganz strukturiert an. Seine E-Mails sind kaum auffällig. Nur der übliche Verkehr mit Freunden, Familie und Kollegen. Seine Festplatte ist so sauber wie das vorgespiegelte Image der katholischen Kirche, und seine Bankkonten enthalten auch keine ungewöhnlichen Bewegungen. Es geht ihm keineswegs schlecht, aber alles in allem könnte man trotzdem meinen, dass es nichts gibt, was euch weiterhelfen würde, wie zum Beispiel Zahlungseingänge, die auf unsaubere Geschäfte schließen ließen.«

Baumann kannte Cleve gut genug, um zu wissen, dass er noch ein Ass im Ärmel haben musste. Ansonsten wäre er gleich zum Punkt gekommen und hätte sich die Aufzählung gespart.

»Aber, dann habe ich weitergesucht und bin fündig geworden.«

Baumann meinte, einen gewissen Triumph in Cleves Stimme zu hören, und musste schmunzeln. Auch ein abgebrühter Hacker wie Cleve konnte sich also noch freuen, wenn er etwas Besonderes erreicht hatte.

»Dann schieß los und spann mich nicht länger auf die Folter.«

»Gerne. Also, wie du weißt, hinterlassen wir alle mehr Spuren, als uns lieb ist. Na ... ihr zumindest. Und seit dem ›Internet der Dinge‹ hängen auch immer mehr Haushaltsgeräte und Alltagsgegenstände im Netz, die zuverlässig und unermüdlich Daten liefern.

Ob wir wollen oder nicht. Und glücklicherweise hat Palme davon eine ganze Menge im Einsatz. Seine Fernseher, seinen shopping account, seine digitalen Assistenten, sein Auto, seine Alarmanlage, diverse Lautsprecher, die mit Streamingdiensten verbunden sind, und so weiter. Und ein Großteil dieser Geräte zeichnet auch seine Internetbewegungen auf. Sein Versuch, durch das Löschen seiner temporary Internet Files seine Spuren zu verwischen, sind deshalb bestenfalls als naiv zu bezeichnen.«

»Das weiß ich doch alles«, gab Baumann zurück und begann, ungeduldig zu werden. »Was hast du denn nun gefunden?«

»Ganz einfach. Vor gut zwei Monaten fing der liebe Palme an, über den *Tor Browser* durchs Darknet zu surfen.«

Baumann horchte auf. Ihm war bekannt, dass das Darknet auch für legitime Zwecke, zum Beispiel dem vertraulichen Austausch zwischen Journalisten, genutzt wurde. Trotzdem war es nicht so verbreitet wie das normale Internet, und die Navigation folgte anderen Regeln. Zum Beispiel lieferten Suchmaschinen wie Google oder Bing hier keine Treffer. Ganz im Gegensatz zu dem Tor Browser, über den man auch auf die sogenannten Onion-Sites, also Webseiten, die sonst nicht gefunden werden konnten, zugreifen konnte. Neugierig fragte er Cleve: »Hast du rausgefunden, wonach er gesucht hat?«

»Das ist natürlich nicht so einfach, denn dafür ist das Darknet ja da. Allerdings habe ich mal seine Log-in-Zeiten mit einigen anderen Parametern abgeglichen und bin dann am Ende doch auf seine Spur gekommen. Dir jetzt zu erklären, wie ich das gemacht habe, würde unser Zeitkontingent sprengen. Und vermutlich würdest du es auch nicht verstehen – nicht böse gemeint.«

»Vollkommen egal«, erwiderte Baumann. »Mich interessiert nur das Ergebnis.«

»Gut, also langer Rede kurzer Sinn: Anfangs hat er sich noch auf Seiten rumgetrieben, wo man Waffen kaufen konnte. In den letzten fünf Sessions, vor einigen Wochen, in denen er über Tor ins Darknet gesurft ist, war er dann aber immer gezielt auf einer einzigen Seite. Und seit seinem letzten, dem fünften Besuch, war er nicht wieder im Darknet.«

»Und was für eine Seite war das?«, fragte Baumann.

»Tja, ob das jetzt hilft oder nicht, kann ich dir nicht sagen, aber ganz offensichtlich hat Palme sich informiert, wie er einen Auftragskiller anheuern kann.«

53. KAPITEL

Berlin-Charlottenburg, Fasanenstraße 72,
Kanzlei Eberhardt:
Donnerstag, 24. September, 13.57 Uhr

»Mein Chef hat mir grünes Licht gegeben, wir können am Sonntag mit der Serie über Krampe starten«, hörte Rocco Liebig am anderen Ende der Leitung. Sie hatte ihn angerufen, und Rocco spürte, wie sich seine Laune von Minute zu Minute verbesserte. Es kam ihm so vor, als überschlugen die Ereignisse sich seit dem Anruf von Claudia. Mit einem Mal kam Bewegung in den Fall Krampe. Und das war längst überfällig.

»Das hört sich gut an«, erwiderte er voller Begeisterung. »Und wie stellen Sie sich das Ganze genau vor?«

»Wir werden zunächst in einer vierteiligen Serie über das Granther-Experiment berichten. Zum Auftakt am Sonntag bringen wir das Interview mit Krampe. Ich habe schon mit ihm telefoniert und werde morgen früh nach Michendorf fahren.«

Rocco machte sich eine Notiz. »Ausgezeichnet. Und in den Ausgaben danach?«

»Das hängt ein bisschen davon ab, was wir mit dem ersten Artikel auslösen. Wir haben zwar Material, aber ich denke, dass wir das noch spontan anpassen können.«

»Verstehe«, entgegnete Rocco und überlegte kurz, wie viel er von den neuen Informationen preisgeben wollte. Er entschloss sich, offen zu sein. Hier ging es nicht zuletzt um Vertrauen. Außerdem konnte Liebig ihnen voraussichtlich auch weiterhelfen.

»Ich habe auch eine Neuigkeit für Sie«, begann er. »Sie müssen mir allerdings zusagen, die zunächst nicht zu teilen.«

»Versprochen«, erwiderte Liebig, und Rocco hatte das Gefühl, dass er sich auf das Wort der Journalistin verlassen konnte. In wenigen Sätzen berichtete er von der Sache mit Palme. Nachdem er fertig war, hörte er, wie Anja Liebig am anderen Ende der Leitung tief durchatmete.

»Das gibt es doch gar nicht! Der erfolgversprechendste Kandidat für den Job des Regierenden Bürgermeisters hat, wie es aussieht, Dreck am Stecken.« Sie hielt kurz inne. Offensichtlich musste sie die Neuigkeiten erst einmal verdauen. »Wenn das wahr wäre«, fuhr sie dann fort, »und in der aktuellen Phase des Wahlkampfs an die Öffentlichkeit käme, würde das alles komplett durcheinanderwirbeln. Die Karten wären neu gemischt, und je nachdem, wie geschickt oder ungeschickt Palme die Geschehnisse erklären würde, könnte das nicht nur Einfluss auf den Ausgang der Wahl im November haben, sondern sogar das Ende seiner politischen Karriere bedeuten.«

»Das sehe ich auch so«, meinte Rocco und wurde sich der Verantwortung, die sie innehatten, immer bewusster. »Und außerdem hat es auch noch eine ganz andere Bewandtnis. Im Hinblick auf den mutmaßlichen Anschlag auf Grünwald und die Sache mit Krampe und dem Bus stellt sich natürlich auch die Frage, inwieweit Palme in die aktuellen Geschehnisse involviert ist.«

Für einen Moment schwieg Liebig. »Das kann ich mir nicht vorstellen«, meinte sie dann. »Das wäre dermaßen krass. Aber Sie haben recht, wir müssen das ganz, ganz vorsichtig angehen. Markus Palme ist bei der Berliner Bevölkerung sehr beliebt, und wie Sie wissen, ist uns als Zeitung die SPD als Partei sicher näher als einige der anderen Parteien, die in der Hauptstadt eine Rolle spielen. Was natürlich nicht heißt ...«, führte sie mit etwas lauterer Stimme fort, so als wolle sie die Bedeutung ihrer Worte besonders hervorheben, »... dass wir nicht trotzdem kritisch und objektiv über die Sache berichten werden, wenn wir entsprechende Fakten zur Verfügung haben. Nur müssen wir hier besonders vorsichtig vorgehen. Bislang haben wir nichts außer Annahmen, und auch die sind eher dünn.«

»Keine Sorge«, beschwichtigte Rocco sie. »Ich hege weder Zweifel an Ihrer Integrität, noch habe ich ein Interesse daran, einen unbescholtenen Politiker unbegründet ins Fadenkreuz einer öffentlichen Diskussion zu bringen.« Er dachte kurz nach. »Vielleicht können Sie trotzdem morgen Krampe fragen, ob der Name Palme ihm irgendwie bekannt vorkommt. Ich meine, unabhängig vom aktuellen politischen Geschehen.«

»Das mache ich auf jeden Fall«, versicherte Liebig.

Nachdem sie sich verabschiedet und aufgelegt hatten, dachte Rocco noch für einen Moment darüber nach, was für ein ungewöhnliches Mandat der Fall Krampe darstellte und wie wenig er mit seiner eigentlichen Arbeit als Strafverteidiger zu tun hatte. Trotzdem war er froh, dass er sich in der Sache engagierte. Sein Freund Tobias hatte ihn nur zu deutlich daran erinnert. Er war Anwalt geworden, weil er Menschen helfen wollte. Und auch wenn das in den vergangenen Jahren gelegentlich in den Hintergrund geraten war, war es ihm jetzt so präsent wie schon lange nicht mehr. Krampe hatte vom Schicksal ein verdammt schlechtes Blatt in die Hände bekommen. Und es war Roccos Aufgabe, ihn dennoch im Spiel zu halten.

54. KAPITEL

Berlin-Mitte, Senatsverwaltung für Inneres und Sport,
Klosterstraße 47:
Donnerstag, 24. September, 16.47 Uhr

Claudia Spatzierer! Markus Palme hatte den Namen der Staatsanwältin auf einen Zettel vor sich geschrieben, mit einem Ausrufezeichen versehen und einen großen Kreis darum gezogen. Eben hatte ihn ein Vertrauter darüber informiert, dass sie diesbezüglich Anfragen an verschiedene Jugendämter gestellt hatte. Na gut, wenn er ehrlich zu sich war, musste das früher oder später ja passieren. Palme fuhr sich mit der Hand durch die Haare. Es war zum Verzweifeln. All die Jahre hatte sich niemand um seine Vergangenheit geschert. Und mit einem Mal kamen sie von allen Seiten.

In den letzten Tagen war es ihm gelungen, die Sache zu verdrängen. Er hatte die Hoffnung gehegt, dass sich das Thema erledigt hatte. Was aber nicht der Fall war. Und wie ihm ein anderer Informant zugetragen hatte, würde es nur noch schlimmer werden. Denn Spatzierer war nicht die Einzige, die ihm Probleme bereitete. Diese neugierige Schnüfflerin von der *Tagespost,* diese Anja Liebig, würde schon am Sonntag einen Artikel über das Granther-Experiment herausbringen. Oder ein Interview. Mit Krampe. Noch so ein Name, den Palme in seinem Leben niemals wieder hatte hören wollen. Doch dafür war es jetzt zu spät. Er hatte schon einiges unternommen, um die Sache im Keim zu ersticken, um sich wieder ganz darauf konzentrieren zu können, das Leben der Berliner Bürgerinnen und Bürger durch maßvolles, souveränes Handeln ein Stück besser zu machen und sich für höhere Ämter und Aufgaben zu empfehlen. Offensichtlich aber noch nicht genug, obwohl er sich ja durchaus in die Niederungen des Manipulierens und der unlauteren Machenschaften begeben hatte. Was blieb ihm übrig? Er würde weitere Maßnahmen ergreifen müssen. Bis zur Wahl waren es noch gut eineinhalb Monate. Zeit genug, die Sache zu klären.

55. KAPITEL

Berlin-Moabit, Institut für Rechtsmedizin:
Freitag, 25. September, 9.19 Uhr

Nur zu gerne war Rocco gemeinsam mit Tobi der Einladung Jarmers gefolgt. Der Rechtsmediziner hatte seine Ungeduld am Telefon nur schwer verbergen können. Sie treten zu lange auf der Stelle, hatte er Rocco entgegengehalten und damit tatsächlich ins Schwarze getroffen. Rocco war sich darüber im Klaren, dass er von Anfang an Bedenken wegen des Mandats gehabt hatte, was ihn auch daran hatte zweifeln lassen, ob er überhaupt der Richtige für diese Aufgabe war. Deshalb hatte Rocco in diesem Moment das gute Gefühl, das Treffen würde nicht nur in dem Fall selbst weiterhelfen können. Es würde ihn auch dabei unterstützen, seinen moralischen Kompass neu auszurichten. Und das schien ihm dringend geboten. Während er selbst oft impulsiv und emotional vorging und in einem Verfahren den Sieg, oder was er dafür hielt, stets im Fokus hatte, wägte Jarmer jede seiner Handlungen auf ihre Integrität hin ab. Diese Unterschiedlichkeit hatte Rocco während des Verfahrens gegen Nölting kennen- und schätzen gelernt. Denn es war vor allem Jarmers Sichtweise zu verdanken, dass Rocco am Ende den richtigen und nicht nur den opportunen Weg eingeschlagen hatte.

Auch in der Sache Krampe konnten sie Jarmers objektive Meinung sehr gut brauchen. Denn es galt, schwerwiegende Entscheidungen zu treffen. Und weil er sichergehen wollte, dass sie auch wirklich alle Informationen austauschen und alle Blickwinkel ausleuchten würden, konnte es nur von Vorteil sein, dass neben Jarmer und ihm auch Tobi an ihrem Treffen teilnahm. Rocco hatte seinen Freund auf dem Weg zu Jarmer in dessen Wohnung in der

Drakestraße eingesammelt. Etwa zwanzig Minuten später parkten sie auf der Straße unmittelbar vor dem rechtsmedizinischen Institut. Rocco kannte den Weg durch die Gänge des flachen Gebäudes inzwischen auswendig und klopfte kurz nach ihrem Eintreffen an Jarmers Tür.

»Kommen Sie doch rein und nehmen Sie Platz«, begrüßte der Rechtsmediziner die beiden und deutete auf den schlichten Besprechungstisch seines in hellem Grau gehaltenen Büros. »Ich muss hier noch ein paar Sachen fertigstellen und bin gleich bei Ihnen.«

»Kein Problem, sehr gerne«, erwiderte Rocco. Ein Blick auf seine Uhr zeigte ihm, dass er ohnehin einige Minuten zu früh dran war. Sie hatten sich erst für 9.30 Uhr verabredet.

Die beiden setzten sich, und Tobi, der zum ersten Mal in Jarmers Büro war, sah sich die verschiedenen Auszeichnungen und Fotos an den Wänden an. Dort waren neben Fotos, die Jarmer bei der Untersuchung von Opfern der Tsunami-Katastrophe zeigten, auch zahlreiche Aufnahmen, auf denen der Rechtsmediziner auch bei verschiedenen anderen Auslandseinsätzen bei der Arbeit abgebildet war.

Rocco war in Gedanken gerade in Richtung Michendorf abgeschweift, und er fragte sich, wie es Krampe wohl erging, als Jarmer sich zu ihnen setzte.

»Dann lassen Sie uns mal loslegen«, begann Jarmer und ließ, wie fast immer, wenn Rocco ihm begegnete, mit atemberaubender Geschwindigkeit einen Kugelschreiber um die Finger seiner rechten Hand kreisen. »Was gibt es an Neuigkeiten, die uns endlich voranbringen könnten?«

»Ich glaube, wir haben einen Beteiligten, möglicherweise sogar einen der Verursacher der aktuellen Situation ermittelt«, begann Tobi. »Und um ehrlich zu sein, hätte ich großes Interesse daran, ihm unmittelbar einen Besuch abzustatten.«

Rocco schaute seinen Freund an und hatte keinen Zweifel, wie dieser Besuch ablaufen würde. Tobis Augen spiegelten Wut, ja, geradezu Hass wider. Rocco kannte ihn und schätzte ihn für seine offene und manchmal auch sehr emotionale Art. Allerdings war diese zumeist von Fröhlichkeit und oftmals auch Übermut geprägt. Selten hatte er ihn allerdings so erzürnt erlebt.

»Das müssen Sie mir erklären«, entgegnete Jarmer mit der ihm eigenen betont sachlichen Art.

»Was Tobias sagen will, ist, dass Markus Palme einiges mit der Sache zu tun zu haben scheint.«

»Palme? Der SPD-Palme? Der Spitzenkandidat für das Amt des Regierenden Bürgermeisters?«

Rocco nickte.

»Und was genau?«

»Zunächst einmal …«, schaltete Tobi sich wieder ein, »… hat er offensichtlich vor Jahren als leitender Mitarbeiter des Jugendamtes die Kinder in die Fänge dieser perversen Schweine geschickt, und im Anschluss schien er alle Spuren beseitigen zu wollen, die sein Handeln in der Vergangenheit ans Licht zu bringen drohten.« Tobi schüttelte den Kopf. »Kein Wunder, jetzt, wo er kurz davorsteht, unser nächster Bürgermeister zu werden.«

Rocco, dem der fragende Ausdruck auf Jarmers Gesicht nicht entgangen war, fasste die Informationen, die sie von Claudia Spatzierer zu Palmes Vergangenheit im Jugendamt und zudem von Lars Cleve zu Palmes Darknet-Aktivitäten erhalten hatten, in wenigen Sätzen zusammen.

»Und wie belastbar ist die Richtigkeit dieser Erkundigungen?«

»Auf einer Skala von eins bis zehn würde ich mal sagen, wenigstens acht bis neun«, stellte Rocco fest.

»Okay, nehmen wir das als Arbeitshypothese vorerst als gegeben an«, fuhr Jarmer fort. »Dann gilt es hier zwei wesentliche Sachverhalte zu trennen. Palmes Tätigkeit in dem Granther-Experiment als verantwortlicher Mitarbeiter des Jugendamts, eine Tätigkeit, die er scheinbar durch die Beseitigung von Informationen in dem damaligen Strafverfahren schon einmal hat verschleiern können. Und seine möglichen Verwicklungen in den Tod von Grünwald.«

»Der Shit gehört doch offensichtlich zusammen«, schimpfte Tobi. »Ich kann es nicht fassen. Ich weiß nicht, was ich schlimmer finde! Palme, der die Kinder in die Hölle geschickt hat, oder diese pädophilen Monster, die sich an den Kindern vergehen.«

Jarmer hob die Hand und schnitt in einer für ihn ungewohnt deutlichen Weise Tobi das Wort ab. »Ich bitte Sie, Ihre Emotionen und Ihre Ausdrucksweise zu mäßigen. Erstens bringt uns das nicht weiter, und zweitens ist Ihre Beurteilung, zumindest die der pädophilen Männer, sehr subjektiv.«

»Sie wollen diese, diese ...«, begann Tobi, ganz offensichtlich um weniger offensive Worte bemüht, »... diese Vergewaltiger doch nicht etwa in Schutz nehmen? Ich denke, Sie sind im Kinderschutz engagiert!«

Jarmer schüttelte den Kopf. »Das habe ich nicht gesagt und auch nicht gemeint. Mir geht es weder darum, Straftaten herunterzuspielen, noch darum, Straftäter zu entschuldigen. Ganz im Gegenteil habe ich meinen Beruf ja gerade deshalb gewählt, um bei der Aufklärung von Verbrechen zu helfen. Aber bei dieser Tätigkeit als Rechtsmediziner ist Objektivität und Neutralität das höchste Gebot.«

Er blickte Baumann in die Augen. »Und Sie haben vollkommen recht. Ich bin im Kinderschutz engagiert. Das bedeutet, dass wir Opfern, also Kindern und Jugendlichen, denen Schlimmes widerfahren ist, helfen wollen. Gleichermaßen kümmern wir uns aber auch um die Prävention, also darum, zu verhindern, dass es überhaupt erst zu Straftaten gegen Kinder kommt. Und dass Wiederholungstaten verhindert werden. Missbrauch ist vielfältig und taucht in den unterschiedlichsten Gewändern auf. Ob zum Beispiel rein körperlich, etwa durch Schläge, oder psychisch, sei es durch Unterdrückung oder Demütigung, oder auch sexuell, durch Vergewaltigung oder andere verabscheuungswürdige Handlungen.«

Rocco staunte. Es war erstaunlich, wie schnell es Jarmer gelang, Tobi, der jetzt sehr genau zuhörte, den Wind aus den Segeln zu nehmen.

»Von pädophilen Handlungen sprechen wir immer dann, wenn Erwachsene sich sexuell zu vorpubertären Kindern hingezogen fühlen. Wenn dieser Drang dauerhaft ist, handelt es sich nach aktuellem Stand der Wissenschaft um eine psychische Störung, die auch von der Weltgesundheitsorganisation als solche eingeordnet wird.«

»Aber das hilft den Kindern doch nicht!«, konterte Tobi.

»Stimmt, da haben Sie absolut recht. Aber den Kindern, die ›noch nicht vergewaltigt wurden‹, helfen wir nicht, wenn wir immer erst nach den Vergewaltigungen tätig werden. Deshalb müssen wir schauen, wie wir diese verhindern können.«

»Okay, okay«, stimmte Tobi zu. »Da haben Sie ja recht. Aber was hat das mit unserem Fall zu tun?«

»Ganz einfach«, schoss Jarmer zurück. »Die ganze Sache um das unselige Granther-Experiment ist viel zu lange unter der Decke gehalten worden. Mir persönlich geht es hier also um zwei Dinge. Ich möchte Sie bitten, mit mir gemeinsam alles daranzusetzen, den Tod von Grünwald aufzuklären. Und ich werde mich genauso dafür einsetzen wie Sie beide, dass die Verantwortlichen um Granther endlich zur Verantwortung gezogen werden. Um den Opfern von damals wenigstens etwas Gerechtigkeit zukommen zu lassen. Und um weitere Taten zu verhindern.« Jarmer machte eine Pause. »Und um beim zweiten Punkt erfolgreich zu sein, brauchen wir eine Diskussion, in der wir die Ursachen bewerten. Und handeln. Aber ganz sicher rufen wir keinen Lynch-Mob auf. Damit ist den Kindern nicht geholfen.« Jarmer trank einen Schluck Wasser und bemerkte dann abschließend: »Und vergessen Sie bitte eins nicht, lieber Herr Baumann. Wir haben es bei den Tätern nicht selten mit ehemaligen Opfern zu tun.«

Rocco beobachtete, wie Tobi sich bei den letzten Worten von Jarmer immer aufrechter auf seinen Stuhl gesetzt hatte. Ganz offensichtlich hatten diese ihre Wirkung nicht verfehlt. Er schien einen Moment zu überlegen, ehe er Jarmer direkt in die Augen blickte. »Dann ziehen wir am gleichen Strang«, sagte er und nickte dem Rechtsmediziner zu.

»Gut«, nahm Jarmer den Faden wieder auf. »Ich freue mich, dass wir das geklärt haben. Nichtsdestotrotz möchte ich gerne mit Ihnen darüber sprechen, wie wir in dieser Sache weiter verfahren. Wenn Palme wirklich einen Killer über das Darknet beauftragt haben sollte, der Grünwald aus dem Weg geräumt hat, ist auch Krampe weiter in akuter Gefahr. Denn es macht keinen Sinn, den einen, aber nicht den anderen zu beseitigen.«

An Rocco gewandt, sagte er: »Ich schlage deshalb vor, dass wir schleunigst Holland von dieser Situation unterrichten, damit er die Lage gegebenenfalls neu bewerten kann.«

Rocco nickte, während Jarmer bereits zu seinem Telefon griff.

»Hallo Carlo, ich bin's, Justus. Du, hör mal zu, es gibt da etwas, was du wissen musst …«, begann er das Gespräch.

Während Jarmer seinen ehemaligen Kameraden auf den neuesten Stand brachte, wandte Tobi sich an Rocco. Auch wenn es ihm offensichtlich nicht leichtfiel, das einzugestehen, war er von Jarmers differenzierter Sichtweise zu dem heiklen Thema Missbrauch sehr beeindruckt. Er hatte zu wenig darüber nachgedacht, dass es nicht nur darum gehen durfte, die Täter zur Rechenschaft zu ziehen, sondern natürlich auch darum, künftige Übergriffe zu verhindern, um den Missbrauch einzudämmen.

Als Jarmer aufgelegt hatte, sah er zu Rocco. »Holland war nicht weiter beunruhigt, was mich allerdings nicht wundert. Nicht umsonst hatten wir ihn ja gewählt, weil er über die entsprechende Ausbildung verfügt. Er lässt Sie herzlich grüßen und sagt, wir sollen uns keine Sorgen machen. Er hat die Sache im Griff.«

Rocco nickte. Dennoch nahm er sich vor, erneut mit Krampe zu sprechen, um abzuklopfen, ob dieser nicht doch unter Polizeischutz gestellt werden wollte. Er war sich zwar ziemlich sicher, dass Krampe den Vorschlag wie schon zuvor ablehnen würde. Und er konnte ihm das nach allem, was ihm durch staatliche Stellen widerfahren war, nicht verübeln. Aber es war ihm wichtig, wenigstens alles zu versuchen, um Krampes Sicherheit zu erhöhen. Er würde es sich sonst nie verzeihen, wenn Krampe bei Holland etwas zustoßen sollte. Was den ehemaligen Elitesoldaten anging, so kannte Rocco ihn zwar längst nicht so gut wie Jarmer und konnte nicht umfassend einschätzen, wie sicher sein Mandant dort wirklich untergebracht war. Aber Jarmer vertraute er absolut.

»Widmen wir uns jetzt dem zweiten Teil unserer Frage«, sagte Jarmer und blickte abwechselnd zwischen Rocco und Baumann hin und her.

»Was machen wir mit Palme? Wenn ich Sie richtig verstanden habe, ist Staatsanwältin Spatzierer bereits aktiv, oder?«, fragte er.

»Na ja, in gewisser Weise schon«, gab Rocco zu. »Claudia hat die Fährte aufgenommen, die zu Palme als ehemaligem Verantwortlichen in der Granther-Sache führt. Von unseren Darknet-Recherchen, die Palme auch an die Spitze unserer Liste von Mordverdächtigen bringt, weiß sie allerdings noch nichts.«

Tobi sah auf: »Ich denke, das muss sie aber wissen. Wir sollten es ihr sagen. Und um ehrlich zu sein, habe ich da auch gar keine Bedenken.« An Rocco gewandt, fuhr er fort: »Warum geben wir ihr nicht einfach alle Informationen, die wir haben und die das Anwalt-Mandanten-Geheimnis nicht verletzen? Ich könnte ihnen die gesammelten Protokolle, anhand derer die Ermittler die Spuren im Darknet nachvollziehen können, zur Verfügung stellen. Dann soll Claudia selbst entscheiden, ob und wie sie damit umgeht.«

»Und wenn die Infos falsch sind? Ich meine, nur mal hypothetisch betrachtet«, warf Rocco ein. »Dann hätten wir mit Palme eine weitere Existenz vernichtet.«

»Nun ...«, entgegnete Jarmer. »Ganz so ist es ja nicht. Nur weil die Staatsanwaltschaft die Infos hat, heißt das ja nicht gleich, dass sie Palme hinrichten. Allerdings ist Palme Innensenator, was ihm grundsätzlich auch Zugang zu den Ermittlungsergebnissen ermöglicht, sobald Sie Claudia Spatzierer informieren, oder?«

Rocco schüttelte den Kopf. »Nicht wirklich. Er ist zwar Innensenator und damit Chef der Polizei. Die Staatsanwaltschaft ist aber dem Justizsenator unterstellt. Und die achten bei diesen Ermittlungen mit Sicherheit sehr genau darauf, dass die Informationen vertraulich bleiben. Palme sollte sie nicht erhalten. Ob das in der Realität allerdings klappt oder ob es nicht doch einen Spitzel gibt«, fügte er nachdenklich hinzu, »kann ich nicht beurteilen. Eine vertrackte Situation.«

Jarmer überlegte kurz. »Am Ende scheint das aber doch die beste Lösung zu sein. Auch wenn ich kein Freund davon bin, dass Sie über einen Hacker ganz offensichtlich illegal an die Daten gekommen sind, müssen Sie die Staatsanwaltschaft vollumfassend in Kenntnis setzen.«

56. KAPITEL

Berlin-Wilmersdorf, Tübinger Straße:
Sonntag, 27. September, 20.23 Uhr

Unter der Überschrift »Ich dachte, jetzt würde alles gut werden« erschien das Interview mit Timo Krampe samt großem Porträtfoto.

Nachdem die ersten Ausgaben der Sonntagsauflage noch am Samstagabend an die Tankstellen und Nachtkioske ausgeliefert und zeitgleich die Online-Ausgabe für Abonnenten freigeschaltet wurde, tauchten bereits die ersten Kommentare in den sozialen Medien auf.

Doch erst am Sonntagvormittag, als die Hauptstadt erwachte und die Geschichte die Runde machte, brach der Sturm der Entrüstung los. Das lag nicht zuletzt an den Radiosendern und den Online-Ausgaben der übrigen Berliner Zeitungen, die sich alle auf die Lebensgeschichte des kleinen Berliner Jungen aus schwierigen Verhältnissen stürzten.

Rocco, der mit Tobi auf der Terrasse seiner Dachgeschosswohnung saß, las zum wiederholten Mal das Interview durch. Er empfand Respekt vor der behutsamen und gleichermaßen deutlichen Art von Liebigs Fragen. So war es ihr gelungen, ein schreckliches und bis dato viel zu wenig aufgearbeitetes Kapitel Berliner Geschichte ans Licht der Öffentlichkeit zu bringen. Eine Passage des Interviews sorgte in den sozialen Medien für die meisten Kommentare und Posts.

Tagespost: Wie haben Sie sich gefühlt, als Sie das erste Mal in die Wohnung Ihres Pflegevaters gekommen sind?
Krampe: Befreit. Glücklich. Zu Hause.

Tagespost: Was genau hat diese Gefühle in Ihnen ausgelöst?

Krampe: Da war zum einen diese nette Mitarbeiterin vom Jugendamt. Sie war voller Freude und Zuversicht und war am Anfang auch mit dabei. Gemeinsam mit meinem Pflegevater sind wir dann in mein Zimmer gegangen. Es roch noch nach frischer Farbe, und in dem großen Regal lagen lauter Spielsachen. Da war ein Schrank, in dem ganz viel neue Kleidung war. In meiner Größe. Das alles war für mich. Ich fühlte mich wie im Schlaraffenland, wie in einem Traum. Das war alles zu schön, um wahr zu sein.

Tagespost: Und was geschah dann?

Timo Krampe: Mein Pflegevater kam mir zunächst auch sehr nett vor. Und ich hatte einen Pflegebruder. Jörg. Er war ein paar Jahre älter als ich. Er wirkte ungewöhnlich ruhig auf mich, daran kann ich mich noch gut erinnern. Er hat kaum gesprochen. Mein Pflegevater hat mir erklärt, dass Jörg sehr schüchtern sei und mich erst ein bisschen kennenlernen müsste.

Tagespost: Und wann haben Sie festgestellt, dass doch nicht alles so schön war, wie es im ersten Augenblick schien?

Timo Krampe: Das muss etwa zwei Monate später gewesen sein. Oder vielleicht auch noch länger. Ich kann mich nicht mehr so genau erinnern, ich war einfach noch zu klein. Es war eines Abends, als unser Pflegevater später als sonst nach Hause kam. Er war betrunken, aber das habe ich damals noch nicht begriffen. Jörg und ich saßen im Wohnzimmer und haben ferngesehen. Er hat mich dann in mein Zimmer geschickt und gesagt, ich solle erst morgen wieder rauskommen. Ich war total überrascht, habe das dann aber einfach gemacht. Ich war ja auch erst sechs Jahre alt und bin gar nicht auf die Idee gekommen, das infrage zu stellen. Später, als ich nachts aufs Klo musste, habe ich in Jörgs Zimmer so ein Wimmern gehört. Ich bin zu ihm rein, um zu sehen, was er hat, aber als er mich gesehen hat, hat er sich einfach nur die Decke über den Kopf gezogen.

Tagespost: Und haben Sie später erfahren, warum Ihr Pflegebruder nicht mit Ihnen reden wollte?

Timo Krampe: Ja, das habe ich. Er hat sich geschämt. Genau wie ich. Jahrelang. Und es hat keine Woche nach diesem Vorfall mehr gedauert, als ich wusste, warum er sich versteckt hat. Unser Pflegevater kam wieder betrunken nach Hause, und dieses Mal hat er uns beide in unsere Zimmer geschickt. Jörg und mich. Ich habe noch gehört, wie er sich in der Küche etwas zu essen gemacht hat, weil ihm dauernd Dinge runtergefallen sind und er dann geflucht hat. Aber dann bin ich eingeschlafen. Ich weiß nicht, wie spät es war, ich habe irgendwas geträumt, einen Albtraum, und auf einmal bin ich aufgewacht. Als ich meine Augen aufgeschlagen habe, war ich im ersten Moment total froh, dass es ein Traum war. Außerdem war auch unser Pflegevater da. Er hat mir über die Haare gestrichen und mir gesagt, ich hätte nur schlecht geträumt. Aber jetzt sei alles gut. Weil er sei ja jetzt da. Ich war total erleichtert. Und auch dankbar, dass er bei mir war. Ich dachte wirklich, jetzt wäre alles gut und ich könnte in Ruhe wieder einschlafen. Aber dann hat er sich zu mir gelegt.

An dieser Stelle hörte Rocco auf zu lesen, wenngleich die Schilderung des weiteren Geschehens nicht explizit beschrieben wurde. Rocco wusste von Liebig, dass weder sie noch die *Tagespost* ein Interesse daran hatten. Es widersprach außerdem auch dem Kodex des Deutschen Presserats, wonach Journalisten darauf verzichteten, auf unangemessen sensationelle Darstellung von Gewalt, Brutalität und Leid in einer über das öffentliche Interesse und das Informationsinteresse der Leser hinausgehenden Art und Weise zu berichten.

Er stieg erst später wieder ein, als Krampe darüber berichtete, wie er zunächst alleine und später dann gemeinsam mit Grünwald versuchte, wenigstens ein bisschen Gerechtigkeit zu erlangen.

Tagespost: Wann war der Punkt erreicht, an dem Sie sich entschieden haben, Ihre schlimme Geschichte ans Licht der Öffentlichkeit zu bringen?

Timo Krampe: Es ging uns beiden, denn Jörg und ich hatten das zusammen entschieden, gar nicht so sehr um die Öffentlichkeit. Im ersten Schritt wollten wir nur Gerechtigkeit. Das ist jetzt schon viele Jahre her, ich war Anfang zwanzig und Jörg ein paar Jahre älter. Erst zu diesem Zeitpunkt hatten wir wirklich verstanden, dass wir Opfer waren. Als Kinder haben wir das gar nicht realisiert, und dann gab es einen langen Prozess des Verdrängens.

Tagespost: An wen haben Sie sich damals gewandt, und was ist dabei rausgekommen?

Timo Krampe: An das Jugendamt, das damals unseren Pflegevater vermittelt hatte. Aber die haben uns schlichtweg nicht geglaubt. Oder glauben wollen. Die wollten nichts davon hören. Angeblich waren keine Akten aufzufinden, und auch Granther selbst, der ja jahrelang für den Senat gearbeitet hatte, war zwischenzeitlich verstorben. Als wir eine Klage auf Entschädigungszahlung anstrengen wollten, wurde uns gesagt, die hätte eh keine Aussicht auf Erfolg, da ja alles längst verjährt sei.

Rocco konnte die Wut, die in ihm aufstieg, kaum zügeln. Denn tatsächlich konnten zivilrechtliche Schadensersatzansprüche verjähren. Jedoch kam das nur zum Tragen, wenn der Anspruchsgegner, in diesem Fall also die zuständige Senatsverwaltung, diese Einrede der Verjährung geltend machte. Das Unrecht, das geschehen war,

war eindeutig. Sich in voller Kenntnis dessen auf eine Verjährungsfrist zu berufen, war unanständig und für Rocco geradezu unerträglich. *Aber,* dachte er, *damit werden sie nicht davonkommen. Damit nicht und mit noch viel mehr nicht.*

Er faltete die Zeitung zusammen und schob sie beiseite.

»Das ist echt nicht zu fassen«, hörte er Tobi sagen, der auf der anderen Seite des Tisches fasziniert auf sein iPhone starrte. »Unter dem Artikel gibt es jetzt schon über tausend Kommentare, und jede Sekunde kommen mehr dazu.«

Rocco war nicht überrascht. Das klassische Phänomen des Einzelfalls schlug wieder zu. In den vergangenen Jahren war immer wieder über das Granther-Experiment berichtet worden, ohne dass das Thema sonderlich Aufmerksamkeit erregt hätte. Die Masse der sexuell missbrauchten Kinder und Jugendlichen war anonym und damit schwer greifbar. Sobald eine Geschichte aber ein Gesicht und einen Namen bekam, wurde sie persönlich. Sie bot die Gelegenheit, sie mit Emotionen und Gefühlen zu verbinden. Man konnte ihr nicht mehr entkommen, es fiel schwer, sie zu verdrängen. Und genau das war mit dem Interview geschehen. Timo Krampe stand jetzt stellvertretend für alle Opfer des Granther-Experiments. Er gab den zahllosen anderen Opfern das Gesicht, das es brauchte, um den Stein ins Rollen zu bringen. Und dass der Stein rollte, zeigte sich an den Reaktionen in den öffentlichen Medien.

»Das war genau das, was ich brauchte«, fuhr Tobi fort. »Ich bin morgen im Jugendamt Schöneberg mit einer Mitarbeiterin verabredet. Nach der Nummer heute werden die sich dreimal überlegen, ob sie mir ihre Hilfe versagen.«

Rocco musste seinem Freund zustimmen. Das Interview konnte tatsächlich den Wendepunkt in der Geschichte markieren. Ab jetzt würde Stück für Stück alles ans Licht gebracht. Die Sache war nicht mehr aufzuhalten.

57. KAPITEL

Berlin-Grunewald, Knausstraße 3:
Sonntag, 27. September, 22.37 Uhr

Markus Palme wäre nicht dort angelangt, wo er heute stand, wenn er sich von ein wenig Gegenwind hätte umblasen lassen. Ganz im Gegenteil. In den vergangenen zwanzig Jahren hatte er mehr Stürme überstanden als die meisten Menschen in ihrem ganzen Leben. Und auch jetzt wusste er genau, was er zu tun hatte. Nach dem Interview in der *Tagespost* würde es nach seiner Einschätzung keine fünf Tage dauern, bis irgendjemand die Verbindung zwischen seiner damaligen Tätigkeit und Timo Krampe ans Licht brachte. Das Wissen um diesen Umstand hätte neun von zehn Menschen dazu gebracht zu verzweifeln. Nicht jedoch Palme. Das hier waren die Momente, in denen er zu absoluter Höchstform auflief. Schon früh hatte er gelernt, dass es keine Lösung war, sich zu verstecken. Angriff war die beste Verteidigung. Und Ablenkung. So funktionierten die Zaubertricks auch in der Politik.

Ihm war klar, dass er als leitender Mitarbeiter der Abteilung, die für die Vermittlung der pädophilen Pflegeväter zuständig gewesen war, die eigentliche Verantwortung am Schicksal unzähliger Kinder trug. Und auch wenn er damals nicht ansatzweise geahnt hatte, dass die Geschichte eines Tages einen derart absurden Verlauf nehmen würde, konnte er sich damit natürlich nicht aus der Affäre ziehen. Das Ganze war unter seiner Leitung passiert, also einzig und alleine seine Sache.

Es sei denn, er hätte im Auftrag, quasi auf dienstlichen Befehl, gehandelt. Wenn er es dann noch so darstellen konnte, dass er eigentlich gegen Granther und sein Experiment opponiert hatte, am Ende aber auf Druck die ihm gestellten Anweisungen hatte ausführen müssen, konnte er vielleicht sogar als Sieger aus dieser unseligen Geschichte hervorgehen. Und das wäre nicht das erste Mal. Auch wenn er sich auf eine andere Schlussphase des Wahlkampfes gefreut hatte, dominiert von öffentlichen Auftritten und Händeschütteln, war ihm die jetzige Situation im Grunde noch lieber. Jetzt war es an ihm, wieder einmal zu beweisen, warum er zu den besten, den raffiniertesten und in der Folge auch erfolgreichsten Politikern in dieser Stadt gehörte. Und wenn er ganz ehrlich zu sich war, tat er das guten Gewissens. Es wäre naiv zu glauben, dass es nur die eine Wahrheit gab. Und im Nachhinein ist es immer leicht, eine vergangene Situation zu beurteilen. Auch wenn er aus heutiger Sicht sein damaliges Verhalten selbst streng verurteilen würde: Es waren damals einfach andere Zeiten gewesen. Ihm selbst mangelte es an Erfahrung und auch an Weitsicht. Deshalb fiel es ihm heute nicht schwer, sich für sein damaliges Verhalten mildernde Umstände einzuräumen.

58. KAPITEL

Berlin-Charlottenburg, Fasanenstraße 72,
Kanzlei Eberhardt:
Montag, 28. September, 9.23 Uhr

Rocco blickte durch die großen Fenster seines Büros direkt auf den von Sonne gefluteten Garten des Literaturhaus-Cafés auf der anderen Straßenseite. Das unerwartet ruhig gelegene Kleinod unweit des Kurfürstendamms war wie jeden Morgen bei schönem Wetter gut besucht, und es gab nur noch einen freien Tisch. Rocco überlegte für einen Moment, ob er sich nicht einfach ein paar Akten mitnehmen und dort weiterarbeiten sollte. Die frische Luft würde ihm guttun, und ein Tapetenwechsel konnte auch nicht schaden. Doch noch bevor er den Gedanken in die Tat umsetzen konnte, klingelte sein Telefon.

»Doktor Jarmer«, begrüßte Rocco den Rechtsmediziner. »Was kann ich denn schon so früh am Morgen für Sie tun?«

»So früh am Morgen, Sie machen mir Spaß«, erwiderte Jarmer lachend, und nach einem Blick auf die Uhr war Rocco sofort klar, warum. Jarmers Tag begann regelmäßig um halb acht Uhr mit der Frühbesprechung im Institut.

»Allerdings ist der Grund, aus dem ich mich melde, weniger positiv. Mich hat gerade Frau Doktor Kramer, die Referentin, von der ich Ihnen erzählt hatte, angerufen. Tatsächlich hatte sie noch einiges an Unterlagen da, aber nichts, was uns nennenswert neue Erkenntnisse bringen würde. Aus ihren Aufzeichnungen geht lediglich hervor, was damals passiert war und dass Palme im Jugendamt die Verantwortung getragen hat. Aber das wussten wir auch schon von Frau Spatzierer.«

»Stimmt«, sagte Rocco nach einem Moment des Nachdenkens. Nichts wirklich Neues, aber dafür immerhin eine Bestätigung noch mal von anderer Seite. Um ganz sicherzugehen, hakte er noch einmal nach: »Vermutlich hat Frau Kramer auch keine anderen Infos oder Kontakte, die uns ein paar mehr Details bringen könnten, zum Beispiel den Namen eines anderen Mitarbeiters oder so?«

»Hatte ich sie gefragt«, erwiderte Jarmer. »Hat sie leider nicht. Der Vortrag und einige Recherchen waren noch vorhanden, und den Rest hat sie im Zuge ihres letzten Umzuges leider entsorgt.«

»Na gut, nicht zu ändern«, entgegnete Rocco und fügte, um etwas Positives aus der Sache zu ziehen, kurzerhand hinzu: »Aber zumindest hat sie unseren Verdacht, dass Palme in der Sache mit drin hängt, bestätigt.«

»Das hat sie. Und dazu wollte ich Sie auch noch was fragen«, erwiderte Jarmer. »Hatten Sie sich schon mit Frau Spatzierer getroffen?«

»Nein, noch nicht. Mir fehlen noch die Unterlagen von Tobias, mit denen wir Palmes Spur im Darknet nachzeichnen können. Unser Informant sitzt daran, diese so aufzubereiten, dass die Staatsanwaltschaft damit etwas anfangen kann. Das ist wohl nicht so einfach. Nicht umsonst nennt man es das Darknet. Und seine Geheimnisse, wie er trotzdem an die Daten gelangt ist, will er verständlicherweise nicht teilen. Er hat uns aber versprochen, dass wir heute noch ein Paket von ihm kriegen. Und das werde ich morgen höchstpersönlich bei Frau Spatzierer abgeben. Und vielleicht kriegen wir auch noch was beim Jugendamt raus.«

59. KAPITEL

Berlin-Schöneberg, Jugendamt Nord,
John-F.-Kennedy-Platz 1:
Montag, 28. September, 10.17 Uhr

Hier wurde Geschichte geschrieben! Ehrfurchtsvoll blickte Baumann auf das ehrwürdige Gebäude. An dieser Stelle, auf den Stufen, die zum Rathaus Schöneberg führten, hatte John F. Kennedy am 26. Juni 1963 in Anwesenheit der Weltpresse den geschichtsträchtigen Satz, »Ich bin ein Berliner«, gesprochen und damit die anhaltende Solidarität der Vereinigten Staaten mit Westberlin zum Ausdruck gebracht.

Mal gucken, ob das ein gutes Omen ist, dachte Baumann und stand keine fünf Minuten später vor dem Büro, in dem er sich mit Monika Braunert, der Leiterin des Jugendamtes, verabredet hatte. Entgegen seinen Erwartungen – er hatte nach dem Artikel in der *Tagespost* mit dem Schlimmsten gerechnet – begrüßte ihn die knapp vierzigjährige, blonde Frau mit einem freundlichen Lächeln. Mit ihrer dunkelblauen Jeans, der hellen Bluse und dem blauen Blazer war sie leger elegant gekleidet.

»Herr Baumann?«, fragte sie, und auf sein Nicken deutete sie auf einen der beiden Stühle gegenüber ihrem Schreibtisch. »Mein Name ist Braunert, ich leite das Jugendamt hier in Schöneberg. Sie arbeiten mit Rechtsanwalt Eberhardt zusammen für Herrn Krampe, nicht wahr?«, fragte sie, offenbar um sich zu vergewissern, dass sie auch tatsächlich den richtigen Gesprächspartner vor sich hatte.

»Ja, ganz genau. Und vielen Dank, dass Sie so spontan Zeit für mich haben.«

»Na ja, das ist durchaus eine große Sache, da möchten wir natürlich gerne helfen, wo wir können. Aber nehmen Sie doch bitte erst einmal Platz.«

Nachdem sich beide gesetzt und Braunert Baumann Wasser angeboten hatte, kam sie gleich zur Sache: »Sie haben am Donnerstag bereits angedeutet, dass es um die damalige Unterbringung von Timo Krampe bei seinem Pflegevater ging. Ich will Ihnen gegenüber ganz offen sein. Sosehr das alles die Arbeit meiner Behörde in ein schlechtes Licht rücken wird, werde ich doch alles dafür tun, dass der Fall endlich aufgeklärt wird. Nach dem Interview, das Herr Krampe gestern gegeben hat, wäre alles andere wirklich nicht sachdienlich.« Sie machte eine kurze Pause, als überlegte sie, ob sie die richtigen Worte gewählt hatte, nur um sich dann selbst zu korrigieren. »Ich meine natürlich, dass wir ganz unabhängig von dem Interview alles dafür tun würden. So oder so. Nur ... nach dem Interview wäre es geradezu absurd, das nicht zu tun, meine ich.«

Erstaunlich, dachte Baumann. *Sie wirkt offen und ehrlich. Als wolle sie unbedingt helfen. Auf der anderen Seite scheint sie aber sehr auf ihre Äußerungen bedacht zu sein und versucht, die Interessen ihrer Behörde zu schützen. Macht Sinn. Mal gucken, wohin das Ganze führt.*

»Das freut mich«, erwiderte Baumann verständnisvoll. »Und damit auch alles seine Ordnung hat, habe ich Ihnen hier noch ein Schreiben von Rechtsanwalt Eberhardt mitgebracht, inklusive einer Kopie der Vollmacht von Herrn Krampe. In dem Schreiben bittet er namens und in Vollmacht von Herrn Krampe um Einsicht in alle Unterlagen, die Herrn Krampes damalige Unterbringung bei seinem Pflegevater betreffen.«

Baumann reichte die Papiere über den Tisch. Braunert griff nach ihrer Lesebrille, die auf der linken Seite ihres Schreibtisches lag, und überflog die Dokumente kurz.

»Ausgezeichnet, dann hat ja alles seine Richtigkeit.« Sie setzte die Brille wieder ab und blickte Baumann entschlossen an. »Also, ich werde jetzt Folgendes veranlassen. Ich werde sämtliche Unterlagen, die in irgendeiner Form Bezug zu den damaligen Geschehnissen haben könnten, heraussuchen und Ihnen zukommen lassen.«

»Das klingt gut«, meinte Baumann zustimmend. »Und wie lange wird das in etwa dauern?«

»Nun, da die Unterlagen lediglich in Papierform vorliegen und wir die Vorgänge erst finden müssen, brauchen wir vermutlich ein bis zwei Tage dafür. Dann sollten wir alles beisammenhaben.«

»Klasse«, erwiderte Baumann. »So machen wir das. Und was halten Sie von folgender Idee: Statt mir auszugsweise Kopien zukommen zu lassen, rufen Sie mich einfach an, wenn Sie alle Akten gefunden haben. Ich könnte mir dann alles hier direkt bei Ihnen ansehen. Und vielleicht haben Sie ja auch die Möglichkeit, mir einen Kontakt zu einem der Mitarbeiter zu vermitteln, die damals mit der Sache befasst waren.« Er machte eine kurze Pause und blickte Braunert direkt an. »Natürlich nur, wenn Sie entsprechende Daten finden.«

Monika Braunert schien für einen Moment kaum merklich zu zögern. Dann stimmte sie zu und versprach, ihm Bescheid zu geben. Nachdem sie sich verabschiedet hatten, ging Tobias nachdenklich den Gang entlang in Richtung Ausgang. *Ungewöhnlich*, dachte er. *So schnell und einfach habe ich noch nie Hilfe von einer Behörde erhalten. Mal gucken, ob das auch so gut weitergeht.*

60. KAPITEL

Berlin-Mitte, Unter den Linden:
Montag, 28. September, 10.17 Uhr

Seit dem Wochenende durften die Parteien für die anstehende Wahl werben. Und wie jedes Mal machten sie auch in diesem Jahr wieder reichlich Gebrauch davon.

Kopfschüttelnd blickte Markus Palme auf das bunte Meer Hunderter Plakate, auf denen ihm zumeist das Konterfei der in den jeweiligen Bezirken um Stimmen werbenden Kandidaten entgegenlächelte. Die Botschaften, mit denen sie auf Stimmenfang gingen, waren beliebig und austauschbar. Ein regionaler Fernsehsender hatte sich daraus einen Spaß gemacht und wahllos Passanten die Kernbotschaften der aktuellen Kampagnen vorgelesen und gefragt, zu welcher Partei diese wohl gehörten. Über fünfzig Prozent der Antworten waren falsch und damit ein erschreckend deutlicher Beleg erbracht für die *Qualität* der Werbung. Und die Klarheit der Positionierung der Parteien. Seitdem diese in immer größerem Maße auf die Ergebnisse von Meinungsumfragen hörten und entsprechend dem jeweiligen Trend ihre Fahne in den Wind hängten, verschwammen die Unterschiede zwischen den Parteien zunehmend.

Markus Palme war dieser Umstand mehr als bekannt. Und er wusste, dass es längst nicht mehr die Parteiprogramme waren, die Wahlen entschieden, sondern die Spitzenkandidaten selbst. Der Wahlkampf war zwischenzeitlich beinahe so personalisiert wie in den Vereinigten Staaten. Darüber hinaus gewannen die meisten Kandidaten in der Gunst der Wähler nicht durch eigene Positionen an Zustimmung, sondern profitierten von den Fehlern ihrer

Gegner. Und Fehler machten sie alle. Palmes bisherige zurückhaltende Taktik, sich mit polarisierenden Aussagen eher rarzumachen, ging vollends auf.

Allerdings war ihm klar, dass er nach dem Krampe-Interview damit nicht mehr lange durchkommen würde. Deshalb war es an der Zeit, in die Offensive zu gehen.

61. KAPITEL

Berlin-Moabit, Institut für Rechtsmedizin:
Montag, 28. September, 18.39 Uhr

Interessiert blickte Justus Jarmer auf den Fernseher, den er im vergangenen Jahr an der Stirnseite seines Büros hatte anbringen lassen. Die lokalen Berliner Fernsehstationen berichteten seit dem Aufkommen der Clankriminalität in zunehmendem Maße auch über Todesfälle, die in Zusammenhang mit Verbrechen standen. Und nicht selten hatten diese einen direkten Bezug zu seiner Arbeit. Wenn er nicht sogar selbst die Obduktion durchführte. Obwohl er eigentlich soeben im Begriff war, seine Arbeit für den heutigen Tag zu beenden, erregte die aktuelle Sendung seine Aufmerksamkeit. Er griff nach der Fernbedienung und drehte die Lautstärke höher.

»Und nun freue ich mich, Ihnen einen ganz besonderen Gast vorstellen zu dürfen, der sich spontan entschieden hat, heute zu uns zu kommen: den Senator für Inneres und Sport, Doktor Markus Palme.«

»Vielen Dank, dass ich heute bei Ihnen sein darf«, erwiderte Palme, schüttelte dem Moderator die Hand und lächelte in die Kamera.

»Natürlich«, erwiderte der Moderator, und die beiden nahmen auf dem roten, halbrunden Sofa Platz.

»Herr Senator, Sie haben sich für einen spontanen Besuch bei uns entschieden. Sie wollen zu den Geschehnissen, die seit dem gestrigen Tag die öffentliche Diskussion in Berlin beherrschen, Stellung beziehen. Es geht um die Sache Krampe.«

»Ganz genau«, erwiderte Palme. »Doch bevor wir darüber sprechen, möchte ich erst einmal Herrn Krampe meinen Respekt zollen, dass er so mutig und offen über seine Kindheit und die damalige Situation gesprochen hat. Das war sicher nicht leicht, und ich begrüße es, dass er diesen Schritt gegangen ist.« Palme machte eine Pause und blickte erst zu dem Moderator, der zustimmend nickte, und dann direkt in die Kamera.

»Ich bin der Meinung, dass dieses unrühmliche Kapitel der Berliner Geschichte endlich lückenlos aufgeklärt werden muss.« Er machte eine weitere Pause, ganz offensichtlich, um seinen Worten weiteren Nachdruck zu verleihen.

Jarmer legte seinen Kugelschreiber vor sich auf den Tisch und hörte gespannt zu. *Was um alles in der Welt hatte Palme vor?*

»Und es wird Sie überraschen zu hören, dass ich ein persönliches Interesse an der Aufklärung dieser Angelegenheit habe«, fuhr Palme fort, ganz so, als hätte er Jarmers Gedanken gelesen.

Jetzt war es der Moderator, der Palme erstaunt ansah. »Das habe ich in der Tat nicht gewusst«, sagte er, während er seine Moderationskarten durchsah, ganz so, als hoffte er, dort einen entsprechenden Hinweis zu finden.

»Ich war damals in verantwortlicher Position im Jugendamt tätig«, fuhr Palme fort. »Das war, noch bevor ich mich für den Weg in die Politik entschieden habe. Und damals gab es viele umstrittene Entscheidungen. Es waren andere Zeiten.«

Der Moderator zog die Augenbrauen hoch, denn diese Wendung schien er nicht vorhergesehen zu haben. »Sie waren damals in diesen Fall involviert?«, hakte er nach. »In den Fall Krampe?«

»Involviert ist vielleicht nicht das richtige Wort«, antwortete Palme und wirkte dabei vollkommen ruhig und souverän. »Denn es würde nahelegen, dass ich mich in diesen bedauerlichen Vorfällen bewusst engagiert hätte. Vielmehr war es leider so, dass ich als Leiter einer Abteilung des Jugendamtes damals beauftragt wurde, mich am Granther-Experiment zu beteiligen. Und sosehr ich persönlich mich auch dagegen gesträubt habe, letztendlich musste ich den Anweisungen meiner Vorgesetzten Folge leisten. Trotzdem habe ich und auch einige meiner Kolleginnen und Kollegen, deren Einsatz nicht unerwähnt bleiben darf, alles in unserer Macht Stehende getan, um die Kinder, die in unserer Obhut waren, zu schützen. In dem Fall Krampe und in anderen Fällen.« Palme schaute kurz auf den Boden, wirkte betroffen und als ringe er für einen Moment um Fassung. Dann, mit hartem Blick, sah er wieder auf, erneut direkt in die Kamera. »Und so, wie ich jetzt erfahren musste, war das nicht genug. Deshalb verspreche ich hier und heute, dass wir, mein ganzes Team und ich persönlich, alles daransetzen werden, diese Sache bis zum Letzten ans Licht zu bringen. Und ich werde mich persönlich dafür einsetzen, dass allen, denen damals unrecht geschehen ist, Wiedergutmachung widerfahren wird.«

Palme nickte in die Kamera, während er sprach, und der Moderator fiel in das Nicken mit ein.

Was für ein raffinierter Hund du doch bist, dachte Jarmer und schüttelte den Kopf. Hast diese ganze Sache zumindest geduldet, vermutlich sogar unterstützt oder gar mit initiiert, und spielst dich jetzt als großer Aufklärer auf. Unfassbar, aber clever. Als das Interview fünf Minuten später zu Ende war, stellte Jarmer den Fernseher aus, packte seine Sachen zusammen und verließ nachdenklich das Institut. Welche Wendungen würde es in diesem verrückten Fall wohl noch geben.

62. KAPITEL

Berlin-Moabit, Turmstraße 91, Staatsanwaltschaft
Berlin, Abteilung Kapitalverbrechen:
Dienstag, 29. September, 9.23 Uhr

Rocco freute sich, Claudia wiederzusehen, auch wenn er sich gewünscht hätte, dass der Anlass ein anderer wäre.

»Hast du gestern das *zibb*-Interview gesehen?«, fragte sie ihn, unmittelbar, nachdem sie sich begrüßt hatten.

»Klar«, erwiderte Rocco.

»Und, was denkst du?«

»Eine gewisse Chuzpe kann man ihm nicht absprechen. Stellt sich allerdings die Frage, ob er damit durchkommt.«

»Deshalb wollte ich mit dir sprechen«, meinte Claudia, und Rocco hörte ihrer Stimme an, dass sie keine guten Nachrichten hatte. »Wie es aussieht, kommen wir nur schwer voran. Die meisten Akten bei der Staatsanwaltschaft sind vernichtet, und wir haben wenig in der Hand. Wenn du oder Tobi mehr Infos habt, würde ich mich über einen Austausch sehr freuen.«

»Okay«, erwiderte Rocco mit ernster Miene. »Genau aus diesem Grund wollte ich auch mit dir sprechen. Denn tatsächlich haben wir da etwas gefunden. Und das lässt unseren Innensenator alles andere als in einem guten Licht erscheinen.«

Claudia legte den Kopf auf die Seite und sah ihn fragend an. »Und was soll das sein?«

»Nun, ich glaube nicht, dass dir das sonderlich gefallen wird, aber so wie es aussieht, hat Palme nicht nur bei der Vermittlung von Kindern an Pädophile geholfen, sondern auch einiges unternommen, um seine Beteiligung zu verschleiern.«

Rocco griff in seine Aktentasche und zog einen Ordner hervor. Er breitete die darin enthaltenen Papiere auf Claudias Schreibtisch aus.

»Was du hier siehst«, erklärte er und zeigte auf den Ausdruck eines Chatverlaufs, »ist die Anfrage nach einem Auftragsmord. Wir konnten diese so weit zurückverfolgen, dass wir wissen, dass der anfragende Teil des Chats über Palmes Privatrechner, genauer gesagt sein MacBook, abgeschickt wurde.«

Ungläubig blickte Claudia die Unterlagen, dann Rocco und schließlich wieder die Ausdrucke vor sich an. Sie las erst gründlich und dann immer schneller die einzelnen Abschnitte durch.

»Wo habt ihr das her?«, fragte sie.

»Ein ehemaliger Mandant von mir«, antwortete Rocco. »Ein Computergenie, ein Hacker, nenn ihn, wie du willst.«

»Aber wir können niemals überprüfen, ob das stimmt. Darauf kann ich doch keinen Fall aufbauen. Das sind nicht legal beschaffte, um nicht zu sagen, kriminell beschaffte Informationen.« Claudias Stimme wirkte gereizt und defensiv. »Sag mir bitte, dass du etwas mehr hast als das.«

Rocco war nicht darauf vorbereitet, dass Claudia ihm beinahe feindselig gegenüberstehen würde, ließ sich das aber nicht anmerken. Worauf er allerdings gefasst war, war der Umstand, dass sie den Daten nicht trauen würde. Er zog deshalb eine weitere Akte aus seiner Tasche, in der allerdings nur ein einziges Blatt enthalten war.

»Hier«, sagte er, »sind die genauen Anweisungen abgedruckt, wie ihr selbst ebenfalls an diese Informationen gelangen könnt.«

Ohne dem Papier besondere Beachtung zu schenken, legte Claudia es in die Akte zu den anderen Unterlagen, die Rocco ihr gegeben hatte, und klappte den Ordner zu.

»Das muss ich mir genauer anschauen. Außerdem muss ich sehen, falls das wirklich stimmen sollte, ob das überhaupt verwertbar ist«, erwiderte sie barsch.

Rocco war überrascht. Er hatte tatsächlich damit gerechnet, dass sie ihm für diese Daten dankbar sein würde.

Offensichtlich war ihr sein zweifelnder Blick nicht entgangen. Mit Funkeln in den Augen sah sie ihn an. »Was!?«, rief sie mehr, als dass sie fragte. »Hast du etwa geglaubt, wenn du hier mit Informationen aus dem Darknet ankommst, ohne mir deine Quelle zu nennen, dass ich gleich darauf springe und unseren Innensenator in ein Ermittlungsverfahren wegen Mordes zerren werde?«

Rocco blickte sie entgeistert an. Und ja, tatsächlich hatte er sich etwas in der Art gedacht.

»Du kannst dir vielleicht vorstellen, welchen Eindruck das macht. Ich klage einen hochrangigen Politiker, noch dazu den obersten Chef unserer Polizei, aufgrund von vermutlich illegal erlangten Beweismitteln an, die mir mein Ex-Freund, einer der schillerndsten Strafverteidiger, die wir haben, unterjubelt.«

Sie schnaufte, scheinbar bemüht darum, ihre Fassung wiederzugewinnen. »Da kann ich mir ja auch gleich die Karten legen.«

Rocco überlegte blitzschnell und sah nur einen Weg, die Sache in die richtige Richtung zu lenken. Sie musste die Sachen selbst rausfinden. Was ohnehin sein Plan war. Daher hatte er ihr ja die Anleitung mitgebracht, wie sich ihre Experten im Darknet mit eigenen Mitteln auf Palmes Spur heften konnten.

»Okay. Um ehrlich zu sein, bin ich überrascht«, gab er zu. »Ich hätte gedacht, du würdest anders reagieren, aber das spielt im Grunde gar keine Rolle. Ich habe einen möglichen Hinweis, der uns helfen könnte, ein Verbrechen aufzuklären. Und dieser Hinweis ist nichts wert, wenn er nicht belegbar ist. Ich kann ihn nicht belegen.« Er machte eine Pause und lehnte sich jetzt über den Tisch zu Claudia. »Aber du. Und wenn sich herausstellt, dass das alles großer Humbug ist, dann ist es halt so. Sollte sich allerdings herausstellen, dass unsere Hinweise zutreffen, dann ist es wohl allerhöchste Zeit, dass wir das schleunigst …«, hier stockte Rocco und korrigierte sich, »… entschuldige, ich meine, dass ihr schleunigst handelt. Denn dann ist Palme womöglich ein Mörder. Und so wie es aussieht, ist er nicht nur das, sondern sogar bald unser nächster Regierender Bürgermeister.«

Nachdenklich blickte Claudia ihn. Sie schien zu überlegen, wie sie Roccos Worte einordnen sollte. Sie öffnete den Ordner wieder und blickte auf die Unterlagen.

»Okay«, sagte sie schließlich. »Ich werde das überprüfen lassen. Und ich hoffe für euch, dass das was taugt.« Dann griff sie nach ihrer eigenen Akte. »Im Übrigen waren wir zwischenzeitlich auch nicht untätig.« Sie blätterte in den Papieren und hielt dann inne. »Allerdings nicht, was den Anschlag auf Krampe betrifft. In der Sache haben wir alle Zeugen von der Bushaltestelle vernommen. Die meisten haben gesehen, wie er vor den Bus fiel oder vor dem Bus lag, aber keiner hat gesehen, wie er dahin gekommen ist.«

»Und Grünwald?«

»Da sind wir tatsächlich einen Schritt weitergekommen. So wie es aussieht, war er am 23. August abends noch in der *Dicken Oma*, einer Kiezkneipe in Kreuzberg. Das war auch das letzte Mal, dass er irgendwo gesehen wurde. Die Polizei hatte alle möglichen Spuren verfolgt, mit seinem Arbeitgeber gesprochen, Mieter aus seinem Wohnhaus befragt und so weiter. Schließlich sind sie dann auf die Kneipe gekommen, wo er regelmäßig abends noch ein Bier getrunken hat.« Claudia blätterte in der Akte vor sich, ehe sie fortfuhr. »Und das würde auch zu Doktor Jarmers Gutachten passen. Nach seiner Einschätzung und aufgrund der Untersuchung des Leichnams könnte Grünwald an diesem Abend gestorben sein.«

Rocco horchte auf. »War er an dem Abend alleine in der *Dicken Oma*? Oder möglicherweise in Begleitung?«

»Wissen wir noch nicht. Aber wir sind dran.«

Rocco machte sich einige Notizen. Das war ein Fall für Tobi. Was war am 23. August in der Kneipe geschehen, was danach, und wer war für den Tod von Grünwald verantwortlich? Darum sollte er sich kümmern, so etwas konnte er gut.

Nachdem Claudia keine weiteren Informationen hatte und schließlich doch versprach, die Darknet-Recherche weiterzuverfolgen, vereinbarten sie, sich in zwei Tagen wieder zu sehen, um die Ergebnisse ihrer jeweiligen Ermittlungen abzugleichen.

Als Rocco das Gebäude der Staatsanwaltschaft verließ, griff er zu seinem Telefon. Er musste sich dringend mit Tobi treffen. Der Fall kam ihm zu langsam voran, und ihr ganzes Vorgehen wirkte unstrukturiert. Es gab einfach zu viele Köche und zu viele Interessen. Im Grunde wollte jeder Timo Krampe helfen, zudem gab es eine Reihe zusätzlicher Motivationen. Anja Liebig wollte den nächsten Artikel ihrer Serie veröffentlichen, Claudia wollte verhindern, ihre Karriere vor die Wand zu fahren, indem sie den Innensenator zu Unrecht anklagte, Jarmer und Tobi wollten helfen, den Kinderschutz zu verbessern. Und er? Was war eigentlich sein Interesse? Irgendwie ein bisschen von alldem. Doch das war ihm zu konfus. Ihm fehlte das große Ganze. Das klare Bild davon, was hier eigentlich genau passierte und wie das alles zusammenhing.

63. KAPITEL

Berlin-Charlottenburg, Fasanenstraße 72,
Kanzlei Eberhardt:
Dienstag, 29. September, 18.12 Uhr

Zum frühen Abend hatte Rocco Tobi und Jarmer in seine Kanzlei gebeten, um Klarheit in den Fall zu bringen und ihre nächsten Schritte zu planen. Er hatte das Gefühl, ihnen lief die Zeit davon.

Während Jarmer und Tobi an seinem Besprechungstisch saßen, stand Rocco neben dem großen Whiteboard an der Stirnseite seines Büros, in der Hand einen blauen Marker. Schon vor Jahren hatte er damit begonnen, in großen Strafverfahren die einzelnen Handlungen ebenso wie die darin verwickelten Personen in Schaubildern aufzuzeichnen. Das hatte ihm immer wieder geholfen, das große Ganze nicht aus den Augen zu verlieren und sich nicht in Nebensächlichkeiten zu verlieren. Außerdem hatte er das Gefühl, er könne besser denken, wenn er alle Informationen vor sich sah.

»Okay«, begann Rocco, nachdem er die beiden anderen über sein Treffen mit Claudia informiert hatte. »Lasst uns zunächst mal alles, was wir haben, in zeitlicher Reihenfolge aufschreiben.«

»Das fing damit an, dass Krampe und Liebig bei dir in der Kanzlei aufgetaucht sind, oder?«, sagte Tobi.

»Ja, aber ich meine nicht, wann wir begonnen haben, sondern wann der ganze Fall seinen Anfang genommen hat.«

»Na, dann in dem Moment, als Krampe ins Visier des Jugendamtes Schöneberg geriet«, warf Jarmer ein.

»Stimmt.« Rocco markierte ein Kreuz auf dem Zeitstrahl, den er ganz oben auf dem Whiteboard eingezeichnet hatte. »Das war im Frühjahr 1988. Timo Krampe war gerade sechs Jahre alt. Seine Mutter hatte schwere Drogenprobleme, und das Jugendamt war durch eine Meldung von Krampes Kindergarten auf ihn aufmerksam geworden.«

Tobi blickte durch die Unterlagen, die er vor sich auf dem Tisch ausgebreitet hatte. »Im Oktober 1988 ist er dann in die Obhut von Olaf Haarmann überstellt worden.« Er machte eine Pause und schaute von Rocco zu Jarmer. »Ich kann es immer noch nicht fassen, dass die Kinder in die Hände von aktenkundig bekannten Kinderschändern übergeben haben.«

»Und genau aus diesem Grund sitzen wir auch hier zusammen«, meinte Rocco. »Aber lass uns bitte zunächst alle Fakten zusammenschreiben und später bewerten, okay?«

Tobi fiel das immer noch nicht leicht, aber schließlich nickte er.

»Was geschah als Nächstes?«, fragte Rocco.

»Wir wissen«, meinte Jarmer, »dass Grünwald damals auch schon bei Haarmann war. Die beiden haben sich dort kennengelernt, oder?«

»Richtig«, stimmte Baumann zu und griff sich einen anderen Marker. Links von dem Datum, als Krampe zu Haarmann gekommen war, zeichnete er ein weiteres Kreuz mit dem Vermerk »Grünwald zu Haarmann« ein.

»1995 ist Grünwald dann mit achtzehn Jahren bei Haarmann ausgezogen«, fuhr Rocco fort. »Und drei Jahre später, als Krampe sechzehn war, ist er dann abgehauen. Er hat ein paar Jahre auf der Straße gelebt und hat dann über die Vermittlung eines Kiez-Sozialarbeiters eine eigene Wohnung bekommen. Das war ein Wendepunkt in seinem Leben und muss ihn irre motiviert haben. Kurz darauf hat er auch eine Lehre zum Maler und Lackierer begonnen.«

»Dann ist eine ganze Weile nichts passiert, was nach unserer Einschätzung mit der Sache zu tun hätte«, sagte Jarmer. »Bis zu dem Zeitpunkt, als sich Grünwald und Krampe wiedergetroffen haben.«

»Ganz genau«, erwiderte Rocco. »Das war in den frühen Zweitausendern. Liebig hat mir erzählt, dass ihre erste Begegnung absolut zufällig war. Auf dem U-Bahnhof Wittenbergplatz. Am Kiosk, unten auf dem Bahnsteig zwischen zwei Gleisen. Sie standen in der Schlange direkt hintereinander und haben sich wiedererkannt. Daraufhin haben sich die beiden dann regelmäßig getroffen. Krampe hatte mir erzählt, dass es ziemlich lange gedauert hat, bis sie sich das erste Mal über ihre Zeit bei Haarmann unterhalten haben. Und noch länger, dass sie über den Missbrauch gesprochen haben.« Rocco vermerkte das auf dem Whiteboard, ehe er fortfuhr. »Das lieferte dann auch den Anlass, sich an das Jugendamt zu wenden. Sie haben sich dazu entschlossen, weil sie Gerechtigkeit und Wiedergutmachung wollten.«

»Und hier – ich kann es nicht fassen – wurden sie einfach abgewiesen«, ergänzte Tobi. »Mit dem Verweis darauf, dass sowohl Haarmann als auch Granther längst gestorben seien.«

»Nicht zu vergessen«, fügte Rocco hinzu, »dass man Krampe und Grünwald im Hinblick auf zivilrechtliche Schadenersatzforderungen auch die Verjährung entgegengehalten hatte. Nebenbei gesagt, juristisch zwar zutreffend, menschlich aber auf unterster Stufe.«

»Weshalb sie dann 2007 bei der Staatsanwaltschaft Anzeige erstattet haben«, führte Jarmer weiter aus.

»Der sich«, ergänzte Rocco, »die Senatsverwaltung für Jugend angeschlossen hat. Ob die das gemacht haben, weil sie befürchteten, jetzt in die Öffentlichkeit gezogen zu werden, oder weil dort endlich mal jemand Verantwortung übernommen hat, steht allerdings in den Sternen.«

»Trotzdem war es das erste Mal«, sagte Tobi, »dass sie von staatlicher Stelle unterstützt wurden.«

»Genau«, meinte Jarmer. »Allerdings ohne brauchbares Ergebnis.« Jetzt nahm er sich einen der Marker und zeichnete ein weiteres Ereignis auf dem Zeitstrahl ein. »Denn nach Angaben der Staatsanwaltschaft liefen die Ermittlungen gegen Haarmann ins Leere, was nicht so verwunderlich ist, schließlich war er nicht mehr am Leben. Und den damals zuständigen Jugendamtsmitarbeitern konnte auch keine Straftat nachgewiesen werden.«

»Aber damit nicht genug«, schloss Tobi mit zynischem Ausdruck, »wurde den beiden zum zweiten Mal nahegelegt, aus Kostengründen den Zivilrechtsweg, über den sie Schadenersatz hätten einklagen können, nicht zu beschreiten. Denn die Sache sei ja nach wie vor verjährt.«

»Stimmt«, sagte Rocco und markierte diesen weiteren Tiefpunkt der Geschichte mit einem doppelten Strich auf dem Zeitstrahl. »Womit wir an den für uns relevanten Punkt kommen. Timo Krampe trifft auf Anja Liebig.«

»Wie ist es eigentlich dazu gekommen?«, wollte Jarmer wissen. »Und wann etwa?«

»Das habe ich Liebig auch gefragt«, gab Rocco zurück. »Das ist gerade mal ein Jahr her. Tatsächlich war es Grünwald, der auf sie aufmerksam geworden ist. Aufgrund eines Artikels in der *Tagespost*, in dem sie sehr kritisch über die immer größere Gettoisierung in den Bezirken berichtete. Und die darauf folgenden Zustände an den Berliner Schulen. Und welche Auswirkungen das auf die aktuelle Situation und die Chancen der Kinder hätte.«

»Kann ich verstehen, dass ihn das beeindruckt hat«, meinte Jarmer. »Eine gefühlte Ewigkeit schreibt sich jede Regierung auf die Fahne, das Thema anzugehen. Und ganz gleich, wer die Stadt dann geführt hat, richtig angepackt hat es noch keiner.«

»Da hatten sie mit Liebig auf jeden Fall die Richtige gefunden«, fuhr Tobi fort. »Und das erste Mal seit all den Jahren wirklich Unterstützung.« Er lächelte.

»Was leider nicht lange gut ging. Denn kurz bevor sie ihre Geschichte mit Liebigs Hilfe veröffentlichen können, fangen die Ereignisse an, sich zu überschlagen«, meinte Rocco. »Von einem Tag auf den anderen verschwindet Grünwald.«

»Nur, um bei mir im Institut aufzutauchen«, sagte Jarmer. »Und zwar, nach meiner Einschätzung, als mögliches Opfer einer Straftat.«

»Unterstellen wir das als gegeben«, nahm Rocco den Ball auf, »passt auch das nächste Ereignis ins Bild. Krampe wird vor den Bus gestoßen.«

»Weshalb wir davon ausgehen müssen, dass sowohl Grünwald als auch Krampe beseitigt werden sollen«, schloss Jarmer ab.

Rocco machte vorerst eine letzte Notiz auf dem Whiteboard und trat dann einen Schritt zurück.

»Danach stellte sich die Frage, wer oder was dahintersteckt«, sagte er und wies auf den Zeitstrahl auf dem Whiteboard. »Von einem Unfall über eine Aneinanderreihung unglücklicher Zufälle und einen Raub bei Grünwald, der ja immerhin kein Portemonnaie und auch keine sonstigen Wertgegenstände mehr bei sich trug, bis hin zu einem gezielten Mord war bis vor Kurzem alles drin.«

»Und dann kam Palme ins Spiel«, fuhr Tobi fort. »Erst erfahren wir, dass er als damaliger Leiter einer Abteilung des Jugendamtes Granther und sein ›Experiment‹ unterstützt hat, und dann finden wir die Spuren auf seinem Rechner.«

»Womit wir einen möglichen Täter hätten, der sowohl ein Motiv hat als auch über die Möglichkeiten verfügt, alle Taten zu begehen«, sagte Rocco und schrieb Palmes Namen mit großen Lettern auf das Whiteboard. »Motiv«, schrieb er weiter, »Verschleierung seiner damaligen Taten mit dem Ziel, dass sie ihn jetzt nicht einholen.«

»Denn dann könnte er seine Aussicht auf den Posten des Regierenden Bürgermeisters wohl abschminken«, stellte Jarmer fest und notierte das zweite Motiv auf dem Whiteboard.

Rocco nickte. Dennoch sagte ihm sein Instinkt, dass sie hier irgendetwas übersahen. Tobias, der das mitzukriegen schien, fragte seinen Freund: »Was ist los, Rocco? Stimmt etwas nicht?«

»Hm, das Ganze ist irgendwie zu einfach. Zu offensichtlich. Wie in einem Krimi. Am Ende ist es ja doch nie derjenige, von dem man die ganze Zeit denkt, dass er der Täter ist, oder?«

»Ja, kann schon sein. Auf der anderen Seite wissen wir aber auch beide, dass die Welt nicht immer so komplex ist. Wenn es aussieht wie eine Ente, watschelt wie eine Ente und quakt wie eine Ente, dann ist es auch eine Ente, oder?«

Rocco musste lachen.

»Meine Herren«, fuhr Jarmer fort. »Bitte lassen Sie uns weitermachen. Wir sind gerade mal halb fertig. Gehen wir davon aus, dass Palme im Hintergrund die Fäden zieht, was ja ohne Frage möglich wäre. Was sind dann die nächsten Schritte?«

»Die Staatsanwaltschaft müsste aufgrund des Anfangsverdachts ein Ermittlungsverfahren wegen eines Kapitalverbrechens gegen Palme, in diesem Fall wegen Anstiftung zum Mord oder Totschlag, einleiten und die vorhandenen Tatsachen bewerten. Anstiftung kommt immer dann in Betracht, wenn jemand die Tat nicht selbst ausführt, sondern sich dazu einer anderen Person, zum Beispiel, wie hier möglich, eines Auftragsmörders bedient.«

»Und wir?«, hakte Tobias nach. »Wir können doch nicht nur auf die Funktion des Beweislieferanten reduziert werden.«

»Noch dazu«, ergänzte Jarmer, »wenn die Staatsanwaltschaft in einem möglichen Konflikt steckt, weil es darum geht, gegen den obersten Chef der Polizei zu ermitteln.«

»Das tut sie nicht«, entfuhr es Rocco jetzt. »Claudia hat unsere Infos zwar nicht mit einem Jubeln zur Kenntnis genommen, aber ich bin mir, was ihre Integrität betrifft, zu hundert Prozent sicher.

Niemals würde sie aus egoistischen Motiven etwas tun oder unterlassen, was nicht richtig wäre. Ich bin übermorgen wieder mit ihr verabredet und sicher, dass sie bis dahin alles unternehmen wird, die Daten zu überprüfen.«

»Gut, und wenn sie anklagt, was machen wir dann?«, fragte Tobias.

»Ganz einfach«, erwiderte Rocco triumphierend. »Wir werden uns dem Verfahren als Nebenkläger anschließen!«

64. KAPITEL

Berlin-Schöneberg, Jugendamt Nord,
John-F.-Kennedy-Platz 1:
Donnerstag, 1. Oktober, 09.02 Uhr

Bester Laune wählte Monika Braunert die Nummer von Tobias Baumann. Es war ein gutes Gefühl, geradezu eine Freude, zu der Aufklärung dieses schrecklichen Unrechts beizutragen. Schließlich waren Granther und seine verquere Weltanschauung viel zu lange unerkannt geblieben. Nachdem sogar die Katholiken anfingen, in ihren Reihen aufzuräumen, Kindesmissbrauch in der Kirche und ihren Institutionen einzugestehen und die Verantwortung dafür zu übernehmen, war es ja wohl das Mindeste, dass eine aufgeklärte und fortschrittliche Metropole wie Berlin bei dem Thema nicht hintanstand.

Und tatsächlich war es Monika Braunert gelungen, die Aktenzeichen sämtlicher Vorgänge herauszufinden, die mit diesem schrecklichen *Experiment,* wie der angebliche Wissenschaftler das selbst genannt hatte, befasst gewesen waren. Zumindest jene, die seinerzeit von ihrem Jugendamt verantwortet wurden. Dass es in anderen Jugendämtern in Berlin und im ganzen Bundesgebiet weitere Fälle geben musste, war zu befürchten. Doch das war etwas für den nächsten Schritt. Erst einmal musste sie vor der eigenen Haustür kehren.

»Baumann«, meldete sich der Mitarbeiter von Rocco Eberhardt.

»Braunert hier, hallo, Herr Baumann. Ich habe gute Nachrichten. Es sieht ganz danach aus, als hätten wir noch zahlreiche Akten in unserem Archiv. Aber das ist noch nicht alles. Ich habe die Nachnamen der betroffenen Kinder den Aktenzeichen zuordnen können. Auch wenn das gar nicht so einfach war. Denn eigentlich hätten sämtliche Unterlagen längst vernichtet sein sollen. Es ist wohl allein der Berliner Schlampigkeit zu verdanken, dass ein Großteil der archivierten Ordner allesamt noch genau da waren, wo man sie vor vielen Jahren abgeladen hatte. Und nicht, wie vom Gesetz gefordert, längst vernichtet.«

»Großartig«, hörte sie Baumann am anderen Ende der Leitung. »Und wie um alles in der Welt sind Sie darauf gekommen, ich meine, dass die Akten wider Erwarten noch alle da sind?«

»Ganz einfach. Das hat mir unser Hausmeister gesagt. Keiner kennt das Gebäude so gut wie er, und meistens werden die Akten einfach abgeladen und vergessen.«

»Perfekt«, antwortete Baumann. »Und was bedeutet das jetzt für mich?«

»Ganz einfach. Die Ordner werden im Archiv gezogen und sollten nächste Woche Mittwoch für Sie bereitstehen.«

65. KAPITEL

Berlin-Moabit, Turmstraße 91, Staatsanwaltschaft
Berlin, Abteilung Kapitalverbrechen:
Donnerstag, 1. Oktober, 9.22 Uhr

Fünf Minuten nach der verabredeten Zeit hastete Rocco in das Kriminalgericht, in dessen endlosen Gängen auch Claudias Büro untergebracht war. Er hatte keinen Parkplatz gefunden, ein Umstand, der in Berlin immer mehr zum Problem wurde.

Zwei Minuten später klopfte er an Claudias Tür. Da er sie vorab nicht mehr telefonisch erreicht hatte, hatte er auch keine Ahnung, wie sie sich entschieden hatte. Von einer bloßen Einstellung des Verfahrens bis zu weiterer Ermittlung und Palmes Anklage war alles möglich.

Er öffnete die Tür, und zu seiner Überraschung empfing Claudia ihn mit einem Lächeln. Damit hatte er nach ihrem letzten Treffen, das reichlich kontrovers zu Ende gegangen war, nicht gerechnet.

»Hey Rocco, schön, dass du da bist. Setz dich doch. Magst du einen Kaffee?«

»Ja, gerne. Und entschuldige bitte, dass ich zu spät bin.«

Claudia blickte auf ihre Uhr und dann wieder zu Rocco. »Kein Problem, habe ich gar nicht gemerkt. Ich war so in eine Akte vertieft.«

Sie stand auf und ging zu dem Sideboard, auf dem eine Kapselmaschine stand. »Espresso oder Kaffee?«

»Espresso. Gerne doppelt.«

»Alles klar«, erwiderte sie, stellte eine Tasse unter die Maschine und drückte einen Knopf. Kurze Zeit später lief die dunkle Flüssigkeit dampfend in die Tasse. Ein herrlicher Geruch erfüllte das kleine Zimmer. Nachdem Claudia sich auch einen Espresso gemacht hatte, setzten sich beide an den Tisch.

»Tut mir leid«, begann Rocco, »dass ich dich letztes Mal so mit den Unterlagen überfallen habe.«

»Quatsch, was hättest du denn sonst machen sollen«, antwortete Claudia kopfschüttelnd. »Ich war einfach nicht besonders gut drauf. Ist zurzeit ein bisschen viel los. Privat und beruflich, meine ich. Und der Gedanke, den Spitzenkandidaten der SPD, der gleichzeitig Chef der Polizei ist, nicht mehr wegen einer längst verjährten Verstrickung in einen möglichen Missbrauchs-Skandal, sondern tatsächlich wegen Mordes anzuklagen, war in dem Moment der Tropfen, der das Fass zum Überlaufen gebracht hat.«

»Wohl eher ein ganzer Wassereimer als nur ein Tropfen«, sagte Rocco lächelnd.

»Stimmt. Aber egal. Ich habe die Sache mit meinem Chef besprochen, und wir haben deine Infos unseren Cybercrime-Profis vom LKA gegeben.«

Rocco horchte auf. Er war gespannt, wo das hinführen würde. »Und, was ist dabei rausgekommen?«

»Na ja, zuerst sind unsere Jungs überhaupt nicht weitergekommen, aber dann war es Nina, unser Neuzugang, die alles nachvollziehen konnte.«

»Das heißt, ihr konntet bestätigen, dass von Palmes Computer Kontakt zu Profikillern im Darknet bestand?«

»Na ja, wir konnten bestätigen, dass es von einem Computer Kontakt zu einer Seite gab, die vorgibt, solche, sagen wir mal Dienstleistungen, anzubieten. Ob dahinter wirklich Killer oder Abzocker oder Spinner stecken, können wir noch nicht sagen.«

»Und jetzt?«, fragte Rocco.

»Jetzt werden wir das Ganze weiterverfolgen und schauen, ob es sich dabei um Palmes Rechner handelt. Da er nicht irgendwer ist und eine Anklage ohne Frage seine Karriere für immer vernichten wird, müssen wir absolut sicher sein. Wir haben erst mal einen Antrag auf Überwachung seines Handys und seiner Rechner gestellt. Ich rechne damit, dass wir den Beschluss heute oder morgen in den Händen halten. Und dann werden wir Daten sammeln und Puzzlestücke zusammenfügen.«

Sosehr Rocco sich freute, dass die Staatsanwaltschaft die Sache nicht nur ernst nahm, sondern den Ermittlungsapparat mit vollen Touren zum Laufen brachte, so sehr war ihm auch klar, dass das Ganze nicht von heute auf morgen zu einer Anklage führen würde. Die Mühlen der Justiz mahlten gründlich. Und langsam. Ihnen würde also nichts weiter übrig bleiben, als ihre eigenen Ermittlungen parallel fortzuführen.

Aber was soll's, dachte er. *Neben Jarmer und Tobi haben wir jetzt zwei weitere Mitglieder im Team Krampe. Claudia. Und die Berliner Staatsanwaltschaften.*

66. KAPITEL

Berlin-Charlottenburg, Fasanenstraße 72,
Kanzlei Eberhardt:
Freitag, 2. Oktober, 9.12 Uhr

»Guten Morgen, Herr Krampe. Wie geht es Ihnen?«, fragte Rocco, der seinen Mandanten regelmäßig an jedem zweiten Tag anrief, seit sie ihn bei Holland untergebracht hatten.

»Besser, danke«, hörte er Krampe am anderen Ende der Leitung. Rocco hatte den Eindruck, dass er sich tatsächlich fröhlicher und weniger ausgelaugt und leer anhörte.

»Ausgezeichnet. Hören Sie«, fuhr er fort, denn er hatte eine ganz bestimmte Sache im Sinn. »Ich möchte Ihnen gerne noch ein paar Fragen stellen. Zu der Zeit, als Sie damals mit dem Jugendamt zu tun hatten. Ich meine, als Sie zu Ihrem Pflegevater gekommen sind. Wäre das in Ordnung?«

Rocco hörte, wie Krampe am anderen Ende der Leitung die Luft ausstieß. Etwa zehn Sekunden herrschte Schweigen, dann antwortete sein Mandant: »Ja. Okay. Können wir machen. Worum geht es denn genau?«

»Wir haben einige Hinweise, dass Markus Palme, unser Innensenator und der Spitzenkandidat der SPD, damals auch mit der Angelegenheit zu tun hatte. Wir wissen, dass er, bevor er in die Politik ging und die Karriereleiter hinaufstieg, für das Jugendamt gearbeitet hat. Und neulich hat er bei *zibb*, dem Stadtmagazin vom Rundfunk Berlin-Brandenburg, erzählt, dass er in die Sache mit dem Granther-Experiment involviert war. Ich hätte gerne gewusst, ob Sie sich da an irgendetwas erinnern können.«

Krampe antwortete zunächst nicht, sodass Rocco sich zum

zweiten Mal innerhalb kurzer Zeit fragte, ob die Leitung wohl unterbrochen worden war. Doch dann entgegnete Krampe: »Irgendwie ja. Ich kann das aber nicht einordnen.«

»Und was genau können Sie nicht einordnen?«

»Seine Stimme kommt mir bekannt vor. Die Art, wie er spricht. Ich hatte ihn neulich auch im Frühstücksfernsehen gesehen. Mit dieser hübschen dunkelhaarigen Moderatorin. Da hat er auch so was gesagt. Irgendwas ganz Typisches.«

»Wissen Sie noch, was das war?«, hakte Rocco nach.

»Lassen Sie mich mal nachdenken. Ja ... ich glaube, ich weiß es wieder. Er hat so etwas gesagt wie, dass es manchmal wichtig sei, schwierige Entscheidungen zu treffen, oder so. Und dass es dann aber am Ende das Beste sein würde.«

67. KAPITEL

Berlin-Grunewald, Knausstraße 3:
Sonntag, 4. Oktober, 8.27 Uhr

Markus Palme schnitt sein Brötchen auf und bestrich erst beide Seiten mit gesalzener Butter und dann mit reichlich Kirschmarmelade. Genüsslich biss er in die eine Hälfte und kaute den Bissen langsam herunter, ehe er sich wieder dem Artikel in der *Tagespost* widmete. Dem zweiten aus der Serie um das Granther-Experiment. Nach dem ausführlichen und ohne Frage sehr emotionalen Interview mit Timo Krampe in der Vorwoche widmete sich dieser Artikel aus der Feder von Anja Liebig zunächst dem Werdegang von Helmut Granther. Mitte der Sechziger- bis Mitte der Siebzigerjahre war Granther in leitender Funktion am Pädagogischen Zentrum Berlin beschäftigt, einer nachgeordneten Dienststelle der Senatsbildungsverwaltung. Später lehrte er als Professor für Sozialpädagogik an der Universität Hannover. Darüber hinaus trat er auch regelmäßig als Gutachter in Erscheinung und genoss in Fachkreisen hohes Ansehen.

Ja, das tat er, dachte Palme. *Deshalb habe ich ja auch nicht erkannt, dass Granthers Treiben durch und durch verabscheuungswürdig war und vermutlich mehr Menschen in den Abgrund gestürzt hat als die meisten anderen Initiativen des Landes.*

Palme atmete tief durch und zwang sich, Ruhe zu bewahren, was ihm außerordentlich gut gelang. Nach einem weiteren Bissen in sein Brötchen und einem großen Schluck Kaffee las er weiter.

In den folgenden Absätzen erläuterte Liebig erst im Allgemeinen, wie die Jugendämter in Schöneberg und Kreuzberg über Jahrzehnte Kinder und Jugendliche aufgrund der Empfehlung von Granther in die Hände von pädophilen Männern schickten, um dann an den konkreten Beispielen von Timo Krampe und Jörg Grünwald deren Einzelschicksale nachzuzeichnen. Der Artikel endete an dem Punkt, als Krampe und Grünwald sich erfolglos an die Jugendämter und später an die Staatsanwaltschaft gewandt hatten und mit ihrem Vorhaben, einfach nur Aufklärung und Gerechtigkeit zu erlangen, gescheitert waren. Darüber hinaus gab es einen Hinweis auf die Fortsetzung in der nächsten Woche, in der sich Liebig ausführlich mit der Aufarbeitung innerhalb der Jugendämter und der Unterstützung der Opfer auseinandersetzen wollte.

Palme schob sich den letzten Bissen seines Brötchens in den Mund und spülte ihn mit einem Schluck Kaffee herunter. Dann faltete er die Zeitung zusammen und schob sie von sich.

Die Verantwortlichen und handelnden Personen also. Palme hatte in den vergangenen Wochen, zuletzt durch seinen offensiven Auftritt im Fernsehen, bereits die Grundlage dafür gelegt, dass seine Beteiligung nicht in ein falsches Licht gerückt werden sollte. Allerdings gab es da noch einiges, was seine tatsächliche Verantwortung belegen konnte. Zahlreiche Aktenvermerke, Verfügungen und Notizen, die er in den damaligen Verfahren immer wieder zurückhalten konnte oder nur auszugsweise zur Verfügung gestellt hatte, konnten noch in den Archiven liegen. Palme wusste aus einem früheren Fall, als er einen Vorgang benötigte, dass die fristgerechte Vernichtung von Papierakten in Berlin nur ausnahmsweise funktionierte. Und das könnte ein Problem für ihn darstellen. Die Akten würden zeigen, dass er nicht nur Unterstützer, sondern in vielen Fällen sogar Wegbereiter von Granthers Wirken gewesen war. Diese Akten durften auf keinen Fall in die Hände von Anja Liebig geraten. Palme hatte sich bereits am Freitag informiert, wo diese Akten archiviert waren. Und in diesem Zusammenhang hatte er gleichfalls erfahren, dass es bereits einen Antrag auf Einsicht in ebendiese Akten gab. *Nun, den Antrag mochte es ja geben,* dachte Palme, und ein Lächeln zeichnete sich auf seinem Gesicht ab. *Ob er allerdings auch den gewünschten Erfolg bringen würde, sollte sich noch zeigen.*

Er griff zu seinem Telefon und wählte die Nummer eines Kollegen, der ihm noch einen Gefallen schuldete.

»Herr Palme, welchem Umstand verdanke ich die Ehre Ihres Anrufs?«, nahm Erwin Huber das Gespräch an.

»Ganz einfach, lieber Huber. Ich möchte Sie bitten, bei uns in den Archiven mal ein bisschen auszuforsten. Ich meine, da stehen noch ein paar Akten rum, die nicht mehr gebraucht werden.«

Huber lachte laut. »Auszuforsten. So also nennt man das heute.«

Palme stimmte in das Lachen ein, obwohl es ihm eigentlich zuwider war. Aber er hatte keine Lust, sich lange mit Huber auseinanderzusetzen. Der Mann sollte einfach machen, was von ihm verlangt wurde.

»Ja, so nennt man das«, erwiderte er scheinbar heiter. »Und weil ich weiß, dass Sie mir gerne einmal helfen wollen, sende ich Ihnen gleich die Liste mit den Vorgängen zu, an die ich dabei dachte. Wenn mich nicht alles täuscht, hätten die sowieso längst vernichtet sein müssen. Wir forsten hier also ganz legal.«

»Zu Befehl«, erwiderte Huber scherzhaft und lachte laut. Nachdem sie sich verabschiedet hatten, blickte Palme angewidert auf sein Telefon. Jetzt schuldete er Huber einen Gefallen.

68. KAPITEL

Berlin-Moabit, Turmstraße 91, Kriminalgericht:
Montag, 5. Oktober, 9.13 Uhr

»Und, was würden Sie tun?«, fragte Jörg Körthen, Leitender Oberstaatsanwalt der Abteilung Kapitalverbrechen, Claudia Spatzierer. »Wie würden Sie hier entscheiden?«

Er ging um ihren Schreibtisch, sodass er hinter ihr stand. Claudia fühlte sich dabei nicht sonderlich wohl. Sie drehte sich in ihrem Stuhl um, was die Situation nur unwesentlich verbesserte. Denn jetzt musste sie nach oben zu ihrem Chef aufschauen. Kein gutes Gefühl. Sie erhob sich, um Auge in Auge mit Körthen zu sprechen. *Schon besser,* dachte sie.

»Ich«, sagte sie dann, »würde ihn anklagen. Wegen Anstiftung zum Mord.«

»Ihnen ist aber schon bewusst, dass das auf einen reinen Indizienprozess hinausläuft?«, fragte er kritisch nach.

»Natürlich. Wir haben hier zwei Punkte, die es zu beachten gilt«, gab sie zurück. »Zum einen müssen wir davon ausgehen, dass Palme einen Hitman, einen Auftragsmörder, engagiert hat, der noch unbekannt geblieben ist. Zum anderen haben wir keinen Zeugen, der die Tat beobachtet hat.«

»Sehe ich auch so«, stimmte Körthen zu. »Also steht die Anklage auf wackeligen Füßen, oder?«

»Ja und nein. Wenn wir uns lediglich die einzelnen Beweiszeichen anschauen, ergibt sich daraus kein schlüssiges Bild. Nehmen wir aber eine Gesamtwürdigung vor, fügen sich die einzelnen Puzzleteile zu einem kompletten Bild zusammen.«

Körthen schien noch nicht wirklich überzeugt. Offensichtlich wägte er die einzelnen Informationen, die ihnen zur Verfügung standen, gegeneinander ab.

»Und wenn Sie falschliegen, welche Konsequenzen hätte das dann?«, fragte er.

»Ich würde mal sagen, dann wäre Palmes Karriere erledigt. Vermutlich könnte er sich nie vollständig rehabilitieren. Irgendetwas bleibt immer hängen. Ob zu Recht oder nicht, spielt dabei keine Rolle.«

»Stimmt. Irgendwas bleibt immer hängen«, entgegnete Körthen. »Aber was wäre die Folge, wenn Sie recht haben und wir nicht anklagen. Ich meine, wenn wir einstellen und die Sache nicht weiterverfolgen?«

»Dann würden vermutlich drei Sachen eintreten. Wir würden einen Beamten, der vor langer Zeit vermutlich an einem großen Unrecht beteiligt war, davonkommen lassen«, begann Claudia.

»Geschenkt«, erwiderte Körthen. »Längst verjährt und daher nicht mehr justiziabel.«

Claudia dachte kurz nach, ob sie widersprechen sollte, denn Palmes Verwicklung in das Granther-Experiment hatte derart schwerwiegende Folgen für die involvierten Kinder gehabt. Sie entschied sich dann aber dagegen. Formaljuristisch hatte ihr Chef einfach recht.

»Okay, lassen wir das außen vor. Dann würden wir als Nächstes einen Mörder davonkommen lassen. Und«, fügte sie hinzu, »möglicherweise würden wir einem zweiten Mord, nämlich einem künftigen Anschlag auf Krampe, nicht zuvorkommen.«

»Sehe ich auch so. Und drittens?«, fragte Körthen weiter. »Was würde drittens geschehen.«

»Vermutlich würde Palme der nächste Bürgermeister von Berlin.«

»Zutreffend. Ich stimme Ihnen zu. Bis auf den ersten Punkt,

denn der ist irrelevant. Und er sollte auch Ihre Gefühle nicht leiten. Straffrei ist straffrei, aus welchem Grund auch immer.«

»Und was machen wir jetzt?«

»Weiterrecherchieren«, erwiderte Körthen. »Die bisherigen Beweise sind mir zu lückenhaft, ist alles etwas dünn. Das Gefüge hält vor Gericht nicht stand.« Er ging um den Schreibtisch in Richtung der Bürotür. »Seit gestern überwachen wir Palmes Handy, und die Cyberjungs und -mädels durchforsten seine Computer. Bringen Sie mir noch einen Beweis, etwas Stichhaltiges, was die Anklage untermauert und auch vor Gericht von der Verteidigung nicht zerrissen werden kann. Etwas, das selbst der beste Strafverteidiger nicht wegargumentieren kann.« Er öffnete mit dem Rücken zu Claudia gewandt die Tür. Doch ehe er auf den Gang ging, drehte er sich noch einmal zu ihr um. »Und dann, verehrte Kollegin, dann klagen wir an.«

69. KAPITEL

Berlin-Charlottenburg, Fasanenstraße 72,
Kanzlei Eberhardt:
Montag, 5. Oktober, 13.19 Uhr

Sosehr Rocco es hasste, wie langsam alles voranging, so sehr freute er sich, dass Tobi Erfolg beim Jugendamt hatte. Nicht nur, dass die aktuelle Chefin auf ihrer Seite, oder vielmehr auf der Seite der Kinder, stand. Wenn alles gut ging, würden sie demnächst auch genug Unterlagen in den Händen halten, aus denen hervorging, inwieweit Palme damals nun wirklich die Verantwortung für die Vorgänge innegehabt hatte. Außerdem war er neugierig, wie die Ermittlungen der Staatsanwaltschaft vorangingen. Spätestens morgen wollte er sich wieder bei Claudia melden. Er machte sich eine entsprechende Notiz in seinem Kalender, als sein Telefon klingelte. Rocco erkannte die Nummer auf den ersten Blick, es war Kamil Gazal. Tatsächlich hatte er längst mit dem erneuten Anruf des Clanchefs gerechnet. Er hatte dessen Mitarbeiter vor dem Gefängnis bewahrt und mit an Sicherheit grenzender Wahrscheinlichkeit ein Desaster verhindert. Aber nachdem Rocco ihm nicht die gewünschten Auskünfte zu den Vorgängen in seiner Kanzlei gegeben hatte, war es um den Clanchef außergewöhnlich ruhig geworden.

»Herr Rechtsanwalt«, begrüßte Gazal ihn mit der ihm eigenen, ruhigen und tiefen Stimme. »Ich möchte Ihnen danken, dass Sie sich um die Betreuung meines Mitarbeiters gekümmert haben.«

Heute begann er also auf dieser Schiene, dachte Rocco. »Das war mein Job«, erwiderte er nüchtern. »Nicht mehr und nicht weniger.« Rocco hatte kein Interesse daran, eine persönliche Beziehung zu Berlins berüchtigtstem Gangsterboss aufzubauen.

»Nun, das mag sein«, erwiderte Gazal, ohne sich im Geringsten von Roccos Tonfall irritieren zu lassen. »Dennoch war es keine Selbstverständlichkeit.«

»Und ich sagte Ihnen bereits, es war vor allem eine Angelegenheit zwischen Herrn Mazin und mir«, fiel Rocco ihm ins Wort.

»Natürlich war es das. Und ich möchte Sie auch nicht weiter behelligen oder Ihnen Ihre Zeit stehlen. Ich möchte Ihnen lediglich sagen, dass ich Ihnen einen Gefallen schuldig bin. Sollten Sie also einmal meine Hilfe benötigen, scheuen Sie sich nicht, mich darum zu bitten.«

»Vielen Dank für dieses überaus großzügige Angebot«, gab Rocco jetzt mit einem nicht zu überhörenden zynischen Unterton zurück, denn es war ihm wichtig, ein für alle Mal klarzustellen, dass er auf derlei Versprechen keinen Wert legte. »Aber ich verzichte.«

»Nun, wie Sie meinen«, gab Gazal zurück, ehe er ihr Gespräch mit den Worten beendete: »Wir werden ja sehen!«

70. KAPITEL

Berlin-Reinickendorf, Landesarchiv Berlin,
Eichborndamm 115:
Mittwoch, 7. Oktober, 10.51 Uhr

Monika Braunert war persönlich daran interessiert, Tobias Baumann bei der Recherche zu unterstützen. Die Aufklärung dieses Unrechts und allem voran die Frage, welche Rolle ihr eigenes Amt dabei gespielt hatte, hatte für sie zwischenzeitlich oberste Priorität erlangt. In den vergangenen Tagen hatte sie mit zahlreichen Kolleginnen und Kollegen über das Granther-Experiment gesprochen. Zu ihrem großen Entsetzen musste sie sogar feststellen, dass einige von den Pflegevätern, die das Amt damals ausgewählt hatte, wegen Sexualstraftaten vorbestraft waren. Wenn sie also irgendetwas tun konnte, um für Aufklärung zu sorgen, damit sich so etwas nie wiederholte, würde sie nicht zögern, alles in ihrer Macht Stehende zu unternehmen.

Sie blickte auf die Uhr. Um Punkt elf hatte sie einen Termin für sich und Tobias Baumann bei der Leiterin des Landesarchivs, Helene Guddat, vereinbart.

»Guten Morgen Frau Braunert. Na, alles klar?«, hörte sie prompt eine bekannte Stimme hinter sich. Als sie sich umdrehte, blickte sie in das fröhlich strahlende Gesicht von Tobias Baumann.

»Hallo, schön, dass Sie da sind. Dann lassen Sie uns doch gleich hinauf zu Frau Guddat gehen.«

Baumann nickte, und gemeinsam machten sie sich auf den Weg zum Büro der Behördenleiterin.

Guddats Assistentin leitete sie direkt in einen Besprechungsraum, an dessen Wänden mit Fachbüchern gefüllte Regale bis unter die Decke reichten.

Im nächsten Moment öffnete sich eine Seitentür des Raums, und eine große, in einen eleganten grauen Hosenanzug gekleidete Frau betrat den Raum. Sie mochte knapp sechzig Jahre alt sein, hatte dunkle, zu einem Dutt zusammengesteckte Haare und trug eine zu ihrem Outfit passende Brille.

»Hallo zusammen«, begrüßte sie die beiden mit fester und souveräner Stimme. »Danke, dass Sie sich persönlich hierherbemüht haben, um die Akten einzusehen. Wir hätten Ihnen diese natürlich auch zukommen lassen können.«

»Guten Tag, Frau Guddat. Sehr gerne! Und danke, dass Sie uns direkt empfangen. Wir hatten gedacht, so geht es etwas schneller. Und außerdem«, ergänzte Braunert, »war ich selbst noch nie bei Ihnen. Beeindruckendes Gebäude mit einem sicherlich noch beeindruckenderen Fundus an Unterlagen.«

Guddat musste herzlich lachen, ehe sie mit einem verschwörerischen Blick antwortete: »Sie ahnen ja gar nicht, wie recht Sie mit Ihrer Annahme haben. Als Chefin des Landesarchivs genieße ich gewisse Privilegien und habe schon so manchen Abend damit verbracht, in längst vergessenen Akten zu stöbern. Erstaunlich, was man da alles findet.«

»Das klingt wirklich sehr interessant«, schaltete sich jetzt auch Baumann in das Gespräch ein. »Und vielleicht gewähren Sie uns zu einem anderen Termin auch einmal eine private Führung in das Herz Ihres Fundus.«

»Das, lieber Herr Baumann, ist hiermit versprochen«, erwiderte sie und wies auf den Tisch. »Bitte nehmen Sie doch Platz, mein Mitarbeiter wird gleich mit den Akten hier sein. Er hat sie gestern Abend noch alle rausgesucht.«

Nachdem sich alle drei an den Tisch gesetzt hatten, klopfte es an die Tür, und ein mittelalter Mann betrat den Raum. Guddat erhob sich und ging auf ihn zu. Sie besprachen sich kurz, und Monika Braunert meinte so etwas wie Überraschung auf dem Gesicht der Behördenleiterin zu sehen. Sie wechselte noch einige Worte mit ihrem Kollegen und kam dann wieder an den Tisch zurück.

Mit hochgezogenen Augenbrauen und einem Ton des Bedauerns und der Verzweiflung sagte sie: »Ich muss mich entschuldigen. Aber mein Kollege hat mir gerade mitgeteilt, dass der Wagen mit den Granther-Akten verschwunden ist. Das heißt, der Wagen ist zwar noch da, aber die Akten sind allesamt weg.«

71. KAPITEL

Berlin-Charlottenburg, Fasanenstraße 72,
Kanzlei Eberhardt:
Mittwoch, 7. Oktober, 12.51 Uhr

»Die Akten sind weg?«, fragte Rocco ungläubig und schlug krachend mit der flachen Hand auf die Schreibtischplatte vor sich. »Die Akten, aus denen sich alle Einzelheiten der Verantwortlichkeiten ergeben hätten?«

»Alle weg«, erwiderte Tobi.

»Damit bleiben nur noch die Infos, die Claudia von ihrer Kollegin hat. Und natürlich die Spuren, die ins Darknet führen«, fügte Rocco hinzu.

Was uns wieder zurück zur Ausgangssituation bringt«, meinte Rocco. »Wir haben nichts in der Hand außer eines müden Verdachts, zwielichtig erlangten Spuren eines möglichen Attentats und einigen Informationen aus dritter Hand. Oder mit anderen Worten: Keinen einzigen verwertbaren Hinweis.«

»Nicht ganz, eine Sache wäre da noch«, sagte Tobi.

Rocco schaute ihn zweifelnd an. »Und was soll das sein?«

»An dem Tag, als Grünwald nach seinem Kneipenbesuch in der *Dicken Oma* verschwunden ist, hatte Markus Palme keine zehn Laufminuten entfernt eine Wahlkampfveranstaltung. Ein politischer Stammtisch sozusagen. Wenn wir also unserer Frage nach dem Motiv treu bleiben und rauszufinden versuchen, wer davon profitiert, dass die Einzelheiten aller damaligen Geschehnisse nicht ans Tageslicht kommen, ist Palme nach wie vor unser heißester Kandidat.«

»Ich weiß«, erwiderte Rocco leicht genervt. »Aber was hilft uns das? Wenn die Darknet-Infos zutreffend sind, hat er sich ohnehin eines Killers bemächtigt. Es wäre also egal, ob er zufällig in der Nähe war. Außerdem hat er in der Öffentlichkeit bereits die Flucht nach vorne angetreten und eingeräumt, damals auch in dem Umfeld gearbeitet zu haben. Allerdings stellt er sich selbst momentan nur als Randfigur, als opponierenden Mitarbeiter dar. Ohne Belege, aus denen hervorgeht, dass er eine viel größere und umfassendere Verantwortung trug, können wir seinen Vorstoß deshalb nur schwer infrage stellen. Wenn wir es allerdings beweisen können, würde ihm das vermutlich massiv schaden. Denn dann wäre er nicht nur ein widerwilliger Befehlsempfänger, sondern tatsächlich maßgeblich für die Umsetzung des Experimentes verantwortlich. Und wir hätten wieder ein Motiv. Denn dann hätte er allen Grund, sämtliche Spuren, die seiner Karriere im Weg stehen, zu beseitigen. Akten. Und Zeugen.«

»Dann lass uns doch in seinem Umfeld recherchieren. Ich klemme mich mal an seine Mitarbeiter und schaue, ob ich da was rausfinde«, ergänzte Tobi.

»Gut, mach das. Ich werde mich noch mal mit Claudia treffen und sehen, was die Ermittlungen in dem Tötungsdelikt Grünwald und Palmes Aktivitäten im Darknet ergeben haben.«

72. KAPITEL

Berlin-Charlottenburg, Bootshaus Stella am Lietzensee:
Mittwoch, 7. Oktober, 19.23 Uhr

Der Blick von der Terrasse des kleinen Selbstbedienungs-Restaurants war einer der schönsten von ganz Berlin. Zumindest sah Rocco das so. Die bis ans Ufer ragenden Bäume spiegelten sich im Wasser, und im Hintergrund des vom Sonnenuntergang in Rosa und Lila getönten Firmaments ragte der Funkturm in den Berliner Abendhimmel. Trotz des sich mit großen Schritten nähernden Herbstes war das Wetter mit neunzehn Grad für diese Jahres- und Tageszeit noch ausgesprochen mild. Rocco hatte für sich und für Claudia, mit der er um halb acht verabredet war, jeweils ein Wein-Tonic bestellt. Das kalte und erfrischende Getränk war nach seiner Ansicht die beste Alternative zu dem sonst in allen Berliner Cafés dominierenden Aperol-Spritz.

Keine drei Minuten später kam Claudia, und mit einem Mal spürte Rocco, wie er sich besser fühlte, fröhlicher und auch ein bisschen aufgeregt. Es war unglaublich, dachte er, welche Wirkung manche Menschen entfalten und wie sich das unmittelbar auf sein Wohlbefinden auswirkte. Oder lag es nicht an Claudia alleine, sondern an ihrer gemeinsamen Energie? Bevor er den Gedanken zu Ende denken konnte, war er auch schon aufgestanden und hatte sie zur Begrüßung in den Arm genommen. *Sie riecht so verdammt gut,* dachte er, und auf seinen Lippen breitete sich ein Lächeln aus.

»Schön, dich zu sehen«, brachte er nur hervor, und Claudia drückte ihn daraufhin noch etwas fester an sich.

»Dich auch, Rocco, dich auch«, sagte sie und setzte sich. »Cooler Tisch, gefällt mir. Mit Blick über den See. Nicht schlecht.« Sie nickte ihm aufmunternd zu, griff sich das Glas vor sich, inspizierte es kurz, prostete ihm zu und trank dann einen großen Schluck. »Lecker«, strahlte sie. »Was ist das?«

»Rate mal«, erwiderte Rocco und schaute Claudia vergnügt an.

»Hmm«, erwiderte sie und ließ sich auf das Spiel ein. »Auf jeden Fall Tonic, oder?«

Rocco nickte.

»Und dann ... aber nicht Sekt oder Prosecco?«

Rocco schüttelte bestätigend den Kopf.

»Schwer. Aber Alkohol ist schon drin?«

Wieder nickte Rocco.

Claudia hielt das Glas jetzt auf Höhe ihrer Augen und musterte es genau. »Nach Gin schmeckt es nicht und nach Wodka auch nicht. Also sage ich: Dann muss es Weißwein sein. Die Lösung ist Weißwein und Tonic.«

Rocco applaudierte leise und hob dann sein Glas. »Gut gerätselt, Sherlock«, sagte er und lächelte sie mit einem schwer zu deutenden Blick an.

In den nächsten zehn Minuten plauderten sie über alle möglichen Sachen, die ihnen durch den Kopf gingen. *Das fühlte sich gut an. Vertraut. Wie früher,* dachte er und genoss den Moment.

Dann aber, nach einem Blick auf ihre Uhr, war es Claudia, die das Thema auf die Arbeit lenkte. »Also«, begann sie, »wie sieht es bei euch aus?«

Rocco stellte sein Glas vor sich ab und verschaffte ihr einen Überblick über die letzten Geschehnisse. Wie alle Spuren bisher ins Leere gelaufen waren. Er teilte auch seine Einschätzung, dass die Wahlkampfveranstaltung von Palme nicht konkret genug für eine Verbindung zu Grünwalds letztem Abend war. Zumal sie ohnehin davon ausgingen, dass Palme einen Killer beauftragt hatte. Die Nähe zur *Dicken Oma* konnte kein Beweis für irgendetwas sein.

In diesem Moment blickte Claudia, die zuvor aufmerksam, aber weitestgehend regungslos zugehört hatte, das erste Mal auf. »Dass Palme an dem Abend nicht weit von der *Dicken Oma* entfernt einen Auftritt hatte, haben wir auch herausgefunden. Allerdings gibt das nichts weiter her. Er war dort ohne Unterbrechung von sieben Uhr abends bis kurz nach Mitternacht. Damit kommt er nach unserer Einschätzung nicht wirklich für eine Tat an diesem Abend infrage. Was die Spur zum Darknet und dem Auftragsmörder als einzig denkbare Variante lässt. Und wozu auch passt, dass Grünwald nach unseren Recherchen die Kneipe um kurz nach zehn verlassen hat. Palme selbst ist im Anschluss an die Veranstaltung von seinem Fahrer direkt nach Hause gebracht worden.«

Diese neue Information überraschte Rocco nicht wirklich, aber er würde Tobi später noch kurz davon berichten, damit dieser nicht unnötig weitere Zeit in dieser Richtung verschwendete.

Anschließend berichtete Rocco von Tobis Termin beim Landesarchiv und den über Nacht auf mysteriöse Art und Weise verschwundenen Akten.

»Wie bitte?«, entfuhr es Claudia jetzt. »Da sind von einem Moment auf den anderen Akten verschwunden? Noch dazu solche, die für Palme und das Jugendamt vermutlich eine große Bedeutung haben?«

Rocco nickte. »Harter Tobak, oder?«

»Das kann doch nicht sein. Wer um alles in der Welt kann denn einfach so Akten verschwinden lassen?«, fuhr sie fort.

Jetzt war es Rocco, der Claudia mit hochgezogenen Augenbrauen ansah. »Das ist doch jetzt nicht dein Ernst, oder?«, fragte er und bemühte sich darum, dass sein Ton zwar skeptisch, aber nicht zu kritisch klang. »Jedes Jahr gehen in Deutschland etliche Kilo Drogen aus den Asservatenkammern verloren. Und nicht nur das. Erinnerst du dich an Frankfurt, wo letztes Jahr Hunderte von Waffen verschwunden sind? Da sind ein paar Papierakten aus einem für alle Mitarbeiter zugänglichen Aktenschrank wohl die geringere Herausforderung, oder?«

Claudia verzog das Gesicht, musste Rocco dann aber recht geben. »Stimmt. Ich habe die Frage falsch gestellt. Wer hätte einen Vorteil davon, dass die Akten verschwinden, und wer hätte die Möglichkeit dazu? Und die Antwort kennen wir beide.«

Rocco nickte. »Und was habt ihr ermitteln können?«

»Wir treten noch ein bisschen auf der Stelle. Körthen ist unentschieden, wie viel wir wirklich brauchen, um anzuklagen. Ich gehe allerdings davon aus, dass wir das hinkriegen. Unsere IT-Profis sind immer noch dabei, die Daten aus Palmes MacBook auszulesen, und wenn wir die Darknet-Spuren finden, dann haben wir ihn.«

»Das sind eine Menge Indizien«, stimmte Rocco zu. »Aber reicht das für eine Verurteilung? Wie sieht es mit Zeugen aus, hat sich da was ergeben?«

»Nichts weiter. Die Spuren verlaufen alle im Sand. Sowohl in der Sache Grünwald als auch bei dem Vorfall an der Bushaltestelle mit Krampe haben wir nach wie vor keine Zeugen auftreiben können, die etwas Konkretes gesehen haben. Bei Grünwald wissen wir, dass er das letzte Mal mit Begleitung in der Kneipe war. Daran konnte sich die Kellnerin erinnern. Und dass es ein Mann war. Aber wie der aussah, dazu konnte sie nichts sagen. Wäre ja auch zu schön, wenn sie zufällig ein Foto von unserem Darknet-Killer geschossen hätte.« Sie trank einen weiteren Schluck von dem Wein-Tonic, ehe sie ihren Bericht beendete. »Auch bei Krampe hat niemand gesehen, ob und wer ihn vor den Bus gestoßen hat. Und um ehrlich zu sein, bin ich mir auch nicht sicher, ob wir da noch viel mehr herausbekommen. Das Einzige, was wir machen könnten, wäre, Krampe in sein altes Leben zurückzuschicken und dann über einen längeren Zeitraum beobachten zu lassen. Um rauszufinden, ob es jemanden gibt, der ihm nach dem Leben trachtet.«

»Krampe als Lockvogel?!«, unterbrach sie Rocco. »Niemals!«

Claudia hob abwehrend beide Hände zur Beschwichtigung. »Natürlich kommt das nicht wirklich infrage. Mal abgesehen davon, dass Krampe da vermutlich niemals mitspielen würde. Das Risiko können wir gar nicht eingehen. Es war nur eine theoretische Möglichkeit. Und wie du weißt, müssen wir in so einem Fall alles in Betracht ziehen.«

»Okay, dann warten wir ab, was die Auswertung der Computer ergibt, und sehen dann weiter, in Ordnung?«, fragte Rocco.

»Ja, das, und dann checken wir weiter alle Infos, die wir haben, um irgendwelche Akten von damals aufzutreiben, und sehen, dass wir weitere Hinweise in der Sache Grünwald finden. Körthen hat eine Sitzung anberaumt, um eine Entscheidung zu treffen, ob wir nun anklagen oder nicht. Das müssen wir auch machen, denn bislang ist die ganze Ermittlung und der Umfang nur einem sehr kleinen Kreis bekannt. So wie es aussieht, weiß Palme selbst das auch noch nicht. Aber wir beide wissen, dass das nicht mehr lange gut gehen kann.«

Rocco nickte und blickte Claudia in die Augen. *Genug der Arbeit für heute,* dachte er. Der Abend war zu schön, um ihn nicht auch einfach zu genießen. Offensichtlich dachte Claudia das auch. Sie bestellten noch zwei weitere Wein-Tonic und saßen sich eine Weile schweigend gegenüber. Dann fasste Rocco sich ein Herz und griff über den Tisch nach Claudias Hand. Für einen Moment war ihm, als zuckte sie zurück. Dann aber sah sie ihm in die Augen. Er meinte, in ihrem Blick eine Mischung aus Neugier, Furcht und Vertrautheit zu erkennen. Und war da nicht auch ein kleines bisschen Sehnsucht? Rocco schoss der Gedanke durch den Kopf, dass jetzt der perfekte Moment wäre, Claudia zu küssen. An ihrer Reaktion würde er sofort sehen, ob sie auch noch Gefühle für ihn hegte. Er war sich beinahe sicher, dass auch Claudia wieder mit ihm zusammen sein wollte. Doch irgendwie traute er sich nicht und ließ ihre Hand los.

73. KAPITEL

Berlin-Wilmersdorf, Tübinger Straße:
Mittwoch, 7. Oktober, 23.12 Uhr

Die Gedanken rasten in Roccos Kopf umher. Obwohl er mit Claudia den Moment verpasst hatte, erlebten sie trotzdem eine tolle Zeit und saßen noch lange zusammen. Der Gesprächsstoff ging ihnen nicht für eine Sekunde aus, und sie lachten viel über alte und neue Zeiten. Für Rocco hätte der Abend endlos weitergehen können, doch irgendwann meinte Claudia, dass sie ihrem Sohn Nick zugesagt hatte, gegen elf wieder zu Hause zu sein. Damit war der Punkt geklärt, und sie hatten sich verabschiedet.

Jetzt lag Rocco auf der Couch und schaute durch die Terrassenfenster in den Himmel, so als würde er dort Antworten auf die Fragen finden, die ihm durch den Kopf gingen.

Sollte er sich auf eine Beziehung mit Claudia einlassen?
Stand das überhaupt zur Debatte, und wollte sie das?
Wie würde er ihrem Sohn begegnen? Schließlich hatte er gar keine Erfahrung mit Kindern.
Was würden Tobi und seine Schwester Alessia zu der Sache sagen?

Rocco spürte eine tiefe Unsicherheit in sich. Dann, so wie er es immer gemacht hatte, schob er all diese Fragen beiseite und fiel in einen unruhigen Schlaf.

74. KAPITEL

Berlin-Charlottenburg, Westend, Lindenallee 20:
Sonntag, 11. Oktober, 10.43 Uhr

Nach einem ausführlichen Frühstück mit seiner Familie griff sich Justus Jarmer die aktuelle Ausgabe der *Tagespost* und breitete sie vor sich auf dem Esstisch aus. Er blätterte direkt zu dem dritten Artikel von Anja Liebig, der unter der Überschrift »Fehlende Verantwortung« wieder eine ganze Doppelseite einnahm. Neben diversen Beispielen aus den vergangenen Jahren, in denen sich die Behörden nicht eben von ihrer besten Seite gezeigt hatten, als es darum ging, die Anfragen der missbrauchten Kinder auf Akteneinsicht und Entschädigung zu unterstützen, zeigte sich allerdings auch eine neue Tendenz unter progressiven Beamtinnen und Beamten. Allen voran hatte sich Monika Braunert, die Leiterin des Schöneberger Jugendamtes, dafür eingesetzt, nicht nur lückenlos zur Aufklärung beizutragen, sondern auch dafür, dass die Opfer großzügig und unbürokratisch entschädigt werden sollten.

Jarmer las den Artikel aufmerksam durch und stellte zu seiner Genugtuung fest, dass er nicht nur außerordentlich gut recherchierte und mit Quellenangaben versehene Informationen wiedergab, sondern sich auch in keinerlei Spekulationen und Schuldzuweisungen verirrte. Tenor war ganz eindeutig, dass damals ein Unrecht geschehen war, das sich nicht wiederholen durfte. Dafür war die lückenlose Aufklärung von Geschehnissen ebenso nötig wie die Implementierung entsprechender Prozesse. An allererster Stelle stand nach Ansicht der Redakteurin die Wiedergutmachung im Rahmen des Möglichen an den Opfern.

Nachdem Jarmer die Zeitung wieder in den Korb mit den übrigen Zeitschriften gelegt hatte, ging er in den großen Garten des Hauses. Dort, zwischen den alten, hohen Bäumen, konnte er am besten nachdenken. Und dann kam ihm ein Gedanke, den er, wenn er ehrlich zu sich war, schon eine ganze Zeit in sich trug. Und der möglicherweise helfen konnte, weiteres Licht in das Dunkel dieses ungewöhnlichen Falles zu bringen. Dieses Mal allerdings von einer ganz anderen Seite.

75. KAPITEL

Berlin-Charlottenburg, Kurfürstendamm
Ecke Fasanenstraße:
Montag, 12. Oktober, 8.43 Uhr

»Guter Mann, das muss man ihm lassen«, hörte Rocco ungläubig die Stimme des Moderators seines Lieblingsmusiksenders aus den Boxen seines Autos schallen. »Und jetzt kommt der neueste Hit der Jungs von Billy Talent. Live und loud, direkt aus Kanada.«

Rocco drehte die Lautstärke an seinem Radio etwas herunter und dachte darüber nach, was er gehört hatte. Markus Palme war an diesem Morgen wieder Gast im Morgenmagazin des ZDF und hatte in einem emotionalen Appell dafür geworben, dass alle Geschädigten aus dem Granther-Experiment als Wiedergutmachung eine nennenswerte Einmalzahlung und eine lebenslange Rente erhalten sollten. Er wies zwar ausdrücklich darauf hin, dass eine entsprechende Leistung nicht von seinem Ressort verantwortet werden könne, er aber mit der Kollegin der Senatsverwaltung für Bildung, Jugend und Familie bereits im Gespräch sei. Er versprach außerdem, dass er auch als Bürgermeister alles für eine unkomplizierte Regelung tun werde, sollte er im nächsten Monat dieses verantwortungsvolle Amt antreten dürfen.

Als die Kommentatoren Palme dann noch für sein, wie sie es ausdrückten, mutiges und beherztes Vorgehen feierten, überkam Rocco eine spontane Übelkeit. Er war letztlich zu der Überzeugung gelangt, dass es Palme war, der maßgeblich für das Leid und Unglück so vieler verantwortlich zeichnete. Das einzige Puzzlestück, das ihnen hierzu fehlte, waren die verdammten und bislang verschwundenen Akten. Und jetzt sollte Palme so einfach davonkommen und sich am Ende auch noch dafür feiern lassen. Roccos Gesichtszüge verzogen sich angewidert, und er spürte, wie die Wut in ihm wuchs. Wie konnte es sein, dass es immer wieder bestimmten Menschen gelang, sich aus der Verantwortung zu stehlen?

Er schlug mit der flachen Hand auf sein Lenkrad und stieß einen lauten Fluch aus, als sein Telefon klingelte. Sein iPhone war mit seinem Auto verbunden, sodass er den Namen des Anrufers in großen Lettern auf seinem Display sah. Es war Kamil Gazal. Rocco verspürte eindeutig keine große Lust, mit dem Clanchef zu sprechen, und war versucht, den Anruf einfach abzulehnen. Weil er aber sicher war, dass Gazal so lange keine Ruhe geben würde, bis er ihn erreicht haben würde, nahm er das Gespräch per Klick auf die Taste auf seinem Lenkrad an.

»Herr Rechtsanwalt!«, begann Gazal, und Rocco hatte den Eindruck, dass seine Stimme heute noch öliger klang als sonst. Das ließ nichts Gutes erwarten, dachte er und fragte sich, warum er ihn wohl anrief. Es gab immer einen Grund, aber nicht immer einen guten.

»Wie mir zu Ohren gekommen ist«, fuhr Gazal fort, »ermitteln Sie in einem Fall, in den auch der mögliche nächste Bürgermeister von Berlin involviert sein soll.«

Diese Informationen waren seit der Veröffentlichung des ersten *Tagespost*-Artikels von Anja Liebig vor gut zwei Wochen allgemein bekannt. Rocco war als Krampes Anwalt vorgestellt worden, also wunderte er sich nicht, dass Gazal darüber Bescheid wusste. Was er sich allerdings fragte, war, worauf der Gangsterboss hinauswollte.

»Und ich habe auch gehört, dass Ihr Freund Baumann erst kürzlich daran gescheitert ist, gewisse Akten einzusehen, die für Ihren Fall hilfreich sein könnten.«

Diese Information war allerdings nicht öffentlich, sodass Rocco nur schwer der Frage widerstehen konnte, woher Gazal das denn auf einmal wusste. Da ihm aber klar war, dass Gazal das entweder von alleine oder gar nicht preisgeben würde, verkniff er es sich.

»Ich kann Ihnen auch versichern, dass Ihre Annahmen, die Akten würden ein völlig neues Licht auf den Fall werfen, durchaus zutreffend sind«, fuhr Gazal fort, wobei seine Stimme zunehmend gönnerhaft und hochmütig zu klingen begann.

»Da ich Ihnen, wie ich ja bereits gesagt hatte, einen Gefallen schuldig bin, erhalten Sie im Laufe des Tages ein Paket.« Gazal machte eine kleine Pause, ganz offensichtlich, um die Wirkung seiner Worte auszukosten. »Ich bin mir sicher, dass Sie nach einer Überprüfung der Echtheit der Unterlagen einiges damit anfangen können.«

»Aber …«, begann Rocco, dem mit einem Mal eine enorme Menge weiterer Fragen durch den Kopf schoss, »… aber woher und wie …«

Doch noch bevor er seinen Satz beenden konnte, unterbrach ihn Gazal mit den Worten: »Damit, lieber Herr Rechtsanwalt, ist meine Schuld beglichen und wir sind quitt.« Dann legte er auf.

76. KAPITEL

Berlin-Charlottenburg, Fasanenstraße 72,
Kanzlei Eberhardt:
Dienstag, 13. Oktober, 0.52 Uhr

Gazal hatte Wort gehalten. Am späten Nachmittag hatte ein Stadtbote eine Pappkiste, wie man sie bei Umzügen verwendete, mit nicht weniger als zwölf Vorgängen in der Kanzlei abgeliefert.

Rocco hatte die ersten beiden Akten kurz überflogen, und ihm war sofort klar, dass sie umfängliche Informationen enthielten, die Palmes wahre Verwicklung um die Geschehnisse der Vergangenheit enthielten. Schwarz auf weiß konnte er dort in Vermerken, Notizen und Anweisungen lesen, wie tief der Politiker tatsächlich in das Granther-Experiment verstrickt gewesen war.

Rocco brach die Lektüre allerdings alsbald ab, um Tobi und Jarmer anzurufen. Gemeinsam würden sie das Material schneller und gründlicher sichten können. Die beiden hatten spontan zugesagt, und sie hatten sich für achtzehn Uhr in seiner Kanzlei verabredet.

Bis spät in die Nacht waren sie alle Vorgänge durchgegangen, und als sie gegen ein Uhr morgens die letzte Akte gesichtet hatten, war ihnen eins klar: Wenn diese Informationen an die Öffentlichkeit gelangten, wäre Markus Palme ein für alle Mal erledigt.

»Dann rufe ich jetzt Claudia an, okay?«, fragte Rocco und sah Tobi und Jarmer an. Beide nickten.

Tobi gähnte ausgiebig. »Mach das und dann lass uns für heute Schluss machen. Ich bin hundemüde.«

Rocco stimmte in das Gähnen ein. Das Adrenalin der vergangenen Stunden war langsam aus seinem Körper gewichen, und Erschöpfung machte sich breit.

Claudia nahm seinen Anruf erst nach dem neunten Klingeln an, als Rocco schon befürchtete, er würde nur ihre Mailbox erreichen.

»Rocco«, hörte er ihre verschlafen klingende Stimme am anderen Ende der Leitung. »Warum um alles in der Welt rufst du denn um diese Zeit an?«

»Wir haben den fehlenden Beweis. Jetzt könnt ihr anklagen. Palme ist erledigt.«

In den folgenden Minuten fasste er knapp zusammen, was sie in den vergangenen Stunden in den Akten gefunden hatten.

»Au Mann, das ist ja unglaublich«, sagte Claudia. »Das wird Palmes Bild als Saubermann komplett infrage stellen. Kannst du mir die Akten morgen bringen?«

»Na klar, mache ich. Ich bin gegen 9.30 Uhr bei dir, in Ordnung?«

»Warum erst so spät?«

»Ich habe vorher noch einen anderen Termin«, erwiderte Rocco. »Den kann ich leider nicht verschieben. Aber auf eine Stunde mehr oder weniger kommt es ja vermutlich nicht an.«

»Hast du auch wieder recht«, gähnte Claudia. »Dann bis morgen. Gute Nacht und liebe Grüße an die anderen beiden.«

Nachdem sie das Gespräch beendet hatten, schaute Tobias, der alles mitgehört hatte, Rocco fragend an. »Einen Termin, den du nicht verschieben kannst? Was soll das denn sein?«

Anstatt zu antworten, griff Rocco wieder zu seinem Telefon und wählte eine weitere Nummer. Dieses Mal wurde das Gespräch bereits nach dem dritten Klingelton angenommen. »Hallo, Frau Liebig, ich bin's, Rocco Eberhardt. Wir müssen uns dringend morgen früh sehen.«

77. KAPITEL

Berlin-Kreuzberg, Askanischer Platz 3,
Verlagsgebäude der Tagespost:
Dienstag, 13. Oktober, 7.43 Uhr

Wie sie es noch nachts vereinbart hatten, waren Rocco und Tobias gleich am Morgen in die Zentrale der *Tagespost* gefahren.

Nun saßen sie zusammen mit Anja Liebig und Chefredakteur Torsten Seewald um den großen Besprechungstisch im Konferenzraum und sortierten die Akten. Woher Rocco sie hatte, behielt er für sich, und trotz anfänglicher Proteste von Seewald und seiner Zusicherung, er könne Quellenschutz garantieren, änderte Rocco seine Meinung nicht. Unter Roccos Verweis auf das Mandatsgeheimnis, was ihn nun einmal zur Vertraulichkeit verpflichtete, gab Seewald schließlich auf.

Nachdem Tobi ihre vierseitige Zusammenfassung vom Vortag verteilt hatte, in der die Namen der Kinder standen, zudem die Blätter, auf denen in den Akten entscheidende Informationen zu Palmes Verstrickung der jeweiligen Vorfälle zu finden waren, ging ihnen die Einordnung der einzelnen Fälle schnell von der Hand. Als Erstes griff Liebig nach einer etwa fünf Zentimeter dicken Akte mit beigem Umschlag. Auf dem weißen Kleber, der längs des Aktenrückens klebte, war in großen Lettern neben der Vorgangsnummer der Name des Kindes zu lesen, dessen menschliches Schicksal dort in Beamtendeutsch zusammengefasst war: Timo Krampe.

Gespannt und neugierig blätterte sie eine Seite nach der anderen durch. Nach etwa zehn Minuten, in denen sie sich immer wieder Notizen machte, legte sie die Akte vor sich ab.

»Das ist politischer Sprengstoff«, fasste Torsten Seewald, der ebenfalls zwei Akten studiert hatte, den Inhalt dessen, was sie auf dem Tisch vor sich hatten, zusammen. »Bevor wir allerdings etwas davon auch nur in Auszügen veröffentlichen können, müssen wir unsere Hausaufgaben machen«, fuhr er fort. »Als Erstes brauche ich einen Beleg, dass die Akten echt und nicht gefälscht sind. Dann brauchen wir die Zustimmung der ehemaligen Kinder, ob und welche Informationen wir im Zusammenhang mit ihrem Namen veröffentlichen können. Und schließlich werden wir Palme eine Viertelstunde vor Veröffentlichung des nächsten Artikels der Reihe eine Abschrift unseres Textes zukommen lassen, damit er sich auf das Echo vorbereiten kann.« Seewald blickte in die Runde. »Mehr Zeit werden wir ihm allerdings nicht geben, da ich auf keinen Fall riskieren werde, dass er uns mit einem Gerichtsurteil im Eilverfahren noch vor Veröffentlichung der kommenden Sonntagsausgabe dazwischenfunken kann.«

»Ich kümmere mich um die Zustimmung von Krampe«, sagte Anja Liebig. »Und was die Quelle betrifft, können wir doch sicher Sie angeben, nicht wahr, Herr Eberhardt?«, wandte sie sich an Rocco.

»Auf jeden Fall«, erwiderte der. »Allerdings kann und werde ich aufgrund des Anwaltsgeheimnisses keine weiteren Angaben machen, woher ich die Akten habe. Und«, fügte er nach einem Blick auf die Uhr hinzu, »ich kann Ihnen jetzt auch nur noch zwanzig Minuten geben, die Akten mit den Farbkopien, die wir für Sie angefertigt haben, zu vergleichen. Ich habe allerdings eine anwaltliche Bestätigung verfasst, dass der Inhalt der Kopien vollständig ist, so wie wir sie erhalten haben und von uns in keiner Weise verändert wurde. Für eine notarielle Beurkundung hatten wir leider keine Zeit.«

Seewald schaute Rocco ungläubig an, ganz so, als konnte er nicht glauben, dass der ihm die Akten wieder wegnehmen wollte.

»Das geht nicht, das können Sie nicht machen. Wir brauchen auf jeden Fall die Originale«, protestierte er.

Rocco, der mit einer entsprechenden Reaktion gerechnet hatte, erwiderte ruhig: »Das steht nicht zur Diskussion. Die Originale werden wir gleich der Staatsanwaltschaft übergeben. Ohne Frage wird dort eine Prüfung auf Echtheit durchgeführt werden, und ich sorge dafür, dass Sie die entsprechende Bestätigung erhalten. Mehr ist nicht drin. Nehmen Sie es so, wie es ist, oder lassen Sie es sein.«

»Das können wir nicht machen, Herr Eberhardt«, stimmte Liebig ihrem Chef zu. Auf ihrem Gesicht bildeten sich rote Flecken, und sie hatte ihre Stirn in tiefe Falten gezogen.

»Doch, das können wir und das werden wir. Ich bitte Sie zu bedenken, dass uns die aktuelle Situation keine andere Wahl lässt. Ich habe vollstes Verständnis für Ihr Bedürfnis, die Originale behalten zu wollen, aber in diesem Fall muss die Presse hinter die Sicherheit meines Mandanten, Timo Krampe, zurücktreten.« Er zeigte jetzt mit seinem Finger auf die Uhr. »In genau achtzehn Minuten werden wir gehen. Mit den Akten.«

Seewald blickte von Liebig zu Rocco und nickte. »Nun gut, es ist, was es ist. Ich denke, das geht klar. Ich werde das noch mit unserem Justiziar besprechen und auf die Bestätigung bezüglich der Echtheit der Akten warten.«

An Liebig gewandt, sagte er: »Sie wissen, was Sie zu tun haben. Ich weiß, dass ich mich bei Ihnen darauf verlassen kann, dass Sie eine wasserdichte Story abliefern. Wenn wir die Karriere des aktuellen Innensenators und aussichtsreichsten Spitzenkandidaten auf das Amt des nächsten Regierenden Bürgermeisters beenden, müssen wir uns als Zeitung und auch als Personen auf einiges an Reaktionen vorbereiten. Ich bin bereit dafür. Und ich weiß, dass wir das tun müssen. Das ist unsere Aufgabe als Journalisten. Aber ich bestehe darauf, dass wir erst dann veröffentlichen, wenn wir uns zu einhundert Prozent sicher sind, dass wir jede einzelne Silbe belegen können.«

Mit diesen Worten stand Seewald auf, nickte Liebig ermunternd zu, bedankte sich bei Rocco und Tobias und war im nächsten Moment aus dem Konferenzraum verschwunden.

78. KAPITEL

Berlin-Moabit, Staatsanwaltschaft,
Abteilung Kapitalverbrechen:
Dienstag, 13. Oktober, 9.32 Uhr

Mit einer demonstrativen Geste stellte Rocco die Kiste voller Akten auf Claudias Schreibtisch ab. Dann reichte er ihr die vierseitige Zusammenfassung, die Jarmer, Tobi und er in der Nacht erstellt hatten.

»Damit dürftest du genug Material in den Händen haben, um Palmes tatsächliches Engagement zu dokumentieren. Aus den Unterlagen geht eindeutig hervor, dass er dem Granther-Experiment gegenüber keineswegs abgeneigt war. Ganz im Gegenteil hat er sich über zahlreiche Warnungen aus seiner eigenen Behörde hinweggesetzt und sich bei der Vermittlung der Kinder an pädophile Pflegeväter regelrecht durchgesetzt.«

Claudia schüttelte den Kopf. »Unglaublich, genau das hatte ich befürchtet. Und beinahe wäre er auch damit durchgekommen. Wie konnte er nur davon ausgehen, dass er das Ganze unter den Teppich würde kehren können?«

»Das weiß ich nicht. Keine Ahnung«, entgegnete Rocco. »Vermutlich werden wir das nie erfahren. Es sei denn, er sagt umfassend dazu aus. Aber das liegt jetzt wohl in euren Händen.«

»Gut«, sagte Claudia. »Ich werde das alles durchgehen. Außerdem haben wir seit gestern Mittag auch noch die Auswertungen von seinem Rechner. Eure Infos zu Palmes Darknet-Aktivitäten haben sich bewahrheitet. Es ist unserer Cybercrime-Abteilung gelungen, die entsprechenden Daten von seinem Rechner zu ziehen.«

»Und was werdet ihr jetzt tun?«

»Wir ermitteln ja schon seit einiger Zeit. Und glaub mir, es war nicht so einfach, das zu bewerkstelligen, ohne dass es gleich weite Kreise gezogen hat. Als Nächstes werden wir Palme nach Paragraf 163a Strafprozessordnung vernehmen. Und dann, so hatte ich das mit meinem Chef besprochen, werden wir anklagen. Es sei denn, dass sich nicht noch irgendeine überraschende Wendung ergibt.«

Rocco nickte. Ihm war klar, dass Palmes Schicksal damit besiegelt, zumindest seine politische Karriere beendet sein dürfte. Und je nachdem, wie sich die Sache juristisch weiter entwickelte, wahrscheinlich auch noch deutlich mehr.

»Und ihr?«, fragte sie.

»Ich werde das noch mit Krampe klären, aber ich denke, dass wir uns dem Verfahren als Nebenkläger anschließen werden.«

Rocco hoffte, dass sein Mandant sich darauf einlassen würde, denn das Instrument der Nebenklage ermöglichte es ihnen, unmittelbar Einfluss auf das Verfahren zu nehmen und es nicht nur als Zuschauer auf der Seitenlinie zu verfolgen. Als Nebenklägervertreter hatte Rocco sowohl die Möglichkeit, Krampe aktiv zu schützen als auch in seinem Interesse auf das Verfahren einzuwirken. Das umfasste ähnliche Möglichkeiten, wie sie auch der Staatsanwaltschaft selbst zur Verfügung standen. So konnte er beispielsweise Beweisanträge stellen, Erklärungen abgeben, Zeugen und auch Palme als Angeklagten befragen und schließlich ein Schlussplädoyer abgeben. Außerdem konnte er als Vertreter für Krampe an der Verhandlung teilnehmen, ohne dass Krampe selbst jeden Tag im Gerichtssaal verbringen müsste.

Ein ungewohntes Gefühl für ihn. Dieses Mal würde er nicht die Verteidigung eines Mandanten übernehmen, sondern Seite an Seite mit der Staatsanwaltschaft, mit seiner Jugendliebe, die Interessen der Anklage vertreten. Für Krampe. Und ein bisschen auch für all die Kinder, die ein ähnliches Schicksal hatten erleiden müssen. Vorausgesetzt natürlich, sein Mandant würde dieses kräftezehrende Verfahren, in dem er unweigerlich auch der Öffentlichkeit und damit auch der Presse ausgesetzt sein würde, auf sich nehmen.

79. KAPITEL

Berlin-Moabit, auf der Turmstraße
vor dem Kriminalgericht:
Dienstag, 13. Oktober, 10.17 Uhr

Nachdem Rocco sich von Claudia verabschiedet hatte, checkte er sein Telefon. Es wurden ihm zwei Anrufe in Abwesenheit angezeigt. Einer war von seiner Büroleiterin, Klara Schubert, der zweite war von Jarmer. Nachdem Rocco als Erstes in der Kanzlei angerufen und Klara ihn über die Verlegung eines Gerichtstermins in einer anderen Sache informiert hatte, wählte er die Nummer des Rechtsmediziners.

Jarmer nahm den Anruf sofort entgegen. Rocco brachte ihn kurz auf den neuesten Stand der Dinge, ehe sie darauf zu sprechen kamen, warum Jarmer ihn hatte erreichen wollen. In wenigen Worten teilte der Rechtsmediziner ihm einen Gedanken mit, den er schon seit Längerem mit sich herumtrug, der aber erst heute beim Frühstück richtig Gestalt angenommen hatte. Mit jedem von Jarmers Worten wurde Rocco nachdenklicher. Von allen möglichen Konstellationen, die sich hinter diesem merkwürdigen Fall verbergen mochten und die sie gemeinsam entwickelt hatten, hatte er nicht für einen einzigen Moment an diese Variante gedacht. Rocco wusste nicht, wie er die Überlegung einordnen sollte, und machte sich nur einige Notizen.

Im Anschluss an ihr Gespräch brach er zu Krampe auf. Es war an der Zeit, dass er seinen Mandanten über die aktuellen Geschehnisse in Kenntnis setzte und mit ihm die Möglichkeit der Nebenklage erörterte. Er hatte keine Ahnung, wie Krampe zu der Sache stand. Und er fragte sich, inwiefern Jarmers neue Überlegung dabei eine Rolle spielen würde. Da er Krampe allerdings nicht verwirren wollte, beschloss er, diese für den Moment für sich zu behalten.

80. KAPITEL

Ein Bauernhof in der Nähe von
Michendorf in Brandenburg:
Dienstag, 13. Oktober, 12.27 Uhr

Rocco hatte nur wenig Verkehr auf der Strecke in den Süden Berlins und bog knappe siebzig Minuten später auf den Bauernhof von Carlo Holland ein. Der ehemalige Elitesoldat hatte ganze Arbeit geleistet. Das Hauptgebäude des wenigstens zweihundert Jahre alten Betriebes war an vielen Stellen bereits liebevoll restauriert. Sowohl die alten Balken der Fachwerkkonstruktion als auch die roten Steine machten auf Rocco einen soliden Eindruck. Die Fensterläden waren in dem gleichen Grünton gestrichen wie die schweren, hölzernen Tore der auf der linken Seite gelegenen Scheune. Ein alter Porsche Traktor stand etwas zurückgesetzt vor einem Geräteschuppen, und seinem Zustand nach zu urteilen, könnte er das nächste Restaurierungsprojekt werden.

Rocco stellte den Motor seiner Alfa Giulia ab, als ihm Holland auch schon entgegenkam.

»Hallo, Herr Eberhardt«, begrüßte er Rocco freundlich und mit auffallend festem Händedruck. »Schön, dass wir uns auch mal kennenlernen. Ich habe schon viel von Ihnen gehört.«

»Danke. Gleichfalls, ja, ich freue mich auch«, erwiderte Rocco. »Und vielen Dank noch mal, dass Sie sich um meinen Mandanten kümmern.«

»Wissen Sie was, das mache ich wirklich gerne. Und um ehrlich zu sein, ist das auch weniger ein Kümmern als vielmehr ein klasse Deal für uns beide. Ich habe das Gefühl, dass Timo der Abstand zu der Stadt und diesem ganzen Fall wirklich guttut. Und mir hilft er enorm.« Holland deutete auf den Hof und die Scheune. »Timo ist gelernter Maler und Lackierer. Und er ist wirklich gut darin.«

Rocco blickte sein Gegenüber erstaunt an. Daran hatte er gar nicht gedacht. In seiner Vorstellung war Krampe der schüchterne, unbeholfene und hilfsbedürftige Mann. Was er nun von Holland hörte, wollte damit so gar nicht zusammenpassen.

»Hallo, Herr Eberhardt, da sind Sie ja«, hörte Rocco auf einmal eine kräftige Stimme hinter sich. Er drehte sich um und traute seinen Augen kaum. Vor ihm stand, mit kurzen Haaren, einem Dreitagebart und von der Sonne dunkelbraun gebrannt, Timo Krampe. Rocco zog die Augenbrauen hoch. Das hier war wie die Verwandlung aus einer Hollywood-Schmonzette. Aus dem hässlichen Entlein war ein strahlender Held geworden. Zumindest äußerlich schien es so.

Roccos Erstaunen war offensichtlich auch Krampe nicht entgangen, denn jetzt breitete sich ein schüchternes Lächeln auf dessen Gesicht aus, und für einen Moment erinnerte er Rocco wieder an den Mann aus seiner Kanzlei. »Ich weiß«, sagte Krampe dann, und das schüchterne Lächeln wich wieder einem wachsenden Selbstbewusstsein. »Die Landluft tut mir gut. Und nicht nur das.« Mit Stolz in der Stimme fügte er hinzu: »Und Carlo. Nachdem wir uns ein bisschen kennengelernt und ich dummerweise von meiner Ausbildung erzählt hatte …« Krampe machte eine kurze Pause und blickte mit einem breiten Grinsen zu Holland, »… hat Carlo mich gefragt, ob ich mir vorstellen könnte, ihm mit dem Hof zu helfen. Und wie Sie sehen«, sagte er und zeigte rundum über den Hof, »habe ich mich erst langsam an die Fensterrahmen gewagt. Danach kam die Scheune dazu, und so ging es weiter. Das war wirklich cool. Ich meine, das war das erste Mal in meinem Leben, dass ich mich so gefühlt habe, als wenn mich jemand wirklich ernst nimmt und mir etwas zutraut.« Krampe lachte. »Und Carlo setzt auf Qualität. Da hat es auch bei mir Klick gemacht.«

Rocco, immer noch irritiert von Krampes Verwandlung, kam aus dem Staunen nicht raus.

»Na ja«, griff Holland jetzt in das Gespräch ein. »Ganz so war es nun auch nicht, als ob ich hier derjenige bin, der das alles zu verantworten hat. Um ehrlich zu sein, beruht das schon auf Gegenseitigkeit. Denn Timo hat mir auch den ein oder anderen Kniff gezeigt, wie man richtig mit Farben und Lacken umgeht, und meinen ursprünglichen Renovierungsplan ordentlich überarbeitet.« Rocco meinte, fast so etwas wie Stolz in Hollands Blick zu sehen. »Ein bisschen so wie bei meiner alten Truppe. Jeder hat was anderes beizutragen, und zusammen kann es dann richtig gut werden.«

Beeindruckt blickte Rocco von einem zum anderen. Dann erinnerte er sich erst langsam wieder daran, warum er eigentlich gekommen war.

»Na, das hört sich ja alles wirklich viel besser an, als ich mir je hätte vorstellen können. Und wissen Sie was, ich habe auch gute Nachrichten. Zumindest glaube ich, dass Ihnen das gefallen wird.« Rocco blickte erst Holland und dann Krampe an. »Können wir irgendwo in Ruhe miteinander sprechen?«

»Na klar«, sagte Krampe. »Kommen Sie mit auf die Terrasse hinter dem Haus. Ich mache uns noch einen Kaffee und bin gleich bei Ihnen.«

Nachdem Krampe verschwunden war, sah Rocco Holland ungläubig an.

»Ich weiß«, sagte der nur. »So als hätte die ganze Zeit ein anderer Mensch unter der Oberfläche nur darauf gewartet, dass wir ihn befreien.« Nachdenklich fügte er hinzu: »Und irgendwie glaube ich, dass er sich selbst befreit hat. Ich habe ihm vielleicht die Hand gereicht, aber mehr ganz sicher nicht. Jetzt hoffe ich nur, dass er nicht rückfällig wird.«

Rocco nickte und folgte Holland dann an der linken Seite des Hauses vorbei zu der großen, mit alten flachen Steinen gepflasterten Terrasse. Der Blick von hier war atemberaubend schön. Über eine riesige, von Bäumen gesäumte Rasenfläche, auf der wild die buntesten Blumen wuchsen, konnte man in der Ferne bis zu einem kleinen See blicken.

»Schön, oder?«, sagte Krampe, der gerade wieder neben Rocco aufgetaucht war. »Nehmen Sie doch schon mal Platz. Ich hole jetzt den Kaffee raus.«

Rocco setzte sich an den großen Holztisch und atmete tief ein. Er hatte für einen Moment das Gefühl, als wäre er im Urlaub. Die frische Luft, die Ruhe und die Natur waren wie ein unerwartetes Geschenk. Roccos Gedanken wurden erst unterbrochen, als Krampe mit dampfenden Kaffees aus dem Haus zurückkam. Er stellte die Becher ab und setzte sich.

Für einen Moment saßen die beiden Männer schweigend nebeneinander, ehe Rocco das Wort ergriff. »Ich weiß nicht, ob Sie seit dem Interview mit Anja Liebig viel über Ihren Fall nachgedacht haben, aber so wie es aussieht, haben wir ein bisschen Licht ins Dunkel bringen können. Zumindest, was die Verantwortlichkeiten betraf. Wir haben einige Unterlagen erhalten, aus denen hervorgeht …« Rocco brach mitten im Satz ab, denn er merkte, wie Krampes ganzer Habitus sich von einer Sekunde auf die andere änderte. Seine Schultern kippten nach vorne, und er begann, unsicher an seinen Händen zu nesteln.

»Alles okay?«, fragte Rocco, dem schlagartig klar wurde, dass er Krampe wieder zurück in eine Welt zog, die dieser gerade hinter sich gelassen hatte. Er fragte sich, ob das hier gut gehen würde.

Und dann war es Holland, der die Situation auflöste.

»Hey Timo, hör dir doch erst mal an, was dein Anwalt zu sagen hat.«

Krampe blickte auf und nickte. »Entschuldigen Sie«, meinte er dann an Rocco gewandt. »Stimmt schon, das muss wohl sein. War einfach nur schön, mal nicht über früher nachzudenken.«

»Das verstehe ich«, sagte Rocco und versuchte, seine Worte so vorsichtig wie möglich zu wählen. Er wollte Krampe nicht unter Druck setzen, hatte zudem das Gefühl, dass dieser seine Vergangenheit momentan nicht bewältigte, sondern nur mit einigem Erfolg verdrängte. Und auch wenn er kein Psychologe war, wusste Rocco genau, dass das auf Dauer keine Lösung sein konnte.

»Also«, begann er, »ich kann mir sehr gut vorstellen, dass sich das für den Moment viel besser anfühlt, nicht an früher zu denken. Ich möchte Sie aber bitten, darüber nachzudenken, ob es nicht am Ende doch besser wäre, das alles nicht nur zu verdrängen, sondern wirklich zum Abschluss zu bringen. Sie haben all die Jahre dafür gekämpft, gemeinsam mit Ihrem Freund Jörg, für Gerechtigkeit zu sorgen. Aufzuklären, was wirklich passiert ist. Diejenigen, die Ihnen und all den anderen Kindern so viel Unrecht angetan haben, zur Verantwortung zu ziehen.« Rocco machte eine Pause und blickte Krampe an. Der hörte ganz genau zu und nickte bei Roccos Ausführungen.

»Und jetzt sieht es tatsächlich so aus, als wenn Sie, als wenn wir gemeinsam, die Möglichkeit haben, genau das umzusetzen.«

Rocco machte eine kurze Pause und trank einen Schluck Wasser.

»Markus Palme, der damalige Leiter einer Abteilung im Jugendamt, hatte sich seinerzeit dafür eingesetzt, dass Sie und auch Jörg Grünwald zu Ihrem Pflegevater gekommen sind. Und die Staatsanwaltschaft hat Akten, die das belegen können.«

»Markus Palme?«, fragte Krampe nachdenklich und schloss die Augen. Er schwieg für einen Moment, und es kam Rocco so vor, als würde er in die Vergangenheit reisen.

»Ja, Markus Palme«, nahm Rocco den Faden wieder auf. Und dann teilte er Krampe und Holland alles mit, was in den vergangenen Tagen ans Licht gekommen war. Über die Akten, die er erhalten hatte, über die Informationen aus dem Darknet bis zu dem Punkt, an dem die Staatsanwaltschaft zu dem Entschluss gekommen war, Palme wegen Mordes an Jörg Grünwald anzuklagen. Als er am Ende angelangt war, sah er seinen Mandanten an. Krampe blickte auf den Boden und schüttelte den Kopf.

»Und was bedeutet das genau für mich?«, fragte er dann unsicher.

»Das bedeutet, dass Sie gemeinsam mit mir oder ich an Ihrer Stelle im Gerichtssaal dafür sorgen können, dass endlich der Gerechtigkeit Genüge getan wird. Für Sie und für all die anderen Kinder, denen Unrecht widerfahren ist. Und«, Rocco blickte ihm direkt in die Augen, »für all die Kinder, denen dieses Schicksal in Zukunft erspart bleiben kann.«

Krampe schien unsicher. Fragend sah er zu Holland hinüber. Der nickte ihm aufmunternd zu.

»Kann ich mir das noch überlegen?«, fragte er. »Ich meine das mit der Nebenklage. Dass ich auch in den Gerichtssaal muss?«

»Das können Sie. Und auch wenn Sie als Nebenkläger antreten, müssen Sie nicht an der Verhandlung selbst teilnehmen. Ich kann das für Sie erledigen, und wir stimmen uns ganz eng ab. Nur wenn man Sie als Zeugen lädt, wovon auszugehen ist, werden Sie auch anwesend sein müssen. Aber das können wir in aller Ruhe besprechen. Ob Sie das aber überhaupt wollen, ich meine, als Nebenkläger auftreten, ist am Ende ganz alleine Ihre Entscheidung. Sie sind dazu nicht verpflichtet, allerdings glaube ich, dass das eine gute Sache wäre. Und dass das gut wäre für die Sache an sich. Und dass das auch extrem wichtig wäre für Sie persönlich.«

81. KAPITEL

Berlin-Wannsee, Autobahn BAB 115 (Avus):
Dienstag, 13. Oktober, 13.45 Uhr

Als Rocco sich eine gute Stunde später wieder auf dem Rückweg befand, dachte er über das Gespräch mit Krampe und Holland nach. Sie hatten vereinbart, dass Krampe sich bis morgen früh Zeit lassen sollte. Er wollte alles noch einmal mit Holland besprechen und sich dann bei Rocco melden. Rocco hatte keine Ahnung, wie sein Mandant sich entscheiden würde. Er hatte das Gefühl, dass dieser hin- und hergerissen war. Er hatte vollkommen unterschätzt, wie schwer es für Krampe sein musste, sich auf diese Weise den Geistern der Vergangenheit zu stellen. All die Jahre hatte er dafür gekämpft. Doch jetzt wurde es ernst. Erst die Artikel von Anja Liebig in der *Tagespost,* jetzt ein Gerichtsverfahren. Beides im Licht der Öffentlichkeit. Beides unter Dauerbeschuss durch die sozialen Medien. Auf Hollands Hof konnte er sich dem weitestgehend entziehen. Im Gerichtssaal wäre das nicht mehr möglich.

Außerdem gab es da noch einen weiteren Punkt, den Rocco schwer zu fassen bekam. Den kaum sichtbaren Schatten einer zerrissenen Seele. Einer Persönlichkeit, die nie tiefe Wurzeln hatte schlagen können. Seit dem letzten Gespräch mit Jarmer ließ ihn der Gedanke nicht los, dass da noch etwas war, mit dem Krampe nicht herausrücken wollte. Er hatte das Gefühl, dass ihm irgendetwas auf der Seele lag. Etwas, was sich auf dem Schlachtfeld seines Inneren zugetragen und ihn in manchen Momenten in einen lichtlosen Tunnel gedrängt hatte. Und was auch immer das war, hoffte Rocco, würde ihn nicht davon abhalten, das Richtige zu tun. Aber das lag jetzt nicht mehr in seiner Hand.

82. KAPITEL

Berlin-Kreuzberg, *Zur Dicken Oma*,
Schlesische Straße 16:
Dienstag, 13. Oktober, 15.13 Uhr

»Wa ham noch jeschlossen«, blaffte die wenigstens siebzigjährige, resolute Frau in breitem Berliner Dialekt, als Baumann den dunklen Wirtsraum betrat. Die alten und abgewetzten Teppiche auf dem Boden hatten schon bessere Zeiten gesehen, und die gelbliche Farbe an den Wänden konnte vor einigen Jahrzehnten auch mal weiß gewesen sein. In der Luft hing ein schaler Geruch von Bier. Kurzum, das Etablissement entsprach allen Stereotypen, denen eine alte Berliner Kneipe eben entsprechen musste. Inklusive der Herzlichkeit der Wirtin, dachte Tobi und musste schmunzeln.

»Na, das gibt's ja gar nicht«, erwiderte er schnoddrig, allerdings mit dem für ihn so typischen breiten Lächeln. Und wie fast immer verfehlte seine Herzlichkeit auch dieses Mal nicht ihre Wirkung. Die Wirtin blickte ihn etwas wohlwollender an, war aber immer noch skeptisch. »Toiletten sind auch nur für unsere Jäste«, äußerte sie sich zu dem vermuteten Grund seines Besuchs.

»So soll es auch sein«, nahm ihr Tobias weiter den Wind aus den Segeln. »Tatsächlich komme ich aber wegen einer ganz anderen Sache. Ich habe nämlich eine Frage und die Hoffnung, dass Sie mir vielleicht weiterhelfen können.« Er blickte die Wirtin an und versuchte abzuschätzen, inwiefern sie willens war, sich auf eine Unterhaltung mit ihm einzulassen. Sicherheitshalber fügte er hinzu: »Damit würden Sie mir persönlich echt einen großen Gefallen tun.«

Mit dem letzten Satz schien er die Wirtin überzeugt zu haben, denn jetzt winkte sie ihn zu sich an den Tresen. »Na, dann komm ma her und lass hören, wat du hast!«, sagte sie, und ihre Stimme klang jetzt etwas versöhnlicher.

Großartig, dachte Tobi. Harte Schale, weicher Kern.

»Danke«, erwiderte er und setzte sich auf einen der Barhocker direkt am Tresen. Er zog ein Foto aus seiner Tasche und legte es vor sich auf die blank polierte Holzplatte. »Ich will ganz offen sein. Ich bin Privatdetektiv, und so wie es aussieht, steckt einer meiner Klienten in ziemlichen Schwierigkeiten. Deshalb würde ich mich freuen, wenn ich Ihnen einige Fragen stellen kann. Wenn Sie etwas dazu wissen und es mit mir teilen wollen, dann freue ich mich. Und wenn nicht, dann ist es auch gut. Wäre das okay für Sie?«

Die Wirtin blickte erst ihn und dann das Foto an. »Nach dem da ham mich aber schon 'ne ganze Menge andere jefragt«, ließ sie ihn mit skeptischer Miene wissen.

»Ich weiß«, erwiderte Baumann. »Das ist Jörg Grünwald. Leider haben wir zwischenzeitlich die Gewissheit, dass er gestorben ist. Und wir wissen auch, dass er an seinem vermutlich letzten Abend hier noch ein Bier getrunken hat. Was ich aber eigentlich wissen wollte, ist, ob Sie einen dieser Männer hier kennen«, fuhr er fort und zückte zwei weitere Bilder, die er neben das erste auf den Tresen legte.

»Moment mal«, erwiderte die Wirtin. »Ich muss meine Brille holen.« Sie verschwand für einen kurzen Moment, nur um kurz danach wieder mit einer dicken, grünen Hornbrille aufzutauchen, die einen perfekten Kontrast zu ihren orangerot gefärbten Haaren bildete. Sie griff sich die Fotos und musterte sie ganz genau. Dann legte sie sie wieder ab und schüttelte den Kopf. »Nee, die hab ick hier noch nie jesehen.«

»Wirklich?«, fragte Tobias enttäuscht, da er gehofft hatte, einen Treffer zu landen. »Sind Sie sicher?«

Missbilligend blickte die Frau ihn an. »Sonst hätte ick dit ja wohl nich' jesagt, oder?«, erwiderte sie mit leicht vorwurfsvollem Unterton.

»Schon gut, schon gut. Sorry. Ist nur so, dass es echt wichtig für mich ist.« Er griff in die Tasche, zog einen Kugelschreiber raus und schrieb seinen Namen und seine Telefonnummer auf die Rückseite eines der Fotos. »Ich lass Ihnen die Bilder und meine Nummer einfach mal da. Könnten Sie mir einen Gefallen tun und Ihre Kollegen fragen, ob bei denen da was klingelt?«

»Klar, kann ick machen«, erwiderte sie, griff sich die Fotos und legte sie hinter sich auf der Ablage ab. »Und jetzt, junger Mann, tun Se mir 'nen Jefallen und lassen mich ma hier weiter allet vorbereiten, sonst komm ick hier ja zu janüscht mehr.«

83. KAPITEL

Berlin-Charlottenburg, Fasanenstraße 72,
Kanzlei Eberhardt:
Mittwoch, 14. Oktober, 9.32 Uhr

Als sein Telefon klingelte, erkannte Rocco schon an der Nummer, wer ihn anrief.

»Hallo, Herr Eberhardt, ich bin es, Timo Krampe. Geht es gerade bei Ihnen?«

Krampe hörte sich deutlich selbstbewusster an als noch am Vortag. Rocco vermutete, dass sein Mandant mit Situationen besser umgehen konnte, wenn er die Zeit hatte, in Ruhe über alle Aspekte nachzudenken.

»Guten Morgen«, antwortete er, gespannt, wie Krampe sich entschieden hatte. »Ja, sehr gut, danke der Nachfrage. Um ehrlich zu sein, habe ich schon auf Ihren Anruf gewartet.«

»Gut. Ich habe gestern noch lange mit Carlo, also Herrn Holland, über alles gesprochen. Und ich habe da noch ein paar Fragen, weil mir nicht alles ganz klar ist.«

»Okay«, erwiderte Rocco. »Dann schießen Sie mal los.«

»Also, wenn ich Nebenkläger werde, dann sind Sie doch weiter mein Anwalt, oder?«

»Absolut, es sei denn, Sie möchten sich gern durch jemand anderen vertreten lassen.«

»Nein, nein, auf keinen Fall. Und wenn Sie mich vertreten, wer kommt dann für die Kosten auf? Ich meine, womit bezahle ich Sie?«

Rocco war diese Frage nicht unbekannt. Er wusste, dass viele potenzielle Mandanten sich aus Furcht vor hohen Kosten gar nicht erst an Anwälte wandten. Dass diese immer sehr teuer waren, war ein weitverbreiteter Irrtum. Denn es gab eine Reihe von Instrumenten, wie zum Beispiel die Prozesskostenhilfe, die rechtsuchenden Bürgern Unterstützung boten.

»Wir haben einige Möglichkeiten«, erklärte Rocco daher die verschiedenen Optionen. »Wenn Sie sich für die Nebenklage entscheiden, stelle ich für Sie einen Antrag, mich Ihnen als Verteidiger beizuordnen. Wenn dem Antrag stattgegeben wird, kommt der Staat für meine Gebühren auf.«

»Und wenn das nicht der Fall ist?«

»Dann«, antwortete Rocco, der sich das vorher schon überlegt hatte, »würde ich pro bono für Sie arbeiten, also auf meine Gebühren verzichten.«

»Warum würden Sie das für mich tun?«, fragte Krampe mit ungläubigem Ton in der Stimme.

»Weil mir Ihr Fall wichtig ist. Und ich der Meinung bin, dass er umfassend aufgeklärt werden muss. Auf keinen Fall lassen wir das jetzt noch an meinen Kosten scheitern.«

Rocco hörte, wie Krampe am anderen Ende aufatmete.

»Danke«, sagte er. »Das macht die Sache viel leichter für mich.« Er machte eine kurze Pause, und Rocco hörte Papier rascheln.

»Dann hatte ich mir noch eine Frage aufgeschrieben. Sie sagten, dass ich nicht immer anwesend sein muss, ist das richtig?«

»Das stimmt. Und das würden wir ganz genau abstimmen. Nur zu Ihrer Zeugenaussage ist Ihre Anwesenheit erforderlich.«

»Okay, das habe ich verstanden. Die letzte Frage ist eigentlich die wichtigste. Glauben Sie, dass das Verfahren mehr Erfolg hat, wenn ich dabei bin?«

Um das zu beantworten, musste Rocco nicht lange nachdenken. Denn all die Jahre, die er als Strafverteidiger gearbeitet hatte, hatte er gelernt, dass alle abstrakten juristischen Vorschriften und die vielen Gesetze mit ihren schwer verständlichen Formulierungen einen Fakt nicht ersetzen konnten. Im Gerichtssaal trafen am Ende Menschen aufeinander. Und sosehr ein Fall auf dem Papier vor der Verhandlung noch ganz einfach und eindeutig erscheinen mochte, haben schon so häufig die Aussagen der Opfer und Zeugen, die Haltung und der Habitus der Angeklagten, die kleinen subjektiven und oft nicht beabsichtigten und manchmal sogar verräterischen Gesten und Blicke alles auf den Kopf gestellt.

»Ja«, antwortete Rocco deshalb aus voller Überzeugung, »ja, das glaube ich!«

84. KAPITEL

Berlin-Charlottenburg, Bootshaus Stella am Lietzensee:
Mittwoch, 14. Oktober, 20.03 Uhr

Mit einem eiskalten Glas Rosé saß Rocco auf der Terrasse des Bootshaus Stella und blickte über den Lietzensee. Die Sonne war schon untergegangen, und die Dunkelheit senkte sich über die Stadt, was den von roten Scheinwerfern angestrahlten Funkturm nur noch mehr zum Vorschein brachte.

Irgendwie hatte Rocco heute nach einem langen Tag im Büro mit viel zu viel Arbeit keine Lust gehabt, direkt nach Hause zu fahren. Er mochte den Park im Herzen von Charlottenburg sehr gerne. Und das nicht nur wegen seiner besonderen Lage. Keine dreißig Meter von hier, im Café Manstein, hatte Rocco vor noch gar nicht langer Zeit zusammen mit seiner Familie seinen letzten großen Erfolg vor Gericht gefeiert. Das Verfahren gegen Nikolas Nölting, in dem Rocco die Verteidigung übernommen hatte, zog sich über Monate hin, und Rocco hatte sich selbst im Anschluss versprochen, für eine Weile keine derart ausufernden Mandate mehr anzunehmen. Und jetzt, gerade mal einen guten Monat später, standen sie unmittelbar vor der Anklageerhebung gegen Markus Palme. Der Prozess würde vermutlich ebenso viel, wenn nicht sogar noch mehr Presse und Rampenlicht bedeuten. Was soll's, dachte Rocco und blickte auf die fünf Seiten, die er vor sich auf dem kleinen Bistrotisch abgelegt hatte, der Entwurf von Liebigs nächstem Artikel. Für Rocco stand es vollkommen außer Frage, dass der Text am Wochenende die Diskussion in der Hauptstadt, vermutlich sogar im ganzen Land, beherrschen würde. Anja Liebig hatte ihm früher am Tag den Artikel mit der Bitte geschickt, ihn mit einem extra kritischen Blick durchzusehen. Sie wollte wissen, ob sie sich auch an die gebotene Objektivität hielt und emotional nicht über das Ziel hinausgeschossen war.

Mit jeder Zeile, die Rocco las, wuchs sein Respekt vor Liebig. Ihre Befürchtungen waren ganz und gar unberechtigt. In klaren, kurzen und doch fesselnden Sätzen erklärte sie, was damals in den Berliner Jugendämtern geschehen war. Dabei nahm sie kein Blatt vor den Mund, aber sie schilderte es wertfrei, einfach so, wie es war. Über die Motivlage der einzelnen Beteiligten, insbesondere über Palmes Absichten, spekulierte sie mit keiner Silbe. Auch verurteilte sie niemanden, sondern gab dem Leser die Möglichkeit, sich eine eigene Meinung zu bilden. Welche das sein würde, war Rocco klar. Dafür musste er kein Hellseher sein.

85. KAPITEL

Berlin-Mitte, Senatsverwaltung für Inneres und Sport,
Klosterstraße 47:
Samstag, 17. Oktober, 23.07 Uhr

Markus Palme blickte auf die Trümmer seiner politischen Existenz. Die Sonntagsausgabe der *Tagespost* war seit einer Stunde an allen um diese Zeit noch geöffneten Verkaufsstellen verfügbar. Darüber hinaus war die Online-Ausgabe seit einer guten halben Stunde im Netz. Diese Zeit hatte gereicht, um das politische Berlin zu erschüttern. Die sozialen Medien liefen heiß, und ein Kommentar jagte den nächsten. Das Ausmaß der Entrüstung ging dabei weit über die Reaktionen der ersten Artikel hinaus.

Und dafür gab es allen Grund. Auf einer Doppelseite mit zahlreichen Fotos aus Original-Akten, die zur Wahrung der Rechte der Betroffenen an den entscheidenden Stellen geschwärzt waren, zeichnete Liebig ein objektives, aber detailliertes Bild von Markus Palme in seiner Funktion als Abteilungsleiter des Jugendamtes Schöneberg. Anhand von drei Beispielen zeigte sie auf, wie Palme nicht nur zufällige und passive Randfigur bei der Umsetzung von Granthers Ideen war, sondern diesen immer wieder gefördert und unterstützt hatte. Trotz einiger Warnhinweise von anderen Mitarbeiterinnen und Psychologinnen hatte Palme sich dafür eingesetzt, in zwei Fällen sogar entgegen dringenden Empfehlungen, minderjährige Jungen an aktenkundig bekannte Pädophile zu übergeben. Besonders brisant war hier, dass die Pflegeväter wegen Sexualdelikten an Kindern vorbestraft waren.

Und die Akten enthielten noch weiteren Sprengstoff. Palme hatte zahlreiche Beschwerden von Kindern, die im Rahmen von begleitenden Gesprächen gegenüber Mitarbeitern des Jugendamtes zum Teil erschreckend detailliert von ihrem Schicksal berichtet hatten, nicht weiterverfolgt. Vielmehr hatte er diese ignoriert oder als Fantastereien präpubertärer Kinder abgetan, die nur den guten Leumund ihrer Pflegeväter beschmutzen wollten.

Den endgültigen Todesstoß versetzte der Artikel Palme durch eine weitere Begebenheit, die ebenfalls aktenkundig war. Als er einige Zeit nach der Vermittlung des letzten Kindes offensichtlich die Ausmaße seiner katastrophalen Entscheidungen zu realisieren begann, entschied er sich erneut für den falschen Weg. Anstatt alles daranzusetzen, für Wiedergutmachung zu sorgen, hatte er alles darangesetzt, sämtliche Hinweise auf seine Beteiligung einfach verschwinden zu lassen.

Zusammengefasst zeichnete der Artikel das Bild eines opportunistischen Mannes, der weder Verantwortungsbewusstsein noch Moral zu kennen schien. Mit anderen Worten: Palme war erledigt.

Damit aber nicht genug, hatte ihn keine fünf Minuten zuvor der amtierende Regierende Bürgermeister, Michael Schultze, angerufen. Sein langjähriger Wegbegleiter und Parteigenosse legte ihm nahe, gleich am nächsten Morgen eine Pressekonferenz einzuberufen und sein Amt als Senator für Inneres und Sport niederzulegen. Gleichzeitig sollte er entsprechend einer Empfehlung der SPD-Führungsspitze, die vor gerade einmal zwanzig Minuten in einer kurzfristig einberufenen Notfall-Telefonkonferenz getagt hatte, von allen politischen Ämtern zurücktreten. Schultze hatte ihm darüber hinaus empfohlen, sich fürs Erste komplett aus der Öffentlichkeit zurückzuziehen. Als Freund hatte er zugesichert, dass die Partei bis einschließlich Montag früh keinen Kommentar zu der Sache abgeben würde.

Seinen Freund kann er sich sonst wohin stecken, dachte Palme erzürnt. *Wo war denn die viel beschriene Solidarität, wenn man sie brauchte?*

Er fühlte sich wie betäubt, konnte keinen klaren Gedanken fassen. Wie hatte es so weit kommen können? Und woher hatte diese Redakteurin die Akten? Er hatte doch alle Vorgänge vernichten lassen. Knappe einhundert Ordner waren das. Es gab auch keine elektronischen Aufzeichnungen mehr. Hatte er zumindest bis heute Morgen gedacht.

Er hatte sich getäuscht. Und dafür gab es nur eine Erklärung. Irgendjemand musste ihn verraten haben. Aber wer? Und warum? Palme lachte auf. Eigentlich spielte das jetzt auch keine Rolle mehr.

Er klappte seinen Laptop zu, zog die große Schublade seines Schreibtischs auf und griff nach der Flasche. Bester Single Malt. Palme goss sich einen doppelten Whisky ein und trank ihn in einem Schluck runter. Der Whisky fühlte sich heiß und gut an. Langsam kam Palme wieder zur Ruhe. Die Flasche hatte er eigentlich am Abend seiner Wahl zum Regierenden Bürgermeister in einem guten Monat mit seinen engsten Freunden und Beratern trinken wollen. Das hatte sich jetzt wohl erledigt. Ebenso wie seine Karriere.

Er stand von seinem Schreibtisch auf und öffnete die großen Flügel seiner Fenster. Was soll's, dachte er. Vielleicht hatte der Regierende Bürgermeister recht. Palme spürte, wie sein Kampfgeist wieder in ihm wuchs. Erst einmal ein paar Monate von der Bildfläche verschwinden. Vielleicht ein ganzes Jahr. Und dann mit einem Paukenschlag zurückkehren. Als geläuterter Mann. Er könnte zeitgleich ein Buch veröffentlichen? Und seine jetzige Schwäche zur Stärke ausbauen? Sich im Kinderschutz engagieren? Er wäre nicht der Erste, dem das gelänge, und sicherlich auch nicht der Letzte.

Wie so oft, wenn er in Krisensituationen eine Beruhigung brauchte, griff er auch jetzt zu seinem Smartphone und öffnete seine Banking-App. Ein Blick auf seine Kontostände und Depots gab ihm ein gutes Gefühl. Es war ihm in den letzten Jahren gelungen, genug Vermögen anzuhäufen. Wenigstens würde Geld nicht sein Problem sein.

86. KAPITEL

Berlin-Charlottenburg, Fasanenstraße 72:
Montag, 19. Oktober, 9.27 Uhr

Auf dem Weg in die Kanzlei hatte Rocco nicht schlecht gestaunt. Die Mitarbeiter der SPD hatten am Sonntag ganze Arbeit geleistet. Überall in der Stadt hatten sie Hunderte von Plakaten, die Palmes Konterfei zierte, abgenommen. Stattdessen hatten sie generische Plakate aufgehängt, mit denen die Partei für soziale Gerechtigkeit, einen erhöhten Mindestlohn und Steuerentlastung für Geringverdiener warb. Doch der Schaden, den der Artikel von Anja Liebig und der Rücktritt von Palme angerichtet hatten, war nicht mehr gutzumachen. Die Umfragewerte der SPD waren innerhalb von einem Tag ins Bodenlose gefallen. Die Spitzenkandidaten der übrigen Parteien hielten sich in der Öffentlichkeit zurück und waren sich darin einig, den überraschenden Fall des ehemaligen Politstars nicht weiter zu kommentieren. Wer weiß, dachte Rocco. Vielleicht hatten die auch allesamt Leichen im Keller.

Nachdem er in seiner Kanzlei angekommen war, schrieb er wie jeden Morgen seine To-do-Liste. Als Erstes würde er Claudia anrufen und sie fragen, wie der ungefähre Zeitplan der Staatsanwaltschaft aussah. Denn nach dem ersten Schock, mit seiner Vergangenheit als Leiter des Jugendamtes konfrontiert zu werden, stand Palme eine noch viel größere Überraschung bevor. Das Ermittlungsverfahren wegen Mordes an Jörg Grünwald, in dessen Zentrum er als Hauptverdächtiger stand.

Rocco griff zu seinem Telefon und wählte Claudias Nummer.

»Hey Rocco, ich hatte schon vermutet, dass du mich heute anrufst. Das war ja ein ganz schön aufwühlendes Wochenende.«

»Das kann man wohl sagen. Und Palme hat noch keine Ahnung, was ihm sonst noch bevorsteht«, sagte Rocco. »Deshalb rufe ich auch an. Ich habe mit Krampe gesprochen, und wir werden uns dem Verfahren nach Zulassung der Anklage als Nebenkläger anschließen.«

»Okay. Seid ihr euch da sicher, dass Krampe sich das geben will?«

»Ja, sind wir. Ich bin mir mit ihm einig, dass er so wenig Zeit wie möglich anwesend ist. Ich werde ihn an den meisten Tagen alleine vertreten.«

»Aber als Zeuge wird er aussagen?«, hakte Claudia nach.

»Auf jeden Fall. Und vermutlich ist er auch bei den Plädoyers dabei. Aber bis dahin dauert es ja noch ein bisschen, wenn es überhaupt dazu kommt.«

»Davon kannst du ausgehen. Wir haben eine recht überzeugende Kette an Beweisen beisammen. Als Nächstes werden wir Palme offiziell als Beschuldigten befragen. Ich gehe allerdings nicht davon aus, dass er sich zur Sache äußert.«

Rocco stimmte Claudia zu. Palme würde sich auf den »nemo tenetur«-Grundsatz berufen, der jedem Beschuldigten grundsätzlich das Recht zu schweigen gewährte. Niemand sollte dazu gezwungen werden, an seiner eigenen Überführung mitzuwirken. Tatsächlich durften Angeklagte in Strafsachen sogar vor Gericht lügen, ohne dafür belangt zu werden.

»Wie sieht euer Zeitplan aus?«, fragte Rocco weiter.

»Na ja, die Ermittlungen sind tatsächlich weitestgehend abgeschlossen. Das heißt, nach Palmes Vernehmung, die wir noch für diese Woche geplant haben, werden wir unmittelbar anklagen. Wir beide wissen allerdings, dass es danach noch wenigstens zwei bis drei Monate dauern wird, bis es zu einem ersten Termin vor Gericht kommt.«

Rocco nickte. Die Mühlen mahlten gründlich. Aber langsam.

»Alles klar, ich halte dich auf dem Laufenden, wenn wir noch was rauskriegen.«

»Mach das. Und wenn du offiziell als Nebenklägervertreter zugelassen bist, setzen wir uns noch einmal zusammen.«

»Okay«, stimmte Rocco zu.

Als er aufgelegt hatte, bedauerte er es, Claudia nicht nach einem privaten Treffen gefragt zu haben. Doch vielleicht war das besser so. Wenn die Presse von ihrem Verhältnis Wind bekam, hätte das Anlass für allerlei Spekulationen gegeben. Was hatte der Nebenklägervertreter mit der Staatsanwältin zu schaffen?

Rocco verwarf deshalb den Gedanken und machte sich eine letzte Notiz. Dann klappte er die Akte Krampe fürs Erste zu. In den nächsten Wochen hätte er hier wenig zu tun. Und da Krampe bei Holland sicher und, wie er jetzt wusste, auch zufrieden untergebracht war, beschloss er kurzerhand, sich für den Rest des Tages freizunehmen. Die Pause, die er sich so lange gewünscht hatte, konnte er sich jetzt gönnen. Denn sobald der Zirkus losging, würde er keine freie Minute mehr haben.

87. KAPITEL

Drei Monate später

Berlin-Moabit, Kriminalgericht,
Schwurgerichtssaal 500:
Montag, 25. Januar, 8.47 Uhr

Vor der Sicherheitsschleuse zum Schwurgerichtssaal 500 hatten sich neben einer langen Schlange neugieriger Besucher auch die Gerichtsreporter der Berliner Journaille versammelt. Unterstützt wurden sie bei diesem Prozess, der es sogar bis in die Berichterstattung der englischen TV-Morning-Show »BBC Breakfast« geschafft hatte, von zahlreichen Vertretern überregionaler und internationaler Publikationen. Niemand schien sich den Prozess um den vor Kurzem gefallenen Politstar Palme entgehen lassen zu wollen. Die Vorberichterstattung hatte ein Ausmaß angenommen, das an die Mafiaprozesse gegen Unterwelt-Größen wie Al Capone oder John Gotti erinnerte.

Rocco hatte mit Krampe vereinbart, dass er ihn als Nebenkläger bis auf Weiteres vertreten und Krampe nicht im Saal anwesend sein musste. Das hatte neben der rein emotionalen Komponente, Krampe nicht der Öffentlichkeit auszusetzen und ihn in keine belastende Situation zu bringen, auch einen verfahrenstechnischen Vorteil. Krampe selbst war am vierten Verhandlungstag als Zeuge geladen. Und grundsätzlich ist es Zeugen nicht gestattet, an dem Verfahren vor ihrer Aussage teilzunehmen, um einer Beeinflussung durch andere Aussagen vorzubeugen. Wenn man nämlich hört, was die anderen Prozessteilnehmer berichten, kann das durchaus eine Auswirkung auf die eigene Erinnerung haben. Von diesem Grundsatz gibt es allerdings eine Ausnahme für Nebenkläger. Sie dürfen an jedem Tag teilnehmen, um ihrer besonderen Stellung im Prozess Rechnung zu tragen. Das Problem ist dann allerdings, dass das Gericht ihren Aussagen unter Umständen weniger Gewicht beimisst. Das kann immer dann der Fall sein, wenn einiges dafürspricht, dass eine Beeinflussung durch andere Prozessgeschehnisse nicht auszuschließen ist. Deshalb erschlugen Rocco und Krampe hier zwei Fliegen mit einer Klappe. Krampe entkam dem Druck der ständigen Beobachtung durch Presse und Zuschauer und würde zugleich in seinem Auftritt als Zeuge größtmögliche Objektivität für sich in Anspruch nehmen können.

Rocco war in Erwartung des Andrangs extra etwas früher zum Gericht gekommen. Er verschaffte sich rasch einen Überblick über die Menschentraube vor dem Saal und schlängelte sich dann an der Menge vorbei bis zu einem der Justizwachtmeister. Unter Vorlage seines roten Anwaltsausweises gab er sich als Vertreter der Nebenklage zu erkennen, was mehr eine Pro-forma-Geste war. Es gab keinen Mitarbeiter im Kriminalgericht, der ihn nicht kannte. Folglich nickte der Beamte auch nur kurz und ließ ihn in den Gerichtssaal treten. In dem hohen, holzgetäfelten Raum hatte Rocco mehr Zeit verbracht als so mancher Richter, der hier seinen Dienst tat. Auf der Stirnseite stand leicht erhöht die Richterbank. Aus der Perspektive der Zuschauer befanden sich rechts davon die Tische der Verteidigung mit den dahinter durch Sicherheitsglas getrennten Plätzen für die Angeklagten. Dem gegenüber, auf der linken Seite, erstreckten sich die Plätze für die Staatsanwaltschaft.

Der Saal war noch leer. Neben der Protokollführerin, deren Aufgabe es war, ordnungsgemäß festzuhalten, was in der Verhandlung geschah, war nur Claudia als Vertreterin der Anklage anwesend. Die Richter und Schöffen waren noch im Richterzimmer, und der Verteidiger von Markus Palme sprach sich vermutlich gerade in einem gesonderten Raum mit seinem Mandanten ab. Palme war im

Anschluss an seine Vernehmung vor drei Monaten festgenommen worden und saß seitdem in Untersuchungshaft. Zu Roccos Verwunderung hatte Palme bisher keine Haftprüfung beantragt, um auf freien Fuß zu kommen. Tatsächlich wäre die Aussicht auf Erfolg bei dem Vorwurf, der hier im Raum stand, nämlich der Anstiftung zu einem Tötungsdelikt, äußerst gering gewesen. Aber eben nicht ausgeschlossen. Rocco fragte sich, ob ein verfahrenstechnischer Grund dahintersteckte, den er nicht erkannte. Ein ungutes Gefühl.

Er blickte zu Claudia. Als sie ihn erkannte, winkte sie ihm zu, gerade als er aus Gewohnheit um ein Haar seine Tasche auf der Bank der Verteidigung abgestellt hätte.

»Da kann wohl jemand nicht aus seiner Haut«, zog sie ihn auf. »Ob du es willst oder nicht, in diesem Verfahren wirst du wohl oder übel neben mir sitzen müssen.« Sie wies mit einer einladenden Geste auf den Platz neben sich.

Rocco zog die Augenbrauen hoch und versuchte, ernst zu schauen, was ihm gänzlich misslang. Dann nahm er seine Tasche und stellte sie auf der Seite der Staatsanwaltschaft ab, direkt gegenüber von seinem angestammten Platz.

»Ganz schön viel Presse heute«, sagte er und blickte Claudia an.

»Allerdings. Auch nicht gerade überraschend, oder? Seit wir Anklage erhoben haben, ist kein Tag vergangen, an dem sie nicht über dieses Verfahren berichtet hätten. In einem Blatt hatten sie die letzten Tage sogar einen Countdown bis heute abgedruckt.«

Rocco schüttelte den Kopf bei dem Gedanken an die Aufmerksamkeit heischende und nur auf zusätzliche Auflage gezielte Kampagne mit all ihren reißerischen Artikeln der letzten Monate. Fast konnte einem Palme leidtun. Er war tief gefallen. Von dem über Parteigrenzen hinweg beliebten Politiker war nicht mehr viel übrig. Und auch wenn er offensichtlich für das Leid so vieler Kinder mitverantwortlich war, hatte Rocco keinerlei Sympathie für die üblen

Hetzkampagnen übrig, die in den sozialen Medien die Runde machten. Rocco fragte sich, ob die *Hater* ihre Posts aus Überzeugung ins Netz stellten oder selbst nur auf Applaus und Zustimmung eines künstlich aufgehetzten Mobs aus waren.

»Der Kollege Brankovic ist wohl gerade bei Palme?«, fragte er Claudia.

»Ja, die beiden beraten sich noch.«

»Ungewöhnliche Wahl«, fügte Rocco hinzu. Denn Staffan Brankovic war kein Strafverteidiger, sondern Wirtschaftsanwalt und Partner einer der internationalen Topkanzleien.

»Das kann man wohl laut sagen«, stimmte Claudia ihm zu. »Ich frage mich, warum Promis immer wieder denselben Fehler machen. Sich von einem Wirtschaftsjuristen in einer Strafsache vertreten zu lassen, ist genauso schlau, wie mit Zahnschmerzen zum Orthopäden zu gehen.«

Rocco nickte, wurde aber das Gefühl nicht los, dass Palme genau wusste, was er tat. Außerdem war Brankovic nicht sein einziger Verteidiger. Er wurde von einem jüngeren Kollegen aus der gleichen Kanzlei unterstützt, der zumindest in der Vergangenheit einige Wirtschaftsstrafsachen, etwa Untreue, verteidigt hatte. »Was ich noch –«, begann er.

In dem Moment betrat Brankovic den Saal.

Roccos und seine Blicke kreuzten sich für einen Moment. Dann schüttelte Brankovic mit einem leicht abfälligen Blick den Kopf, so als wolle er ihn dafür kritisieren, dass er auf der falschen Seite, aufseiten der Staatsanwaltschaft, stand. Und dann, kurz bevor er sich abdrehte, zwinkerte er Rocco unauffällig zu, während ein Lächeln um seine Mundwinkel spielte.

Rocco kannte diesen Ausdruck nur zu gut aus eigener Erfahrung. Es war der Blick eines Mannes, der noch ein Ass im Ärmel hatte.

88. KAPITEL

Berlin-Moabit, Kriminalgericht,
Schwurgerichtssaal 500:
Montag, 25. Januar, 9.20 Uhr

Nachdem die Wachtmeister auf Weisung des Vorsitzenden Richters, Doktor Heribert Wollschläger, die Türen geöffnet hatten, strömten die Massen in den gediegenen Gerichtssaal. Die Reporter gingen zu den für sie reservierten ersten Reihen und begannen sofort, die Szene fotografisch mit ihren Handykameras festzuhalten, während die übrigen Zuschauer in den hinteren Bänken um die besten Plätze kämpften.

Fünf Minuten später, nachdem Doktor Wollschläger die Anwesenden zur Ruhe ermahnt hatte, wurde Markus Palme in den Gerichtssaal geführt und nahm in dem durch eine schwere Glasscheibe abgetrennten Bereich hinter seinen Anwälten Platz. Rocco versuchte, aus einer Geste oder einem Blick abzulesen, wie es um seine Gemütsverfassung bestellt war. Doch Palme ließ sich nichts anmerken. Geradezu teilnahmslos nickte er in Richtung der Richterbank und ließ sich dann auf seinem Stuhl nieder.

Was wohl gerade in dir vorgeht, fragte Rocco sich.

Dann eröffnete der Vorsitzende die Verhandlung und stellte die Anwesenheit aller Prozessbeteiligten fest. Neben Palme und seinen Verteidigern waren das die Staatsanwaltschaft, vertreten durch Claudia Spatzierer, Rocco als Vertreter des Nebenklägers und die beiden ersten Zeugen, die für die Vernehmung an diesem Tag geladen waren. Im Anschluss, nachdem die Zeugen den Saal wieder verlassen hatten, blickte Wollschläger zu Markus Palme und glich dessen Personalien ab.

Dann kam Claudia Spatzierer an die Reihe. Sie erhob sich und begann, die Anklageschrift zu verlesen.

»Herr Markus Palme wird angeklagt, vorsätzlich einen anderen zu dessen vorsätzlich begangener rechtswidriger Tat, nämlich einen Mord, bestimmt zu haben.«

Mit fester Stimme und vollkommen souverän blickte sie, während sie nachfolgend auf die Ausführung der Tat einging, abwechselnd zwischen der Richterbank, auf der neben den drei Berufsrichtern zwei Schöffen saßen, Markus Palme und schließlich auch dem Publikum hin und her.

Als sie knappe zwanzig Minuten später wieder Platz genommen hatte, wandte sich Doktor Wollschläger an den Angeklagten.

»Herr Palme. Sie haben vernommen, was Ihnen die Staatsanwaltschaft zur Last legt. Möchten Sie sich hierzu äußern?«

Rocco ging fest davon aus, dass Palme schweigen würde, was er ihm, hätte er ihn verteidigt, auch dringend geraten hätte. Denn es war Aufgabe der Staatsanwaltschaft, Palme seine Schuld nachzuweisen. Erst im Laufe des Verfahrens war abzusehen, wie sich der Fall entwickelte. Das hing im Wesentlichen von der Beweisaufnahme ab. Sollte es der Staatsanwaltschaft gelingen, anhand von Indizien, Beweismitteln und Zeugenaussagen einen so wasserdichten Fall aufzubauen, dass sich die Hinweise auf eine Verurteilung verdichteten, hätte Palme auch zu einem späteren Zeitpunkt immer noch Gelegenheit, durch ein umfassendes Geständnis positiv Einfluss auf seine Strafe zu nehmen. Doch das stand jetzt noch in den Sternen.

Entsprechend war Rocco nicht überrascht, als Palme sich erhob und davon Abstand nahm.

»Nein, Herr Vorsitzender«, sagte er nur kurz und wirkte dabei ebenso souverän, als wenn er in einer Pressekonferenz Stellung zu einer politischen Entscheidung nahm. »Das möchte ich zu diesem Zeitpunkt nicht.«

Wollschläger nickte und vermerkte es im Protokoll. Dann rief er die erste Zeugin auf. Zunächst sagte eine Polizistin aus, die am Landwehrkanal bei der Bergung von Grünwalds Leiche zugegen war. Beinahe monoton und dabei ständig auf ihr Notizbuch blickend, betete die Kommissarin in typischem Beamtendeutsch die Fakten runter. Als sie ihre Aussage beendet und die wenigen Fragen des Richters beantwortet hatte, erteilte der Richter der Staatsanwaltschaft, Rocco als Vertreter des Nebenklägers und den beiden Verteidigern das Fragerecht, von dem allerdings keiner Gebrauch machte. Die Aussage war vollkommen belanglos, denn dass die Leiche von Grünwald aus dem Kanal gefischt wurde, war völlig unstreitig, weshalb die Beamtin kurz darauf mit Dank entlassen wurde.

Ebenso lief es mit dem Passanten, der Grünwald im Landwehrkanal treibend als Erster gesehen hatte. Auch sein Beitrag brachte keine Neuigkeiten, sodass er knappe vierzig Minuten später den Saal wieder verließ.

Damit schloss der Vorsitzende Richter den ersten Verhandlungstag, ohne dass es zu einer Überraschung gekommen war. Laut diskutierend und mal mehr und mal weniger fachkundig spekulierten Zuschauer und Presse darüber, wie sie den Auftakt bewerten sollten. Die Meinungen gingen hier, wie zu erwarten war, auseinander, und es bildeten sich schnell zwei Lager. Die einen, Anhänger von Palme, waren der Meinung, dass es sich um einen politisch getriebenen Schauprozess handelte. Die anderen fanden sich in ihrer Auffassung bestätigt, dass endlich einem korrupten Beamten das Handwerk gelegt wurde. Trotz dieser unterschiedlichen Auffassungen waren sich in einem Punkt aber alle einig: Mit Spannung blickten sie auf den nächsten Verhandlungstag. Denn schon am Mittwoch würde Doktor Justus Jarmer als Sachverständiger zu den Geschehnissen Stellung nehmen.

89. KAPITEL

Berlin-Charlottenburg, Fasanenstraße 72,
Kanzlei Eberhardt:
Montag, 25. Januar, 13.47 Uhr

»Ich kann Ihnen versichern, dass es heute wie erwartet gelaufen ist. Keine Besonderheiten. Die beiden Zeugen haben lediglich bestätigt, dass Ihr Freund tot aus dem Landwehrkanal geborgen wurde. Nicht mehr, aber auch nicht weniger«, erklärte Rocco, der Krampe unmittelbar nach der Rückkehr in seine Kanzlei angerufen hatte.

»Und wie geht es jetzt weiter?«, fragte Krampe.

Rocco entging nicht die große Aufregung in seiner Stimme. Was nicht weiter überraschend war. Der Prozess war für Krampe weit mehr als nur eine Gerichtsverhandlung. Es war die Aufarbeitung seines von so vielen Niederlagen geprägten Lebens. Seit seiner Kindheit war er passiver Spielball der Interessen anderer, und zu keinem Zeitpunkt war er jemals wirklich gehört worden. Bis zu dem Moment, als er auf Anja Liebig traf. Ob und inwieweit Krampe dadurch allerdings Gerechtigkeit widerfahren würde, konnte Rocco nicht sagen.

»Mittwoch wird es etwas spannender«, führte er weiter aus. »Dann sagt Jarmer aus. Ich bin mir sehr sicher, dass ihn die beiden Verteidiger von Krampe ordentlich in die Zange nehmen. Wenn ich an deren Stelle wäre, würde ich das auch tun.«

»Warum sollten sie das machen? Doktor Jarmer ist doch ein anerkannter Rechtsmediziner.«

»Das ist er. Und wenn er aussagt, dass es sich nach seiner Einschätzung um ein Gewaltverbrechen handelt, dann spielt das Palme nicht in die Karten. Wenn es den Verteidigern aber gelingt, das Ganze als Unfall oder zumindest als möglichen Unfall darzustellen, wäre das für Palme von Vorteil.« Rocco machte eine kurze Pause. »Machen Sie sich darüber mal keine Sorgen«, beruhigte er Krampe. »Das Spiel hat gerade erst begonnen. Mittwoch ist erst Tag zwei. Und Jarmer ist ein erfahrener Sachverständiger. Wenn jemand die Ruhe und Integrität in Person ist, dann er. Und ganz sicher lässt er sich nicht von zwei manipulativen Rechtsverdrehern in die Enge treiben.«

Rocco hörte, wie Krampe spontan lachen musste. Als ihm klar wurde, warum, konnte er sich ein Schmunzeln auch nicht verkneifen.

»Na ja, dieses Mal sind wir auf der anderen Seite. Und nicht auf der Seite der Rechtsverdreher«, fuhr er amüsiert fort, ehe er sachlich hinzufügte: »Was die weiteren Schritte betrifft, machen wir das ganz einfach. Ich werde mich übermorgen wieder bei Ihnen melden. Wir können auf jeden Fall davon ausgehen, dass Jarmer sich gut behauptet. Und dann haben wir ja auch noch den Cyber-Mitarbeiter des LKA, der zu Palmes Darknet-Aktivitäten aussagt. Der sollte uns einige Trumpfkarten in die Hand spielen.«

Nachdem das Gespräch beendet war, ließ Rocco sich nach hinten in seinen Schreibtischsessel fallen.

Jarmer, dachte er und klopfte dabei drei Mal auf seine Schreibtischplatte. *Hoffentlich geht das wirklich gut.* Tatsächlich war die Aussage des Rechtmediziners entscheidender für den Fall, als er Krampe hatte wissen lassen.

90. KAPITEL

Berlin-Moabit, Kriminalgericht,
Schwurgerichtssaal 500:
Mittwoch, 27. Januar, 9.38 Uhr

Justus Jarmer ging mit ruhigen Schritten auf dem Gang vor dem Schwurgerichtssaal auf und ab. Die Verhandlung hatte gerade erst begonnen, und aus seiner Erfahrung nach zahlreichen Gerichtsverfahren wusste er, dass es immer einige Minuten dauerte, bevor er in den Saal gerufen wurde. Wie vor jeder Gutachtenerstattung vor Gericht hatte er auch heute Morgen noch einmal ausführlich alle Unterlagen studiert, die für seine Aussage als Sachverständiger vor Gericht relevant waren.

Außerdem hatte er es vermieden, sich im Vorfeld mit Eberhardt in Verbindung zu setzen. Er wollte keinen Zweifel daran aufkommen lassen, dass sein rechtsmedizinisches Gutachten zu der Todesursache von Grünwald allen Maßstäben einer objektiven wissenschaftlichen Untersuchung entsprach. Der Umstand, dass er sich im Anschluss an seine rechtsmedizinischen Untersuchungen gemeinsam mit Rocco Eberhardt dafür eingesetzt hatte, Krampe zu schützen und an der Aufklärung des Todesfalles Grünwald mitzuwirken, war vollkommen unabhängig davon.

Ihm war allerdings klar, dass die Anwälte von Palme ihn diesbezüglich befragen könnten. Aus diesem Grund hatte unmittelbar nach seiner Ladung zum Gerichtstermin den Vorsitzenden Richter Doktor Wollschläger kontaktiert. Er hatte ihm den zeitlichen Verlauf der Geschehnisse erläutert und dabei keine noch so kleine Einzelheit ausgelassen.

Wollschläger war alles andere als begeistert gewesen.

Zum einen hatte er kein Interesse daran, einen Revisionsgrund zu schaffen, wenn er einen möglichen Befangenheitsantrag der Verteidigung gegen Jarmers Objektivität ablehnen würde. Diese könnten natürlich jederzeit vortragen, dass Jarmer aufgrund seiner Ermittlungstätigkeit, den Tod von Grünwald aufklären zu wollen, unmöglich objektiv sein konnte. Wollschläger gestand Jarmer allerdings zu, dass dieser zum Zeitpunkt der Obduktion nicht hatte ahnen können, wie sich die ganze Situation weiterentwickeln würde. Geschweige denn, dass er damals schon wusste, um wen es sich bei dem Toten handelte oder wie es um die Hintergründe von dessen Ableben bestellt war.

Zum anderen wollte Wollschläger Jarmer auch in der Verhandlung hören, da er der einzige Sachverständige war, der fundiert zu der Todesursache aussagen konnte. Denn es war nun einmal Jarmer, der Grünwald obduziert hatte. Schließlich hatte Wollschläger also alle Bedenken verworfen, weshalb Jarmer heute vor Gericht als Sachverständiger geladen war.

Er war noch in Gedanken vertieft, als sich die Tür öffnete und der Wachtmeister ihn einließ. Er rückte seine Krawatte zurecht und steckte den Kugelschreiber, den er eben noch um die Finger seiner rechten Hand hatte kreisen lassen, in seine Sakkotasche.

Dann betrat er den Gerichtssaal. Auf der rechten Seite waren die Zuschauerbänke bis auf den letzten Platz gefüllt. Neugierig blickten ihn die Reporter an, und wie auf Kommando machten sie sich Notizen auf ihren Blöcken.

Jarmer, der schon in Hunderten von Verhandlungen als Sachverständiger ausgesagt hatte, kannte das Prozedere. Bevor er Platz nahm, nickte er den Prozessbeteiligten kurz zu. Dann setzte er sich direkt vor der Richterbank auf den für Sachverständige vorgesehenen Platz.

»Herr Doktor Jarmer, vielen Dank, dass Sie uns heute unterstützen«, sagte der Vorsitzende Richter Wollschläger mit sachlichem Ton, ehe er den Rechtsmediziner zu seinen Personalien befragte und ihn über seine Rechte und Pflichten als Sachverständiger belehrte.

Routiniert beantwortete Jarmer die notwendigen Fragen und begann danach mit der mündlichen Wiedergabe seines Gutachtens. Da neben den Berufsjuristen in dieser Besetzung der Kammer auch Schöffen auf der Richterbank saßen, ersetzte er die medizinischen Fachtermini durchweg mit allgemeinsprachlichen Formulierungen. Es wollte sichergehen, dass alle im Saal den Ergebnissen seiner Untersuchungen folgen konnten. Dabei blickte er immer wieder auch in Richtung der Staatsanwaltschaft, Nebenklage und Verteidigung, um sich zu vergewissern, dass diese seinen Ausführungen folgten.

Die Anwälte von Palme, ebenso wie der Angeklagte selbst, wirkten zu Beginn seines Vortrages eher wenig interessiert, wohingegen Eberhardt und Spatzierer jedem seiner Worte große Aufmerksamkeit beizumessen schienen. Jarmer durchschaute das Spiel, und ihm war klar, dass die Verteidiger nur auf den entscheidenden Moment warteten, um ihre Fragen abzufeuern. Ebenso wie die übrigen Prozessbeteiligten, hatten Rechtsanwalt Brankovic und sein junger Kollege sein Gutachten im Vorab genau studieren können, und Jarmer war klar, an welchem Punkt sie sich auf ihn einschießen würden. Und wie er erwartet hatte, setzten sich die beiden Verteidiger in genau dem Moment aufrecht in ihren Stühlen zurecht, als er über die Stoßverletzung an Grünwalds Rücken zu referieren begann.

»Als Nächstes habe ich die Rückseite des Verstorbenen in Augenschein genommen. Unmittelbar über der Wirbelsäule, etwa in der Mitte des Rückens, zeichnete sich ein Hämatom ab«, führte er aus. »Das Unterhautfettgewebe war an dieser Stelle beim Einschneiden dunkelrot, feucht unterblutet. Von der Lokalisation des

Hämatoms her ergibt sich, dass es sich um keine sturztypische oder anstoßtypische Verletzung handelt.«

Noch während Jarmer das sagte, bekam er mit, dass Brankovic, der keine drei Meter rechts von ihm saß, auffällig den Kopf zu schütteln und mit seinem Kollegen zu tuscheln begann. Die beiden Anwälte blickten Jarmer dann lächelnd wissend an. Brankovic machte sich überdeutlich eine Notiz in der vor ihm liegenden Akte. Jarmer war Profi genug, um sich durch diese provozierenden Gesten nicht im Geringsten irritieren zu lassen. Mit ruhiger Stimme fuhr er fort.

»Aufgrund der Lage und Ausprägung kann ich mit Sicherheit sagen, dass das Hämatom nicht postmortal, also nach dem Tod des Verstorbenen, entstanden sein kann. Vielmehr deutet alles darauf hin, dass der Verstorbene, Herr Grünwald, noch zu Lebzeiten einen starken Schlag oder Tritt in den Rücken bekommen hat.«

In diesem Moment räusperte sich Staffan Brankovic für alle Anwesenden im Gerichtssaal so deutlich, dass er die Aufmerksamkeit auf sich zog. Dann zuckte er wieder nur lächelnd mit den Achseln und machte sich eine weitere Notiz in seiner Akte.

»Die daraufhin erfolgte Untersuchung der Wirbelkörper, die ich durchgeführt habe, und die einen Rückschluss auf die Heftigkeit des ausgeführten Schlages ermöglichte, hat ergeben, dass keiner der Wirbelkörper angebrochen oder gebrochen war. Ich kann daher weiter feststellen, dass es sich mangels einer Fraktur lediglich um einen heftigen Schlag, vermutlich mit der Faust, oder um einen Tritt als ursächlich für das Hämatom gehandelt haben muss.«

Jarmer machte eine kurze Pause und blickte in Richtung der Richter und Schöffen. »Im Ergebnis bleibt somit festzuhalten, dass das Hämatom am Rücken in direkter zeitlicher Nähe zu dem Ertrinkungstod von Jörg Grünwald entstanden ist und Herr Grünwald aller Wahrscheinlichkeit nach aufgrund des Schlages respektive Trittes in den Landwehrkanal gestürzt ist, wo er dann, wie anfänglich ausgeführt, ertrunken ist.«

Jarmer klappte mit diesem letzten Satz die vor ihm liegende Akte zu und griff instinktiv in seine rechte Sakkotasche, aus der er seinen Kugelschreiber herausfischte, nur um ihn kurz darauf um seine Finger kreisen zu lassen.

Dem Vorsitzenden Richter war ebenso wie allen anderen prozessbeteiligten Profis im Saal klar, dass im Anschluss an den Bericht nur eine Frage von erheblicher Bedeutung war.

»Sehr geehrter Herr Doktor Jarmer«, begann er folgerichtig, »ich danke Ihnen zunächst für Ihre Ausführungen. Was mich allerdings genau interessiert, ist die Frage, mit welcher Sicherheit Sie sagen können, dass der Verstorbene mit Absicht in den Kanal gestoßen wurde, ob also davon auszugehen ist, dass dieser Schlag oder Tritt in den Rücken, den Sie im Rahmen Ihrer Untersuchung festgestellt haben, mit Tötungsabsicht ausgeführt wurde.«

»Das, Herr Vorsitzender, kann ich natürlich nicht beurteilen«, entgegnete Jarmer ruhig. »Das ist auch nicht Auftrag meines Gutachtens. Ich habe weder Kenntnis darüber, wer diesen Stoß oder Schlag ausgeführt hat, noch kann ich etwas dazu sagen, mit welcher Absicht das geschehen ist. Ich kann lediglich feststellen, dass der Tote von hinten geschlagen beziehungsweise getreten wurde, und dass diese Handlung ganz kurze Zeit vor dem Todeseintritt erfolgt sein muss.«

»Vielen Dank«, erwiderte Doktor Wollschläger. »Dann habe ich keine weiteren Fragen.« Er blickte zu seinen Richterkollegen und den beiden Schöffen, und auch diese schüttelten den Kopf.

»Frau Staatsanwältin«, sagte er dann. »Damit erteile ich Ihnen das Fragerecht.«

Claudia Spatzierer bedankte sich und wandte sich an Jarmer.

»Doktor Jarmer, ich möchte die Frage etwas präzisieren. Können Sie sich aufgrund der von Ihnen festgestellten Verletzungen des Toten vorstellen, dass Jörg Grünwald von einer dritten Person so von hinten geschlagen worden sein könnte, dass er als Folge ebendieses Schlages dann in den Landwehrkanal gefallen und dort ertrunken ist?«

Jarmer war erfahren genug, um zu wissen, dass jetzt das Frage-Antwort-Spiel von Staatsanwaltschaft und Verteidigung begann. Jede Seite wollte in dieser Phase punkten und die Wahrscheinlichkeit ausloten, inwieweit seine Untersuchung die Strafbarkeit von Palme begründen konnte oder diesen eben entlastete. Vonseiten der Staatsanwaltschaft waren allerdings kaum kontroverse Fragen zu erwarten. Entsprechend ruhig antwortete er: »Ja, so könnte es gewesen sein.«

»Und haben Sie so eine Verletzung schon öfter bei Wasserleichen beziehungsweise Ertrunkenen bei Ihren Obduktionen festgestellt?«, fragte Spatzierer jetzt.

»Nein, noch nie«, erwiderte Jarmer.

»Dann habe auch ich keine weiteren Fragen«, sagte Claudia Spatzierer und nahm mit einem zufriedenen Ausdruck auf dem Gesicht wieder auf ihrem Stuhl Platz.

»Herr Nebenklägervertreter«, wandte sich der Vorsitzende Richter nun an Rocco Eberhardt. »Haben Sie eine Frage für unseren Sachverständigen?«

Rocco schüttelte nur den Kopf. »Nein, Herr Vorsitzender, keine Fragen.«

»Nun denn«, entgegnete Doktor Wollschläger und erteilte der Verteidigung das Fragerecht.

Rechtsanwalt Brankovic erhob sich von seinem Stuhl, seine aufgeschlagene Prozessakte fest in beiden Händen haltend. Er schaute zunächst seinen Mandanten, Markus Palme, zuversichtlich an, und sah dann zu Jarmer herüber. Mit einem durchdringenden Blick fixierte er den Rechtsmediziner.

»Bevor ich auf die Ausführungen in Ihrem Gutachten eingehe,

würde ich gerne eine andere, klärende Frage stellen. Eine Frage, die meines Erachtens von elementarer Bedeutung für die Relevanz Ihrer medizinischen Stellungnahme ist. Eine Frage, die für alle hier im Saal von höchstem Interesse sein wird.« Er ließ seinen Blick von Jarmer über die voll besetzten Reihen der Zuschauer schweifen, ehe er sich wieder dem Rechtsmediziner widmete. »Haben Sie, verehrter Doktor Jarmer, mit dem Vertreter der Nebenklage, mit Rechtsanwalt Eberhardt, in diesem Verfahren in irgendeiner Form zusammengearbeitet?«

Jarmer hatte damit gerechnet, dass Brankovic diesen Punkt zur Sprache bringen würde, und war vorbereitet. Dennoch vergewisserte er sich durch einen kurzen Blick in Richtung des Vorsitzenden Richters, ob er diese Frage tatsächlich beantworten sollte. Doktor Wollschläger nickte kurz in seine Richtung, es war nicht mehr als ein kurzes Senken seines Kopfes, und Jarmer, der ja genau diesen Punkt im Vorfeld der Verhandlung zur Sprache gebracht hatte, sah daraufhin selbstbewusst zu Brankovic hinüber.

»Ja, das habe ich tatsächlich.«

»Und könnten Sie uns vielleicht erläutern, welcher Art diese Kooperation war?«

Bevor Jarmer antworten konnte, ergriff jetzt der Vorsitzende Richter das Wort. »Entschuldigen Sie bitte, Herr Verteidiger, aber wenn Sie beabsichtigen, Doktor Jarmer zu Tatsachen zu befragen, die außerhalb der Erstattung des rechtsmedizinischen Gutachtens liegen, müssen Sie zunächst einen entsprechenden Beweisantrag stellen. Denn dann wandelt sich unser Doktor Jarmer in seiner Rolle vom Sachverständigen zum Zeugen.«

Brankovic, dem dieser Umstand natürlich bewusst sein musste, zuckte nur kurz mit den Schultern.

»Nun denn«, sagte er mit spöttischem Ton. »Dann habe ich vorerst nur eine Frage. Ich möchte aber an dieser Stelle festhalten, dass ich mir die Stellung eines Beweisantrages auf jeden Fall offenhalten werde.« Er machte sich wieder eine Notiz in seiner Akte, ehe er sich mit einem zufriedenen Lächeln an Jarmer wandte.

In süffisantem, fast abschätzig klingendem Tonfall sagte Brankovic, an Jarmer gewandt: »Herr Doktor Jarmer, können Sie anhand der Verletzungen, die Sie aufgrund Ihrer Untersuchungen festgestellt haben, mit Sicherheit sagen, dass mein Mandant, dass Herr Palme Herrn Grünwald in den Landwehrkanal gestoßen hat oder jemand anderen, also einen ominösen Dritten, dazu aufgefordert hat?«

Jarmer, der Profi genug war, sich über den Tonfall von Brankovic nicht im Geringsten zu ärgern, sondern eher darüber wunderte, dass der Anwalt sich auf dieses Niveau herabließ, antwortete sachlich: »Nein, das kann ich nicht. Weder das eine noch das andere.«

»Das dachte ich mir«, entgegnete Brankovic zufrieden. »Wie hätten Sie das auch wissen sollen.« An die Richterbank gewandt, sagte er: »Ich habe keine weiteren Fragen«, ehe er seine Akte in den Händen zusammenklappte und sich mit einem lauten Seufzer betont langsam wieder auf seinen Stuhl setzte.

91. KAPITEL

Berlin-Moabit, Kriminalgericht,
Schwurgerichtssaal 500:
Mittwoch, 27. Januar, 11.43 Uhr

Im Anschluss an Jarmers Gutachten und dessen Befragung ordnete der Vorsitzende Richter eine frühe Mittagspause an. Zuschauer und Prozessbeteiligte verließen den Gerichtssaal und strömten durch die langen Gänge in verschiedene Richtungen, um in die Gerichtskantine, ein anderes Zimmer oder nach draußen zu gelangen. Die anwesenden Reporter hingegen stürzten sich geradezu auf Jarmer, Brankovic, Claudia Spatzierer und Rocco Eberhardt. Jeder wollte der Erste sein, um ein Interview oder zumindest ein Statement zu den Aussagen des Rechtsmediziners zu erlangen und dieses schon in den nächsten Minuten über Twitter in die Öffentlichkeit zu posten. Doch einzig Rechtsanwalt Brankovic freute sich über die Aufmerksamkeit, während alle Übrigen zu diesem Zeitpunkt einhellig jeden Kommentar ablehnten.

Rocco sah, wie Brankovic mit einladender Geste die Journalisten um sich versammelte. »Lassen Sie uns vor die Tür gehen«, sagte er jovial. »Da können wir ein bisschen frische Luft schnappen, und ich werde jede Ihrer Fragen beantworten.« Selbstbewusst schritt er voran. Die Reporter folgten ihm zum Ausgang.

Rocco musste bei dem Anblick spontan an die Geschichte des Rattenfängers von Hameln denken. Er schüttelte den Kopf und wollte gerade zum Anwaltszimmer gehen, als er Tommi Lobrecht in die Arme lief. Der Gerichtsreporter von der *Tagespost* hatte ihn schon in zahlreichen Verfahren interviewt, und Rocco schätzte ihn für seine objektive und stets faire Berichterstattung.

»Hallo, Herr Eberhardt, schön, Sie wiederzusehen«, sagte er, und seine Mundwinkel zuckten freundlich.

»Hallo, Herr Lobrecht«, erwiderte Rocco und schüttelte die ihm entgegengehaltene Hand. »Nehmen Sie es mir nicht übel, aber ich werde auch Ihnen zu diesem Zeitpunkt kein Statement geben. Es ist einfach noch zu früh, und ich bin ja auch dieses Mal eher auf der beobachtenden Seite.«

»Das kann ich verstehen. Und wenn ich doch eine Frage stellen darf, inoffiziell und ohne dass ich darüber schreiben werde, würden Sie mir dann antworten?«

Rocco lachte. Lobrecht war beharrlich, aber auf eine sehr sympathische Art.

»Hängt von der Frage ab, schätze ich.«

»Gut. Welche Strategie verfolgt Brankovic?«

Rocco musste nicht lange überlegen, denn das Vorgehen des Verteidigers war absolut durchschaubar.

»Das ist sehr einfach. Und um das vorwegzunehmen, er macht bisher alles richtig. Ich wäre exakt genauso vorgegangen.«

Lobrecht zog seine Augenbrauen fragend hoch. »Und was genau bedeutet das?«

»Ganz einfach. Es gibt im Wesentlichen nur zwei Arten der Verteidigung. Die defensive, auf Kooperation mit Gericht und Staatsanwaltschaft zielende, und die offensive, auf Angriff von Zeugen und Sachverständigen ausgerichtete.

Bei Ersterer ist der Sachverhalt klar und die Beteiligung des Täters in der Regel unstreitig. Hier werden Sie durch ein umfassendes Geständnis einfach nur versuchen, über einen Deal oder eine gesetzliche Strafmilderung ein gutes Urteil zu erhalten. Bei der offensiven Verteidigung aber, bei der es zumeist um eine hohe Straferwartung und oft auch einen nicht vollständig geklärten Sachverhalt geht, werden Sie alles tun, die Aussagen der Belastungszeugen auseinanderzunehmen, eigene Beweise einzuführen, eine andere Geschichte zu erzählen und schließlich, mit Blick auf die Revision, zu versuchen, das Gericht in Verfahrensfehler zu treiben.«

Rocco blickte Lobrecht an. »Ich vermute mal, den Rest können Sie sich selbst zusammenreimen, oder?«

Der Journalist nickte. »Deshalb also hat Brankovic auch Fragen gestellt, die mit Jarmers Gutachten nichts zu tun hatten, und deshalb hat der Richter das dann unterbunden?«

»Genauso sieht es aus. Und wenn ich hier mal eine Prognose abgeben darf, war das erst der Auftakt einer Reihe von Schritten, die alleine eines zum Ziel haben: formale Fehler zu produzieren. Sie werden sehen, wie Brankovic auch bei der nächsten Zeugenaussage nach der Mittagspause weniger auf den Inhalt der Aussage eingehen wird als vielmehr darauf, wie diese erlangt wurde.«

Lobrecht zog einen Zettel aus der Tasche, auf dem er offensichtlich Notizen für den heutigen Prozesstag vermerkt hatte. »Martin Paul, der Polizist vom LKA?«

»Ebender«, sagte Rocco und machte sich auf den Weg zum Anwaltszimmer. Der Versuchung, sich vor dem Gericht das Spektakel von Brankovic anzuschauen, widerstand er gerne.

92. KAPITEL

Berlin-Moabit, Kriminalgericht,
Schwurgerichtssaal 500:
Mittwoch, 27. Januar, 13.03 Uhr

Nachdem alle Beteiligten ihre Plätze wieder eingenommen hatten, eröffnete der Vorsitzende Richter die Sitzung.

Kriminaloberkommissar Martin Paul von der Abteilung Cybercrime des LKA 24 in Berlin nahm auf dem Zeugenstuhl Platz. Während Doktor Wollschläger ihn zur Person befragte und über seine Rechte und Pflichten als Zeugen belehrte, zupfte Claudia Spatzierer an Roccos Robe. Fragend blickte er sie an. Claudia schob ihr Smartphone über den Tisch. Ihr Browser war geöffnet und zeigte die Startseite einer bekannten Boulevardzeitung. In großen Lettern prangte dort die Überschrift: »Skandal im Verfahren gegen Markus Palme: Rechtsmediziner steckt mit Nebenklägervertreter unter einer Decke«.

Rocco zuckte nur mit den Achseln. Das war genau das, was er nach Brankovics kleiner Pressekonferenz erwartet hatte. Um ehrlich zu sein, kümmerte es ihn nicht im Geringsten. Die Boulevardpresse lebte von reißerischen Schlagzeilen, und Rocco stand in der Vergangenheit schon häufiger im Zentrum dieser Berichterstattung. Im Positiven, wenn er für seine Erfolge bewundert wurde, ebenso wie im Negativen, wenn er für einen berüchtigten Mandanten ein umstrittenes Urteil erreicht hatte. Das gehörte einfach dazu und war Teil seines Berufes. Und das auch nicht ganz zu Unrecht, denn schließlich vertrat er immer wieder die verbrecherischen Schwergewichte der Hauptstadt.

Mit einem Lächeln schob er das Telefon zu Claudia zurück.

»Dabei wird es nicht bleiben«, flüsterte er leise. »Das fängt gerade erst an. Warte mal ab, wie Brankovic Kommissar Paul auseinandernehmen wird.«

Claudia nickte.

Dann widmete Rocco seine Aufmerksamkeit wieder der Zeugenaussage. In knappen zwanzig Minuten schilderte der Hauptkommissar, wie er und seine Kollegen im Anschluss an den richterlichen Beschluss die Rechner und Telefone von Markus Palme überwacht und die vorhandenen Daten ausgewertet hatten. Auf einem Monitor zeigte er Screenshots, die den Browserverlauf von Palmes Rechner zeigten. Nachdem er erst einige unverfängliche Suchen, nach Öffnungszeiten einer lokalen Buchhandlung und anderer Recherchen auf den Schirm gebracht hatte, ging er über zu den Seiten im Darknet. Anhand der Historie stellte er Schritt für Schritt dar, wie von Palmes Rechner aus nach einem Auftragskiller gesucht worden war. An insgesamt drei Tagen, die allesamt vor dem Ableben von Jörg Grünwald lagen, und an einem weiteren Termin, der zwei Tage nach der Tat stattgefunden hatte, schilderte Hauptkommissar Paul, wie von dem Rechner mit der Seite des vermeintlichen Auftragsmörders Daten ausgetauscht wurden.

Nach Abschluss seiner Aussage und einigen kritischen Nachfragen der Richter und Schöffen sowie einigen klarstellenden Punkten von Claudia und Rocco war nun Palmes Verteidiger, Staffan Brankovic, an der Reihe. Rocco erkannte den verborgenen Ausdruck von Freude in Brankovics Zügen, und er hatte jetzt schon Mitleid mit dem Beamten.

»Herr Hauptkommissar Paul. Ich habe einige Fragen an Sie zu Ihrer Recherche und dann auch noch einige dazu, wie Sie denn überhaupt auf die Idee gekommen sind, in diese Richtung zu forschen.«

Paul rutschte unruhig auf seinem Stuhl hin und her. Mit seinem rechten Fuß begann er, rhythmisch unter dem Tisch zu wippen.

»Meine erste Frage: Können Sie sicher sein, dass es mein Mandant war, der auf seinem Rechner diese Recherche nach dem, wie Sie es nennen, Auftragsmörder durchgeführt hat?«

»Na ja, es war ja sein Rechner, oder?«

»Das habe ich nicht gefragt. Können Sie sicher sein, dass er es war?«

»Wer sollte es denn sonst gewesen sein?«

Brankovic wandte sich an die Richterbank, und Doktor Wollschläger griff jetzt ein. »Herr Hauptkommissar Paul, bitte beantworten Sie einfach die Fragen des Verteidigers so präzise, wie es Ihnen möglich ist. Vielen Dank.«

Zufrieden drehte Brankovic sich wieder zu dem Zeugen.

»Nein, das kann ich nicht«, sagte Paul.

»Dann habe ich eine weitere Frage. Können Sie überhaupt sicher sein, dass ein Auftragskiller über den Rechner beauftragt wurde?«

»Nein, das kann ich auch nicht. Wir haben lediglich den Nachweis, dass von Palmes Rechner mit der Seite kommuniziert wurde, aber nicht, welchen Inhalts diese Kommunikation war.«

»Und können Sie sagen, ob Jörg Grünwald durch einen Auftragskiller ermordet wurde?«

Jetzt griff der Vorsitzende Richter wieder ein, dieses Mal allerdings an Rechtsanwalt Brankovic gewandt: »Ich möchte den Verteidiger daran erinnern, dass der Zeuge zu dem Beweisthema seiner Ermittlungen im Hinblick auf die technischen Beobachtungen in Zusammenhang mit dem Rechner des Angeklagten geladen ist.«

Brankovic nickte, machte sich eine Notiz und wandte sich dann wieder Hauptkommissar Paul zu.

»Des Weiteren interessiert mich noch etwas. Wenn Sie Zugriff auf den Rechner hatten, um all diese Daten, die Sie uns gerade gezeigt haben, zu finden. Wäre es nicht auch möglich, dass ein anderer, ein Dritter, der genau wie Sie von außerhalb Zugriff auf den Rechner hatte, sich auch auf den Computer meines Mandanten geschaltet hätte?«

Hauptkommissar Paul schien kurz nachzudenken. »Ja«, sagte er schließlich. »Das wäre denkbar.«

»Können Sie also ausschließen, dass ein Dritter Kontrolle über den Computer in der Form erlangt hat, dass dieser Dritte im Darknet den Kontakt zu dem vermeintlichen Killer gesucht hat?«

»Nein, das kann ich nicht ausschließen.«

»Ausgezeichnet«, freute sich Brankovic, der die Bedeutung der Aussage von Hauptkommissar Paul mit jeder weiteren Frage reduzierte.

Rocco musste ihm Respekt zollen. Bedauerlicherweise wusste der Verteidiger genau, was er tat. Und Rocco hatte auch schon eine Ahnung, mit welcher Frage Brankovic seine Befragung beenden würde.

»Meine letzten Fragen sind ganz einfach und haben lediglich mit Ihrem Auftrag zu tun. Könnten Sie uns bitte sagen, wie Sie auf die Idee gekommen sind, die Rechner von Palme auf mögliche Aktivitäten im Darknet zu durchforsten?«

»Den Auftrag haben wir natürlich von der Staatsanwaltschaft erhalten. Die leiten ja die Ermittlungen, und wir sammeln Beweise.«

»Und wer genau hat Ihnen diesen Auftrag gegeben?«

»Das war die ermittelnde Staatsanwältin in diesem Verfahren. Staatsanwältin Spatzierer.« Mit diesen Worten blickte Paul in Richtung der Anklagevertreterin.

»Und hat Staatsanwältin Spatzierer Sie um eine allgemeine Untersuchung der Handys und Rechner gebeten, wie es ja in Mordverfahren nicht unüblich ist? Oder hatten Sie den Auftrag, sich speziell um die Geschichte im Darknet zu kümmern?«

»Der Auftrag umfasste die gezielte Recherche nach Aktivitäten auf dem Rechner im Darknet.«

»Danke, Herr Hauptkommissar«, schloss Brankovic seine Befragung. Doch ehe er sich setzte, sagte er mit Blick zur Richterbank: »Ich frage mich, wie die Staatsanwaltschaft wohl auf diese Idee gekommen ist. Aber dazu kommen wir sicher später noch.«

Dann wandte er sich an Rocco. Und während er sich setzte, zwinkerte er ihm wie schon am ersten Prozesstag unauffällig zu.

93. KAPITEL

Berlin-Charlottenburg, Fasanenstraße 72,
Kanzlei Eberhardt:
Mittwoch, 27. Januar, 18.23 Uhr

Nach einem langen Tag vor Gericht hatte Rocco sich für Freitagmorgen mit Claudia verabredet. Zum einen wollte er sie sehen. Zum anderen war es durchaus üblich, dass Nebenkläger und Staatsanwaltschaft, die ja am gleichen Strang zogen, auch während eines laufenden Gerichtsverfahrens miteinander sprachen. Nach der Aussage des Cyber-Experten hatten sie allen Grund dazu. Rocco hegte einige Befürchtungen, was ihnen als Nächstes blühte.

Allerdings war das nichts, womit er sich heute Abend noch beschäftigen wollte. Gedankenverloren blickte er durch die großen Altbaufenster auf die Fasanenstraße. Das Wetter hatte sich über den Tag verändert, und die Temperatur war auf minus fünf Grad gefallen. Zwischen den äußeren und inneren Fensterflügeln hatte sich etwas Feuchtigkeit gesammelt, und trotz des beheizten Büros bildeten sich erste Eiskristalle auf der äußeren Scheibe. Rocco lächelte unwillkürlich, und um seine Augen bildeten sich kleine Falten. Das erinnerte ihn an seine Kindheit und den Moment, als er das erste Mal mit seinem Finger ebensolche Eiskristalle zum Schmelzen gebracht hatte. Und dieser Gedanke brachte ihn auf Krampe, der im Unterschied zu Rocco nicht in hübschen Erinnerungen schwelgen konnte, sondern eine grausame Jugend hatte erleben müssen.

Rocco schuldete ihm noch einen Anruf, um ihn über die aktuellen Geschehnisse auf dem Laufenden zu halten. Krampe hatte bereits mehrfach versucht, ihn zu erreichen. Was aufgrund der

Berichterstattung in der Presse nur zu verständlich war. Nach der Diskreditierung Jarmers hatte Berlins auflagenstärkstes Boulevardblatt sich dem Cyber-Experten gewidmet. Unter der Schlagzeile: »LKA Computer-Experte kann Palme nicht in Zusammenhang mit Verbrechen bringen« berichteten sie detailliert über die Aussage vom Nachmittag.

Rocco griff zum Telefon und wählte Krampes Nummer.

»Guten Abend. Entschuldigen Sie, dass ich Ihre Anrufe nicht früher angenommen habe, aber ich war noch in Terminen. Jetzt können wir in Ruhe sprechen.«

»Sie hatten doch gesagt, dass die Zeugen alles aussagen würden, was nicht gut für Palme wäre, meine ich«, kam Krampe direkt zur Sache. Er sprach hastig, wirkte aufgebracht.

»Sie haben die Meldungen in den Zeitungen gelesen, oder?«

»Ja. Und das beunruhigt mich.«

»Das kann ich verstehen. Aber es ist eine Sache, zu lesen, was dort steht. Und eine gänzlich andere, was das für einen Prozess bedeutet.«

»Was meinen Sie damit?« Krampe hörte sich unsicher an.

»Auch wenn die Verteidiger von Palme sowohl Jarmer als auch den Cyber-Experten ganz schön in die Mangel genommen haben, ändert das nichts am Ergebnis ihrer Aussagen. Denn abgesehen davon, dass in Zeitungen und sozialen Medien die Meinungen auseinandergingen, wurden heute vor Gericht zwei Fakten etabliert: Grünwald ist heftig gestoßen worden, und von Palmes Rechner aus wurde mit einem Auftragsmörder kommuniziert.« Rocco räusperte sich und wollte Krampe einen Moment Gelegenheit geben, seinen Ausführungen zu folgen. »Damit«, fuhr er fort, »sind diese beiden Indizien jetzt eingeführt und müssen vom Gericht später berücksichtigt werden. Es ist also bei Weitem nicht so schlecht gelaufen, wie einen die Presse auf den ersten Blick glauben machen könnte.«

»Okay«, erwiderte Krampe, und seine Stimme war jetzt deutlich ruhiger. »Danke. Das verstehe ich. Aber wie geht es weiter?«

»Wir werden uns auf Ihre Aussage konzentrieren. Sie sind für Montag in den Zeugenstand geladen. Was halten Sie davon, dass ich am Freitagnachmittag runter zu Ihnen nach Michendorf komme und wir das ganz in Ruhe vorbereiten?«

Nachdem Krampe zugestimmt hatte, beendeten sie das Gespräch. Rocco fragte sich, wie das Verfahren wohl weiterging. Brankovic war ein deutlich besserer Gegner, als er vor dem Verfahren angenommen hatte. Die wenige Erfahrung, die er als Wirtschaftsanwalt im Strafrecht hatte, merkte man ihm in keiner Weise an. Und Rocco wusste, dass ihnen ein weiterer Frontalangriff bevorstand. Er war sich sicher, dass Brankovic inzwischen wusste, in welcher Beziehung er früher einmal zu Claudia gestanden hatte.

94. KAPITEL

Berlin-Wilmersdorf, Tübinger Straße:
Donnerstag, 28. Januar, 20.27 Uhr

Rocco Eberhardt saß mit einem Glas Rotwein in der Hand auf seinem Sofa und blickte auf die knisternden Flammen des alten Kaminofens. Er liebte das Feuer. Ebenso wie das Meer. Beides hatte etwas Beruhigendes an sich. Gerade als seine Gedanken abzuschweifen drohten, klingelte sein Telefon und brachte ihn schlagartig zurück in das Hier und Jetzt.

»Hallo, Herr Jarmer«, begrüßte Rocco den Rechtsmediziner. »Was verschafft mir die späte Ehre?«

»Eine Frage, die mich nicht in Ruhe lässt«, erwiderte Jarmer.

»Na, dann schießen Sie mal los.«

»Zunächst einmal war ich nicht wirklich begeistert, dass der Verteidiger von Palme es geschafft hat, meine Objektivität in Bezug auf meine rechtsmedizinische Tätigkeit durch unsere Zusammenarbeit infrage zu stellen. Mir ist natürlich bewusst, dass unsere gemeinsame Recherche durchaus Grund dafür gegeben hat. Allerdings hatte ich das Gutachten längst vor unserer Zusammenarbeit erstellt, was ohne Zweifel auch Rechtsanwalt Brankovic klar gewesen ist.«

Rocco schmunzelte. Er wusste, wie sehr Moral und Recht das Leben von Jarmer beherrschten und wie sehr den Mediziner ein Angriff auf seine Integrität schmerzen musste. »Willkommen in der Welt der Rechtsverdreher und Prozesstaktiker«, erwiderte er deshalb trocken.

»Schon gut, schon gut. Damit komme ich klar«, sagte Jarmer, der ein kleines bisschen um seine Contenance zu kämpfen schien.

»Aber das ist gar nicht mein Problem. Ich frage mich vielmehr, ob Sie nicht ein Problem haben. Und Frau Spatzierer.«

»Das ist in der Tat eine sehr gute Frage. Denn wenn Brankovic Sie schon für befangen halten will, wird er das aufgrund der Beziehung, die Claudia und ich in der Vergangenheit hatten, ohne Frage bei uns auch tun.«

»Nur in der Vergangenheit?«, hakte Jarmer nach. »Also wenn ich mir die Bemerkung erlauben darf, dann scheint mir Ihr Verhältnis momentan auch nicht so distanziert zu sein.«

Das wäre schön, dachte Rocco und fragte sich, ob Claudia das auch so sah.

»So oder so«, antwortete Rocco, »ist Ihre Frage berechtigt. Tatsächlich gibt es in der Strafprozessordnung keine Regelung, aufgrund derer man einen Staatsanwalt wegen Befangenheit ablehnen könnte. Anders zum Beispiel als beim Gericht, wo es eine gesetzliche Regelung gibt.«

»Oh, das ist aber überraschend«, gab Jarmer verwundert zurück.

»Ja, das habe ich auch schon öfter gedacht. Und unser höchstes Gericht in Strafsachen, der Bundesgerichtshof in Karlsruhe, hat auch eine analoge Anwendung der Regeln für Richter, die für Staatsanwälte gelten könnten, abgelehnt. Bedenklich wird es allerdings in dem Moment, wenn der Staatsanwalt auch als Zeuge aussagt.«

»Weil dann zu viel bei derselben Person zusammenläuft?«, fragte Jarmer.

»Exakt. Weil er oder sie dann bei ihrem Schlussplädoyer ihre eigene Aussage bewerten und für die Argumentation heranziehen müssten. Da muss selbst ich sagen, dass das nicht objektiv sein kann.«

»Okay. Verstehe ich. Und ist im Prinzip auch vollkommen egal, zumindest vom moralischen Standpunkt her. Aber wäre es nicht das Richtige, wenn Sie, beziehungsweise Frau Spatzierer aufgrund

Ihrer Beziehung zur Klarstellung mit dem Gericht sprechen würden?«

»Das wäre es sicherlich, Herr Jarmer. Und stellen Sie sich vor, ich habe mich, um genau das zu besprechen, für morgen mit Frau Spatzierer verabredet.«

Rocco hörte, wie Jarmer am anderen Ende der Leitung zustimmend brummte.

»Gab es noch etwas, das Sie mit mir besprechen wollten?«

»Grundsätzlich schon, aber noch nicht jetzt«, erwiderte Jarmer. »Mir ist da ein Gedanke gekommen, der mir tatsächlich etwas Kopfzerbrechen bereitet. Könnte für unseren Fall nicht ganz unwichtig sein. Aber ich möchte das gerne erst noch mit einer Bekannten besprechen, bevor ich Sie unnötig behellige. Ist auch nur so eine Idee von mir, von der ich hoffe, dass sie sich in Wohlgefallen auflöst.«

95. KAPITEL

Berlin-Moabit, Kriminalgericht,
Schwurgerichtssaal 500:
Montag, 1. Februar, 9.23 Uhr

Claudia hatte Rocco Freitagmorgen in aller Frühe angerufen und ihr Treffen platzen lassen. Sie hatte sich den Magen verdorben und wollte sich über das Wochenende erholen, um am Montag wieder an der Verhandlung teilnehmen zu können. Rocco war deshalb froh, als er den Gerichtssaal betrat und Claudia schon auf ihrem Platz saß. Sie wirkte etwas blasser als sonst, aber ihre Augen funkelten.

»Hallo Claudia«, begrüßte er sie. »Siehst ja schon wieder besser aus. Alles okay bei dir?«

»Danke, alles in Ordnung. Und bei euch?«, erwiderte sie und blickte von Rocco zu Krampe, der aufgrund seiner Zeugenaussage heute zum ersten Mal mit dabei war.

»Aufgeregt.« Krampe wippte von einem Bein auf das andere.

»Aber gut vorbereitet. Wir hatten uns am Freitag noch in Michendorf getroffen und den heutigen Tag durchgespielt. Vor allem natürlich die möglichen Fragen vonseiten des geschätzten Kollegen Brankovic«, ergänzte Rocco mit leicht ironischem Unterton. »Deshalb müssen Sie gar nicht so unruhig sein, Herr Krampe. Sie werden Ihre Sache ganz ausgezeichnet machen.«

Er blickte Krampe zuversichtlich an und musste erneut feststellen, wie sehr er sich in den vergangenen Wochen zum Positiven entwickelt hatte. Krampe hatte extra für die Verhandlung eine dunkle Jeans, ein leicht tailliertes weißes Hemd und ein schlichtes blaues Sakko gekauft. Mit seiner sonnengebräunten Haut und seinen kurzen Haaren sah er besser aus als je zuvor.

Trotzdem hatte Rocco den Eindruck, dass Krampe mit jeder Minute nervöser wurde, was allerdings wenig überraschend war. Die zahlreichen Reporter und Zuschauer, die gerade von den Wachtmeistern in den Saal gelassen wurden, starrten ihn geradezu an.

Rocco legte seine Hand beruhigend auf Krampes Schulter. »Lassen Sie sich von der Menge nicht irritieren und blicken Sie einfach zur Richterbank. Wenn Sie gleich als Zeuge aussagen, sind die Zuschauer in Ihrem Rücken, sodass Sie diese gar nicht sehen müssen.«

Kurz darauf eröffnete der Vorsitzende Richter die Sitzung und rief Krampe in den Zeugenstand. Nach den üblichen Formalien stellte er ihm die erste Frage.

»Herr Krampe, vielleicht erzählen Sie uns einfach mal, in welcher Beziehung Sie zu dem Angeklagten stehen und wann Sie ihn das erste Mal getroffen haben.«

Krampe nickte und begann mit seiner Geschichte, die bis in seine frühe Kindheit zurückreichte. Rocco hörte ihm gebannt zu, ebenso wie alle übrigen Beteiligten im Saal. Krampe machte seine Sache gut und beschrieb detailliert, an was er sich noch erinnern konnte. Dabei ballte er seine rechte Hand unter dem Tisch auffallend zu einer Faust. Rocco fragte sich, ob das ein Ausdruck seiner Anspannung war. Doch dann öffnete Krampe für einen Moment seine Hand, und Rocco erkannte, dass sein Mandant irgendetwas darin festhielt.

96. KAPITEL

Berlin-Moabit, Kriminalgericht,
Schwurgerichtssaal 500:
Montag, 1. Februar, 10.47 Uhr

Nach einer guten Stunde war Krampe mit seiner Geschichte an dem Punkt angelangt, wo er nach zahlreichen Niederlagen vor Behörden und Gericht gemeinsam mit Jörg Grünwald auf die *Tagespost*-Reporterin Anja Liebig gestoßen war.

Der Vorsitzende schaute auf seine Uhr. »Ich schlage vor, wir machen jetzt für dreißig Minuten Pause. Danach haben wir eine gute Stunde bis zur Mittagspause, und dann sehen wir, wie weit wir heute noch kommen.«

Doktor Wollschläger erhob sich, und nach einer Aufforderung durch einen Justizwachtmeister verließen auch die übrigen Zuschauer den Saal. Ebenso wie die beiden Verteidiger und Claudia Spatzierer. Als dann auch noch Markus Palme durch seine Seitentür hinausgeleitet wurde, sah Krampe zu Rocco. Der schüttelte den Kopf und sagte: »Wir müssen nicht raus, wir können hier drin bleiben.«

Krampe nickte, offensichtlich dankbar, sich nicht unter all die Menschen mischen zu müssen.

»Das hat doch so weit ganz gut geklappt, oder?«, meinte Rocco.

»Schon. Aber bisher hat mich ja auch keiner was gefragt. Also nicht wirklich, meine ich.«

»Ja, das kann sich später noch ändern, da will ich Ihnen nichts vormachen. Gerade die beiden Verteidiger werden vermutlich einiges wissen wollen. Aber, Sie sind ja gut vorbereitet.« Er winkte Krampe, der etwas verloren hinter seinem Zeugenstuhl stand, zu sich heran. »Kommen Sie, setzen Sie sich zu mir. Ich habe noch etwas Wasser.«

Krampes Augen erhellten sich. Er hatte die Wasserkaraffe, die ihm der Wachtmeister gebracht hatte, während seiner Aussage leer getrunken.

Nachdem Krampe Platz genommen hatte, plauderten er und Rocco über Holland und seinen Hof. Rocco hatte das Gefühl, ein bisschen Ablenkung würde seinem Mandanten jetzt guttun.

»Ja, echt verrückter Kerl. Hat sich alleine diesen Hof gekauft und baut den jetzt Stück für Stück wieder auf. Bringt richtig Spaß, ihm dabei zu helfen, und so wie es aussieht, kann ich auch weiter bei ihm bleiben.« Krampes Augen blitzten.

»Das freut mich! Und um die frische Landluft beneide ich Sie.«

»Na ja«, antwortete Krampe. »Dann haben Sie den Stall noch nicht ausgemistet. Oh, sorry ...« Krampe beugte sich nach unten und hob etwas vom Boden auf. Der kleine Gegenstand, den er während der Befragung festgehalten hatte, war ihm runtergefallen. Er hob ihn auf und zeigte ihn kurz Rocco. »Nur eine kleine Anstecknadel«, sagte er. »Na ja, auf jeden Fall riecht es bei den Kühen nicht immer ganz so gut. Aber dafür können wir den Mist dann zum Düngen verwenden.«

Rocco lachte, war aber in Gedanken auf einmal nicht mehr bei den Kühen und ihrem Mist. Da war etwas anderes. Irgendetwas war gerade in seinem Unterbewusstsein ausgelöst worden. Aber er kriegte nicht zu fassen, was das war. Er versuchte, sich zu konzentrieren, weil er das Gefühl hatte, dass es wichtig war. Im selben Moment betrat die Protokollführerin wieder den Saal.

»In zehn Minuten geht es weiter«, sagte sie. »Für den Fall, dass Sie noch mal austreten wollen.«

»Gute Idee«, sagte Krampe und war im nächsten Moment durch eine Seitentür verschwunden, um zu einer Toilette zu gelangen, die eigentlich den Mitarbeitern vorbehalten war. Einer der Beamten hatte sie ihm kurz vor dem Start am Morgen gezeigt, damit er sich nicht durch die ganzen Zuschauer drängen musste.

Rocco war ebenfalls aufgestanden und lief unruhig auf und ab. Und dann fiel es ihm ein. Und von einem Moment auf den anderen war ihm klar, dass jetzt nichts mehr so war wie zuvor.

97. KAPITEL

Berlin-Moabit, Kriminalgericht,
Schwurgerichtssaal 500:
Montag, 1. Februar, 11.20 Uhr

Rocco war wie betäubt. Er fühlte sich, als hätte ihn ein Lastwagen frontal erfasst. Während Krampe schon dabei war, über das Kennenlernen mit Anja Liebig zu berichten, saß er wie angewurzelt auf seinem Stuhl. Das war Claudia nicht entgangen, denn sie beugte sich zu ihm rüber.

»Alles okay mit dir?«, flüsterte sie.

»Was? Wieso? Ach so ... ja. Ja, alles gut«, antwortete er wie in Trance. Claudia schaute ihn misstrauisch an, setzte sich dann aber wieder in ihrem Stuhl zurück.

Vor Roccos innerem Auge lief ein ganz anderer Film ab. Er hatte die Gerichtsverhandlung vollkommen ausgeblendet. *Konnte das wirklich sein?*, fragte er sich. *War das wirklich möglich?*

Mit einem Mal rief er sich auch wieder Jarmers Worte von Donnerstagabend ins Gedächtnis. Hatte der Rechtsmediziner etwa die gleiche Befürchtung wie er gehegt? Er musste so schnell wie möglich mit Jarmer reden. Sofort nach Ende der Verhandlung.

Rocco blickte auf. Sah von Krampe zu Brankovic, zur Richterbank. Wie es aussah, lauschten alle weiter Krampes Ausführungen.

»Und wann genau hatten Sie das letzte Mal mit Ihrem Freund, mit dem verstorbenen Jörg Grünwald, gesprochen?«, fragte Doktor Wollschläger.

Die Worte drangen nur wie durch Watte in Roccos Ohr. Er griff sich ein leeres Blatt Papier aus seiner Akte und begann, einen Zeitstrahl aufzuzeichnen. Und zu seinem Erschrecken fand er auch hier keinen Widerspruch für seinen Verdacht. *Reiß dich zusammen*, Rocco, zwang er sich zur Ruhe. *Das hat auch Zeit bis nach der Verhandlung!*

Er legte das Blatt in seine Akte, ganz nach hinten, und bemühte sich, seine Aufmerksamkeit auf Krampes Aussage zu richten.

Doch es gelang ihm nicht. *Claudia*, dachte er. *Sie müsste er auch informieren. Zunächst Jarmer. Und Tobi. Dann Claudia. Mit ihr könnte er erst sprechen, wenn er sich sicher war. Wenn sie sich sicher waren! Vorher nicht. Aber erst die Verhandlung.* Er musste dafür sorgen, dass sie Krampes Vernehmung so sehr in die Länge zogen, dass Brankovic auf keinen Fall eine Chance bekam, Krampe heute noch zu befragen.

Knappe vierzig Minuten später erhob der Vorsitzende Richter das Wort. Sie waren gerade bei dem Teil angekommen, als Krampe davon erzählte, wie er vor den Bus gestoßen wurde. Schweiß hatte sich auf seiner Stirn gebildet, und seine Aussage fiel ihm offensichtlich zunehmend schwerer. Immer wieder verhaspelte er sich oder bat um einen kurzen Moment Pause, damit er sich richtig erinnern konnte.

»Ich bitte die Vertreter von Staatsanwaltschaft, Nebenklage und Verteidigung kurz zu mir.«

Wollschläger wollte etwas mit ihnen besprechen, ohne dass Zuschauer und Presse etwas von der Unterredung mitbekamen. Die Aufgerufenen erhoben sich allesamt und traten an die Richterbank.

Doktor Wollschläger vergewisserte sich kurz, dass sein Mikrofon ausgeschaltet war. »Ich schlage vor, dass wir für heute Schluss machen«, sagte er. »Mir scheint, dass der Zeuge langsam erschöpft ist, und ich möchte gerne eine Aussage haben, bei der er voll konzentriert ist. Ich schlage vor, wir vertagen uns auf Freitag.«

Rocco schickte ein Stoßgebet in Richtung Himmel. Das war genau die Unterbrechung, die er gebraucht hatte. Claudia Spatzierer nickte zustimmend, und auch Brankovic war damit einverstanden. Schließlich gab auch Rocco sein Einverständnis, und der Vorsitzende Richter zeigte sich zufrieden.

Zwanzig Minuten später standen Rocco und Timo Krampe an einem Hintereingang des Gerichts, wo sie sich mit Carlo Holland verabredet hatten.

»Und, wie war es?«, fragte Holland.

»Ich bin völlig erledigt«, erwiderte Krampe, dem man die Erschöpfung deutlich ansah.

»Der Vorsitzende Richter hat die Verhandlung für heute unterbrochen. Herr Krampe wird am nächsten Verhandlungstag weiter aussagen, aber für heute ist hier Schluss«, erklärte Rocco.

»Ausgezeichnet«, sagte Holland und zeigte in Richtung seines Autos. An Krampe gewandt, fragte er: »Wollen wir?«

Krampe nickte und sah dann zu Rocco.

»Ich werde morgen am Vormittag mal bei euch vorbeikommen«, erwiderte Rocco. »Dann können wir den nächsten Verhandlungstag besprechen. Es geht ja erst am Freitag weiter, das heißt, wir haben ein paar Tage Pause.«

Sie verabschiedeten sich, und nachdem Holland und Krampe davongefahren waren, griff Rocco zu seinem Telefon. Er hatte drei Anrufe in Abwesenheit erhalten. Alle drei waren von Tobias Baumann.

98. KAPITEL

Berlin-Wilmersdorf, Tübinger Straße:
Montag, 1. Februar, 18.34 Uhr

»Entschuldigen Sie, dass ich es erst jetzt geschafft habe«, sagte Justus Jarmer, als Rocco ihn in seine Wohnung bat.

»Kein Problem«, erwiderte Rocco. »Legen Sie doch bitte ab und kommen Sie rein. Tobias ist auch schon da.«

Nachdem Jarmer Wintermantel und Schal an die Garderobenhaken gehängt und seine Winterstiefel ausgezogen hatte, folgte er Rocco durch den langen Flur in das große Zimmer, in dem neben Kamin und Sofa ein langer Holztisch an die offene Küche grenzte.

Tobi und Jarmer begrüßten sich kurz, und Rocco versorgte alle mit Getränken.

»Also«, sagte Jarmer. »Was genau ist heute passiert, das keinen Aufschub duldete?«

Tobi, dem Rocco schon eine Kurzfassung seiner Beobachtung geschildert hatte, ergriff als Erster das Wort.

»Eine ganze Menge, aber ich schlage vor, wir beginnen ganz am Anfang.«

Er schob Jarmer ein Foto über den Tisch, das Jörg Grünwald an einem Tisch sitzend zeigte.

»Ich war doch vor einiger Zeit in der *Dicken Oma*, der Kneipe, in der Grünwald zuletzt gesehen wurde.«

Jarmer nickte, denn den Punkt hatten sie ja schon besprochen.

»Nun«, fuhr Baumann fort. »Die Wirtin konnte sich an nichts erinnern, aber ich habe ihr ein paar Fotos von unseren Beteiligten dagelassen, und sie wollte mit ihren Kellnerinnen sprechen, ob sich jemand an Grünwalds Tischnachbarn erinnern konnte.«

»Was ja nicht der Fall war«, fügte Jarmer hinzu.

»Stimmt, bis heute. Denn eine Kellnerin, die nur selten in der *Dicken Oma* arbeitete, ist heute das erste Mal wieder zum Aushelfen gekommen.«

»Und?«, fragte Jarmer.

»Und sie hat sich erinnert.«

Doch noch bevor Baumann das Rätsel auflöste, fiel ihm Rocco ins Wort.

»Außerdem ist heute in der Verhandlung etwas passiert, das ebenfalls ein völlig neues Licht auf unseren Fall geworfen hat.«

Rocco schob ein weiteres Bild zu Jarmer, auf dem eine Ausschnittvergrößerung des ersten Fotos zu sehen war. Jörg Grünwald war dort mit seinem Oberkörper zu sehen, und Rocco zeigte auf dessen Revers.

»Sehen Sie die kleine goldene Anstecknadel dort an Grünwalds Jacke? Der ist mir schon früher aufgefallen, weil er so sehr hervorstach.«

Jarmer nickte. »Stimmt, sticht ins Auge.«

»Ebendiese Anstecknadel hatte Timo Krampe heute im Termin in seiner Hand. Er hat sie die ganze Zeit geradezu krampfhaft festgehalten.«

Jarmer zog die Augenbrauen hoch und blickte von Rocco zu Baumann. »Lassen Sie mich raten. Der Mann, den die Kellnerin als Grünwalds Tischnachbarn identifiziert hat, war kein anderer als Krampe selbst!«

Rocco nickte. »Genau so sieht es aus.«

Jarmer lehnte sich in seinem Stuhl zurück und blickte an die Decke. Während er ganz offensichtlich darüber nachdachte, wie er diese Ereignisse einordnen sollte, griff er in seine Tasche und holte einen Kugelschreiber daraus hervor, den er sofort in atemberaubender Geschwindigkeit um seine Finger kreisen ließ.

Dann stoppte er abrupt, beugte sich nach vorne und blickte von

Rocco zu Baumann. »Dann muss ich Ihnen jetzt auch noch etwas sagen, das das Bild vermutlich klarer macht. Und auf das ich auch erst letzte Woche gestoßen bin. Ich hatte Ihnen ja kurz erzählt, Herr Eberhardt, dass mir etwas in den Sinn gekommen war, was ich noch überprüfen wollte. Zwischenzeitlich hatte ich Gelegenheit, mich noch einmal mit Marianne Kramer, der Psychologin, die seinerzeit über das Granther-Experiment referiert hatte, zu unterhalten.«

»Und worum ging es dabei?«, fragte Rocco.

»Ganz einfach. Ich hatte einen Toten obduziert. Der war von einem Bus überrollt worden. Nicht an einer Haltestelle, sondern mitten auf der Straße, aber das hat mich dann doch an unseren Fall erinnert. Die Polizei hatte erst wegen eines Tötungsdeliktes ermittelt, dann aber relativ schnell einen Abschiedsbrief in der Wohnung des Verstorbenen gefunden.«

Rocco nickte.

»Jemand schmeißt sich vor einen Bus, um Selbstmord zu begehen.«

»Ganz genau. Und Kramer hat mir bestätigt, dass Opfer sexuellen Missbrauchs leider auch häufig zu suizidalem Verhalten neigen.«

Mit einem Mal fügten sich immer mehr Puzzlestücke zusammen. Rocco wollte gerade eine Frage stellen, als Jarmer abwehrend die Hand hob. »Bitte warten Sie noch kurz. Ich möchte einen weiteren Gedanken mit Ihnen teilen, auf den Kramer mich gebracht hat. Ich habe mir nämlich auch noch mal das Ergebnis der Obduktion von Grünwald durch den Kopf gehen lassen. Wenn ihn wirklich jemand in den Kanal gestoßen hat und er infolgedessen gestorben ist, muss das entweder total überraschend passiert sein oder völlig unerwartet.«

»Was genau meinen Sie damit?«, fragte Rocco. Ihm war nicht ganz klar, worauf Jarmer hinauswollte.

»Na ja, überraschend wäre, wenn jemand aus dem Nichts auf Grünwald zugerannt käme und ihn dann heftig so in den Rücken geschlagen hätte, dass dieser keine Zeit mehr gehabt hätte, um zu realisieren, was da geschieht. Einfach eine Überraschung aus dem Hinterhalt sozusagen. Und unerwartet wäre es, wenn er mit einer vertrauten Person, von der er nichts Böses zu erwarten hatte, angegriffen worden wäre.«

»Meinen Sie zum Beispiel, von jemandem, den er kannte? Jemand, mit dem er vielleicht gerade am Kanal entlangging?«

Jarmer nickte.

»Aber was wäre das Motiv?«, fragte Rocco. »Gehen wir mal davon aus, dass es so gewesen sein könnte, wie Sie sagen. Warum um alles in der Welt hätte Krampe seinen Freund, mit dem er zusammen gegen die Geister seiner Vergangenheit kämpfte, denn umbringen wollen?«

»Das ist genau der springende Punkt. Denn was Kramer mir noch gesagt hat, war, dass in einigen Fällen Opfer auch wieder zu Tätern werden können. Und vielleicht ...«, erwiderte Jarmer, »... gehörte auch Grünwald für Krampe zu diesen Geistern.«

99. KAPITEL

Ein Bauernhof in der Nähe von
Michendorf in Brandenburg:
Dienstag, 2. Februar, 11.09 Uhr

Carlo Holland räumte den letzten Teller von dem runden Holztisch ab, an dem er bis gerade eben noch mit Rocco, Jarmer und Krampe zusammen gefrühstückt hatte. Sie hatten nur kurz über die Verhandlung gesprochen. Krampe hatte immer wieder das Thema gewechselt. Allerdings waren weder das Frühstück noch der gestrige Gerichtstermin der eigentliche Grund, warum Rocco und Jarmer nach Michendorf gefahren waren. Tatsächlich mussten sie etwas mit Timo Krampe besprechen, das nach den neuerlichen Erkenntnissen keinen Aufschub mehr duldete.

Jarmer hatte Holland vorher am Morgen angerufen und ihm erklärt, dass sie etwa eine gute Stunde alleine mit Krampe brauchten, und Holland hatte nicht nur seine Hilfe angeboten, sondern ihnen alle Zeit und allen Platz angeboten, den sie bräuchten.

»Herr Krampe«, begann Rocco und versuchte, so verbindlich wie möglich zu wirken. »Es ist ja wirklich beeindruckend, wie Sie sich hier in den letzten Wochen entwickelt haben. Holland hält große Stücke auf Sie, wie ich gehört habe.«

Doch Krampe, der einen feinen Sinn für Stimmungen hatte, wusste sofort, dass etwas nicht stimmte. Er blickte besorgt zwischen Rocco und Jarmer hin und her. »Sie sind ganz sicher nicht hier, weil Sie mit mir über meine tolle Entwicklung sprechen wollen, oder?« Er klang erschöpft, aber auch ein bisschen erleichtert. »Sie haben alles rausbekommen, habe ich recht?«

Rocco nickte. »Aber bevor Sie irgendetwas sagen, hören Sie bitte ganz genau zu. Ich habe Doktor Jarmer, der ja eigentlich als Rechtsmediziner für das Land Berlin arbeitet, in Ihrem Fall offiziell beauftragt, mich zu unterstützen. Das bedeutet, dass sich die Verschwiegenheitspflicht, die ich als Anwalt gegenüber allen Informationen, die mir in der Ausübung meines Berufes bekannt werden, auch auf Doktor Jarmer erstreckt. Oder mit anderen Worten, alles, was wir gleich besprechen, dürfen und werden wir ohne Ihre Genehmigung, Ihre direkte Anweisung oder Ihr ausdrückliches Einverständnis mit niemandem teilen.« Er machte eine Pause und sah Krampe an. »Haben Sie das verstanden?«

Krampe nickte. »Irgendwie bin ich froh, dass jetzt alles rauskommt«, sagte er. »Vielleicht hören auch die Albträume auf.«

Rocco nickte, ohne etwas darauf zu erwidern. Er hatte genug Erfahrungen mit Menschen, die ihr Gewissen erleichtern wollten. Und Krampe stand kurz davor, genau das zu tun. Rocco musterte seinen Mandanten. Von dem blassen, zusammengesunkenen und schüchternen Mann, der vor einigen Monaten in seine Kanzlei gekommen und ohne die Unterstützung von Anja Liebig kaum in der Lage gewesen war, ein Wort herauszubringen, war auf den ersten Blick wenig übrig geblieben. Braun gebrannt und aufrecht saß er vor ihnen. Einzig seine Augen hatten wieder etwas von der tiefen Verletztheit und dem Kummer vieler Jahre, die Rocco bei ihrem ersten Treffen aufgefallen waren.

»Das Ganze war mehr ein Unfall als alles andere«, begann Krampe jetzt mit gefasster Stimme. »Jörg und ich hatten uns in der *Dicken Oma* verabredet, um noch mal alles für das Interview mit Anja Liebig durchzugehen. Wir waren uns weitestgehend einig, was wir erzählen wollten und was nicht. Einige Erlebnisse waren einfach zu schmerzhaft, und es hätte keinem geholfen, darüber zu berichten. Als es spät wurde, wollte ich eigentlich nach Hause, aber Jörg war richtig in Trinklaune. Am Ende hatte ich dann noch zwei Bier bestellt, als er auf Toilette war.«

Krampe wirkte abwesend. Er hatte seinen Blick gesenkt, und es kam Rocco so vor, als tauchte er gerade in die Vergangenheit des Abends, an dem er sich mit Jörg Grünwald getroffen hatte, ein.

»Danach sind wir dann noch ein paar Schritte gegangen, direkt am Kanal entlang. Ich hatte ein bisschen Sorgen, ob das alles gut gehen würde und ob man uns nicht ins Licht der Öffentlichkeit zerren würde. Darauf hatte ich keine Lust. Na klar, ich wollte schon, dass alles rauskommt und auch dass die Verantwortlichen dafür geradestehen müssen, aber ich hatte keine Lust, dass sich auf einmal alle auf mich stürzen.«

Krampe blickte abwesend durch die tiefen Fenster des Esszimmers über die große, zugeschneite Wiese hinter dem Bauernhof. Jarmer und Rocco sahen sich an, und beide wussten, dass dann etwas Außergewöhnliches passiert sein musste. Aber Krampe blieb stumm.

Vermutlich sitzt der Schmerz zu tief, dachte Rocco, entschied sich aber dennoch, Krampe zu ermutigen, weiterzuerzählen. »Ich danke Ihnen für Ihre Offenheit, Herr Krampe. Ich kann mir vorstellen, dass das alles nicht einfach für Sie ist. Aber ich habe das Gefühl, dass Sie uns noch nicht die ganze Geschichte erzählt haben, oder?«

Krampe drehte seinen Kopf und blickte Rocco jetzt direkt in die Augen. »Stimmt. An dem Abend ist etwas Schreckliches passiert. Nachdem ich Jörg von meinen Sorgen erzählt hatte, hat er nur gelacht. Das ginge schon alles gut, meinte er. Und dann hat er etwas gesagt, was alte, längst vergangene Wunden wieder aufgerissen hatte. Er hat gesagt: ›Mach dir keine Sorgen, kleiner Bruder. Du kannst mir vertrauen. Alles ist in Ordnung.‹« Krampe hielt inne, und Tränen rannen über seine Wangen. »Genau das hat er schon einmal gesagt, als ich noch klein war. Und danach hat er mich auch zu sich geholt.«

Rocco blickte zu Jarmer, und der nickte nur ganz leicht. Genau darüber hatte er ihm und Baumann am Vorabend noch berichtet. Aus Opfern wurden manchmal eben auch Täter. Und Grünwald, der schon einige Zeit vor Krampe von ihrem gemeinsamen Pflegevater missbraucht worden war, hatte sich schließlich selbst an seinem Pflegebruder vergangen.

»Das war nur einmal passiert«, brach es dann aus Krampe raus, »nur einmal. Und ich hatte das verdrängt. Ich hatte es total vergessen. Aber als er dort am Kanal genau die gleichen Worte verwandt hatte, kam alles wieder hoch. Der Schmerz, der Vertrauensverlust, die Angst. Und in dem Moment …«, Krampe schluchzte jetzt immer heftiger, »… in dem Moment habe ich ihn von hinten in den Rücken getreten. Er ist gestolpert und in den Kanal gefallen. Das alles war überhaupt keine Absicht. Er hat versucht, wieder an die Oberfläche zu kommen, was ihm auch gelungen ist. Und dann ist er einfach abgetrieben. Ich habe ihn irgendwann aus den Augen verloren.« Krampe sah Rocco mit aufgerissenen Augen an. »Ich wäre ja sofort hinterhergesprungen, aber ich kann nicht schwimmen, habe es nie gelernt.« Er wischte sich die Tränen mit dem Ärmel aus dem Gesicht, trank einen Schluck Wasser und wurde langsam wieder etwas ruhiger.

»Und was ist dann geschehen?«, fragte Rocco weiter.

»Na ja, zuerst dachte ich, dass er irgendwo wieder ans Ufer geklettert ist. Ich bin also den Kanal weiter entlanggelaufen, habe ihn aber nicht gesehen. Anrufen hätte auch keinen Sinn gemacht. Sein Handy musste bestimmt im Wasser kaputtgegangen sein.« Krampe trank einen Schluck Wasser. »Ich dachte, Jörg würde sich am nächsten Tag schon melden. Wir könnten über alles reden und so. Aber das hat er nicht getan. Auch am übernächsten Tag und an dem drauf auch nicht. Ich bin schließlich noch mal zurück zum Kanal, und da habe ich dann Jörgs Anstecker gesehen.«

Krampe griff in die Tasche und zog den goldenen Pin, der die

Form des Staates Texas hatte, heraus, der Rocco am Vortag in der Verhandlung aufgefallen war. Er legte ihn vor sich auf den Tisch.

»Und als Jörg dann immer noch nicht kam, habe ich das Schlimmste befürchtet. Und dann habe ich mir die Geschichte mit seinem Urlaub ausgedacht. Ich musste ja erklären, warum er nicht mehr da war, wir hatten ja vereinbart, uns zusammen bei Anja Liebig zu melden. Und das ging ja nun nicht mehr wie geplant. Den Rest kennen Sie.«

Für einen Moment blieben alle still nebeneinander sitzen. Dann war es Jarmer, der das Wort ergriff. »Sie haben uns noch nicht alles erzählt, oder?«

Timo Krampe blickte Jarmer irritiert an.

»Ich meine, was an der Bushaltestelle passiert war.«

Krampe blickte wieder zu Boden. Auch diesen Vorfall schien er verdrängt zu haben. Als er wieder aufsah, war sein Gesicht ausdruckslos. »Ich habe probiert, mich umzubringen. Ich bin vor den Bus gesprungen, aber im letzten Moment hat mich dann doch die Angst gepackt, und ich konnte mich durch einen Satz nach vorne retten. Das war auch nicht so schwer, der Bus hatte ja ohnehin schon gebremst, um in die Haltestelle einzufahren. Vermutlich hätte er mich eh nicht richtig erwischt.« Krampe hielt inne und nestelte an seinen Händen. »Als ich gehört habe, dass Jörg tot ist, als Sie ihn identifiziert haben, da war mir klar, dass ich ihn umgebracht habe. Dass ich ein Mörder bin. Ich bin genauso schlimm wie mein Vater. Und ich bin genauso schlimm wie Jörg. Ich habe kein Recht mehr, zu leben. Aber dazu bin ich zu feige, um das durchzuziehen.«

Rocco merkte, dass Krampe langsam in sich zusammenfiel. Von dem selbstbewussten Mann, zu dem er in den vergangenen Monaten geworden war, war nicht mehr viel übrig. Zu schwer lasteten die Geschehnisse aus der ferneren und jüngeren Vergangenheit auf seinen Schultern. Aber Rocco wusste auch, dass die rechtliche Beurteilung, die Krampe vorgenommen hatte, nichts mit der Wirklichkeit zu tun hatte. Es schien eindeutig, dass Grünwald durch Krampes Stoß erst gestolpert und dann in der Folge dessen auch ertrunken war. Aber das war kein Mord. Bei Weitem nicht. Und Rocco wäre nicht der erfolgreiche Verteidiger, der er war, wenn er nicht sofort alle rechtlichen Möglichkeiten gegeneinander abgewogen hätte.

Er blickte seinen Mandanten an. »Lieber Herr Krampe, ich bitte Sie jetzt zum zweiten Mal heute, mir ganz genau zuzuhören. Wenn Sie genau das machen, was ich Ihnen sage, dann verspreche ich Ihnen, dass wir alles ans Licht bringen und Sie mit sehr großer Wahrscheinlichkeit mit einer deutlich geringeren Strafe davonkommen, als Sie es sich gerade ausmalen. Und ich müsste mich sehr täuschen, wenn Sie dafür ins Gefängnis gingen.«

Krampe blickte auf. »Sie meinen, ich müsste nicht ins Gefängnis?«

Rocco nickte. »Mit an Sicherheit grenzender Wahrscheinlichkeit nicht. Aber dafür ist einiges zu tun. Und dafür brauche ich Ihre Hilfe. Und die von Doktor Jarmer. Und die von Carlo Holland.«

Er sah Krampe direkt an. »Das kommt nicht umsonst. Und das ist auch keine Kleinigkeit. Aber wenn Sie bereit sind, und Sie müssen mir das wirklich versprechen, kriegen wir das hin.«

Von einem Moment auf den anderen schien Krampe wieder Hoffnung zu schöpfen. Er richtete sich in seinem Stuhl auf, sein Blick wanderte von Jarmer zu Rocco und wieder zurück. »Ja«, sagte er dann mit fester Stimme. »Das verspreche ich Ihnen.«

100. KAPITEL

Berlin-Moabit, Turmstraße 91, Staatsanwaltschaft:
Dienstag, 2. Februar, 14.13 Uhr

Claudia Spatzierer schaute schlecht gelaunt auf ihren Schreibtisch. Die Platte bog sich unter den Aktenstapeln, die jeden Tag größer zu werden schienen. Erst gestern Abend hatte es wieder eine Schießerei mit Todesfolge und zahlreichen Verletzten in Neukölln gegeben. Und wie sollte es anders sein, als hätte sie nicht schon genug zu tun, hatte ihr Chef ihr diesen Fall auch noch übergeben. Die Beamten des LKA arbeiteten bereits auf Hochtouren daran, die zahlreichen Zeugen zu befragen, um die Geschehnisse aufzuklären. Missmutig griff sie nach der obersten Akte, als ihr Telefon klingelte. Ein Blick auf das Display zeigte ihr, dass es Rocco war. Vermutlich wollte er mit ihr über den nächsten Verhandlungstag sprechen und wie sie Krampe befragen würde. Sie rang mit sich. Zum einen wollte sie gerne mit Rocco sprechen, zum anderen hatte sie zu viel zu tun. Sie zögerte noch einen Moment, griff dann aber dennoch zu ihrem Telefon.

»Hallo Rocco«, sagte sie und fuhr, ohne seine Begrüßung abzuwarten, fort: »Sorry, aber ich habe jetzt echt gerade keine Zeit. Vielleicht können wir morgen telefonieren oder so? Die Verhandlung geht ja erst am Freitag weiter.«

»Kein Grund, sich zu entschuldigen«, erwiderte Rocco. »Aber ich muss etwas mit dir besprechen, das nicht warten kann. Der ganze Fall hat sich geändert. Wir lagen die ganze Zeit falsch. Und es tut mir wahnsinnig leid. Ich habe das Gefühl, dich da irgendwie reingetrieben zu haben.«

»Und was genau soll das sein?«, fragte Claudia skeptisch.

»Palme ist unschuldig. Er hat nichts mit der Sache zu tun. Also zumindest nicht mit Grünwald. Er ist nicht unser Täter.«

Claudia war sich nicht sicher, ob Rocco sie auf den Arm nehmen wollte oder ob er es ernst meinte. Und im nächsten Moment musste sie feststellen, wie gut er sie kannte.

»Sicher fragst du dich gerade, ob ich das wirklich so meine oder nur Spaß mache. Aber sei dir sicher«, fügte er hinzu: »Ich meine es todernst. Hast du jetzt Zeit? Kann ich vorbeikommen? Ich möchte das ungerne am Telefon besprechen.«

101. KAPITEL

Berlin-Moabit, Turmstraße 91, Staatsanwaltschaft:
Dienstag, 2. Februar, 15.07 Uhr

Keine Stunde später saß Rocco Claudia am Schreibtisch ihres kleinen Büros in der Staatsanwaltschaft gegenüber. Ohne große Umschweife kam er direkt zur Sache.

»Ich habe hier verschiedene Unterlagen vorbereitet, die ich dir unmittelbar im Anschluss übergebe. Aber zunächst möchte ich dir die Geschichte von einem kleinen Jungen erzählen, dem das Schicksal seit seiner Geburt schlechte Karten in die Hände gespielt hat. Und der dann ohne sein Zutun Opfer eines der schlimmsten Behördenversagen geworden ist, von denen ich je gehört habe. Es ist die Geschichte von Timo Krampe.«

Rocco fasste die Geschehnisse bis zu dem Punkt zusammen, als Krampe und Grünwald nach einem feuchtfröhlichen Abend in der *Dicken Oma* am Landwehrkanal entlanggelaufen waren. Er erklärte, wie mit einem Mal die längst vergangenen und verdrängten Erinnerungen in Krampe hochgekommen waren, dass auch Grünwald, der selbst Opfer des Missbrauchs ihres gemeinsamen Pflegevaters war, zum Täter an Krampe geworden war. An dieser Stelle unterbrach ihn Claudia.

»Moment, Rocco, nur, damit ich das richtig verstehe. Du sagst, dass Jörg Grünwald, der ja einige Jahre älter war als Timo Krampe und ohne Frage genauso von ihrem Pflegevater über Jahre hinweg missbraucht wurde, sich selbst an Krampe vergangen hat?«

»Ja. Hat er. Wohl nur einmal. Und Krampe hatte das vollkommen ausgeblendet, hatte es verdrängt. Bis eben zu diesem Moment.«

Claudia nickte, und obwohl sie offensichtlich noch einige Fragen hatte, hörte sie Rocco erst einmal weiter zu.

»Was dann passiert ist, kann man im Nachhinein nur als Verkettung unglücklicher Umstände bezeichnen.« Rocco schilderte, wie Grünwald stolperte, ins Wasser fiel und abtrieb, wie Timo Krampe, der nicht schwimmen konnte, nicht einem ersten Instinkt folgend hinterhersprang, wie er davon ausging, Grünwald würde sich bestimmt ans Ufer retten, bis zu dem Moment, als Krampe einige Tage später realisierte, dass etwas nicht stimmte, und sich an Anja Liebig wandte.

Skeptisch schaute Claudia Rocco jetzt an. »Glaubst du ihm das alles?«, fragte sie.

»Jedes einzelne Wort. Und weil ich vermutet habe, dass du das fragst, habe ich hier ein fünf Seiten umfassendes Geständnis. Außerdem habe ich noch einige Unterlagen, aus denen hervorgeht, dass Krampe sich in psychologische Behandlung begeben wird. Er wird zweimal die Woche an einer Gruppentherapie teilnehmen.« Rocco reichte Claudia einen Aktenordner über den Tisch. »Bei den Papieren findest du auch eine Bestätigung von Holland, aus der hervorgeht, dass Krampe auf jeden Fall das nächste Jahr noch auf seinem Hof arbeiten und wohnen kann.« Sehr ernst, aber mit einer gewissen Genugtuung fügte er hinzu: »Du solltest Krampe sehen, er ist ein veränderter Mensch. Richtiggehend aufgeblüht bei Holland. Die Arbeit und die Landluft scheinen ihm gutzutun.«

Claudia blätterte kurz durch die Akte, blickte Rocco dann aber mit düsterer Miene an. »Das ist alles schön und gut. Aber was du mir sagst, ist, dass Krampe den Tod eines Menschen verursacht hat. Ich überlege nun, ob ich ihn nicht sofort verhaften lassen sollte. Mal ganz abgesehen davon, dass wir uns unmittelbar mit Richter Wollschläger unterhalten und ihn über die neue Situation in Kenntnis setzen müssen.« Sie blickte ihn direkt an. »Weißt du eigentlich, was für ein Echo das geben wird. Die Presse wird sich auf uns stürzen. Wir haben den aussichtsreichsten Kandidaten auf den Posten des Regierenden Bürgermeisters im Höhepunkt des Wahlkampfs verhaftet und zu Unrecht des Mordes beschuldigt.«

»Natürlich ist mir das bewusst«, erwiderte Rocco. »Und ja, da kann einiges kommen. Aber wenn wir ehrlich sind, ist Palme keineswegs unschuldig. Er trägt ohne Frage Mitverantwortung an dem Schicksal von Krampe und Grünwald. Und vielen anderen Kindern. Ganz gleich, was damals seine Motivation war und wie er seinerzeit die Sache gesehen hat. Und wir wissen, dass er auch mit dem Unterdrücken der Akten, dem Verschleiern seiner Handlungen und der Recherche im Darknet, die nach unseren neuesten Erkenntnissen dann aber doch zu keinem Auftrag geführt hat, alles andere als moralisch einwandfrei gehandelt hat.«

Er sah Claudia durchdringend an. »War es also falsch, ihn anzuklagen? Im Ergebnis schon. Hättest du das zum damaligen Zeitpunkt wissen können? Sicher nein! War es vertretbar, ihn anzuklagen? Ich meine schon. Du damals auch. Genauso wie dein Chef. Die Gesamtwürdigung der Indizien ließ das zu. Und dafür sind Gerichtsverfahren ja da. Um genau diese Fehleinschätzungen zu hinterfragen.«

Claudia schnaufte wütend. »Ja, aus deiner Perspektive eine schöne Erklärung. Aber du wirst auch nicht in der Schusslinie der Öffentlichkeit, der Presse und vermutlich auch von Palmes Anwälten stehen. Sondern die Anklagebehörde, in personam ich.«

»Stimmt. Und ich verspreche dir, falls dir das etwas bedeutet, dass du dich auf meine volle Unterstützung verlassen kannst. Aber es ist, wie es ist, und deshalb müssen wir jetzt das Richtige tun.«

Claudia nickte. Sie war Profi genug, um zu wissen, dass Rocco recht hatte.

»Aber bevor wir uns um Palme kümmern und dafür sorgen, dass er wieder auf freien Fuß kommt, lass mich bitte noch zwei

Worte zu Krampe sagen. Denn der ist jetzt dein neuer Täter. Allerdings widerspreche ich dir, was eine Verhaftung betrifft. Das solltest du nicht tun. Denn wenn wir uns anschauen, was hier passiert ist und was dahintersteckt, haben wir es hier entweder mit einer Körperverletzung mit Todesfolge in einem minderschweren Fall oder mit fahrlässiger Tötung zu tun. Bei Krampes Vorleben würde jedes Gericht in beiden Fällen mit an Sicherheit grenzender Wahrscheinlichkeit die Strafe zur Bewährung aussetzen. Und dein Haftbefehl würde das Vorliegen von Flucht- oder Verdunklungsgefahr voraussetzen. Eine Verdunklungsgefahr ist ausgeschlossen durch Krampes Geständnis. Weder Krampe noch wir schweigen über die Geschehnisse. Und eine Fluchtgefahr ist im Hinblick auf das, was ich dir erzählt habe, nicht anzunehmen. Als Beleg dafür bitte ich dich inständig, mir zu vertrauen. Krampe und Holland warten unten in meinem Auto, und wenn du einverstanden bist, wird er dir das alles gleich noch einmal persönlich erzählen.«

»Wird er das?«, fragte Claudia.

»Ja, wird er.«

Sie dachte offensichtlich kurz nach, während sie noch einmal das schriftliche Geständnis von Krampe überflog. Schließlich klappte sie die Akte zu und sagte gereizt: »Na, dann bring ihn mal hoch.«

102. KAPITEL

Drei Wochen später

Berlin-Moabit, Kriminalgericht, Turmstraße 91:
Montag, 22. Februar, 10.32 Uhr

Die Verhandlung in der Sache gegen Timo Krampe war ebenso kurz wie unspektakulär, was die rechtliche Beurteilung der Geschehnisse betraf. Demgegenüber standen die Ereignisse der vergangenen Wochen. Nachdem Claudia zusammen mit Rocco noch am 2. Februar mit dem Vorsitzenden Richter Wollschläger gesprochen hatten, wurde Markus Palme unmittelbar aus der Haft entlassen und am nächsten Verhandlungstag offiziell freigesprochen. Auf Palmes ausdrückliches Betreiben hatte sein Verteidiger ebenso wie er selbst gegenüber der Presse keine weitere Stellungnahme abgegeben. Offensichtlich hatte er kein Interesse an einer weitergehenden Berichterstattung. Sein Verhalten als verantwortlicher Mitarbeiter des Jugendamts und all seiner Verfehlung boten genug Potenzial, seinen Ruf zu beschädigen. Stattdessen war er völlig von der Bildfläche verschwunden.

Das war sicher nicht zuletzt der Fortsetzungsserie von Anja Liebig in der *Tagespost* zu verdanken. In den vergangenen Wochen hatte sie weiter Sonntag für Sonntag über das Granther-Experiment, die Beteiligten und die Folgen berichtet. Der Schwerpunkt verschob sich dabei im Laufe der Zeit immer mehr von den Ereignissen der Vergangenheit in Richtung der Aufklärung der Geschehnisse und Wiedergutmachung für die Opfer. Dabei hatte sich auch die Leiterin des Jugendamtes Schöneberg, Monika Braunert, engagiert. Innerhalb beispiellos kurzer Zeit war es ihr gelungen, die Zusage der zuständigen Senatsverwaltung und des Landes Berlin für erste Entschädigungszahlungen zu erwirken.

Als Rocco im Anschluss an die Verhandlung den Gerichtssaal verließ, wartete dort bereits eine Traube von Menschen. Allen voran zahlreiche Reporter, die nicht nur auf das Ergebnis warteten, sondern sich vor allem auch das ein oder andere Interview mit einem der Beteiligten versprachen. Der Vorsitzende Richter hatte auf Antrag von Rocco entschieden, die Öffentlichkeit von der Verhandlung auszuschließen, sodass ihnen die Details des kurzen Prozesses bislang nicht bekannt waren. Von der Möglichkeit, die Öffentlichkeit auszuschließen, konnte das Gericht dann Gebrauch machen, wenn Umstände aus dem persönlichen Lebensbereich eines Prozessbeteiligten zur Sprache kommen, deren öffentliche Erörterung schutzwürdige Interessen verletzen würde. Und da hier detailliert über den Missbrauch an Timo Krampe durch seinen Pflegevater und durch den verstorbenen Jörg Grünwald gesprochen wurde, waren diese Voraussetzungen nach Ansicht von Richter Jochen Beltz gegeben.

Weil Rocco aus Erfahrung wusste, dass der Gerichtssaal von Reportern belagert werden würde, hatte der Vorsitzende zwei Wachtmeister gebeten, ihn und Krampe bis zu Roccos Auto zu bringen und vor dem zu erwartenden Ansturm von Fragenden zu schützen.

So kam es, dass Rocco die Reporter nur kurz darauf verwies, dass er jetzt keine Stellungnahme abgeben würde.

Unten auf der Straße vor dem Gericht warteten Holland und Liebig. Rocco hatte Holland gebeten, Krampe abzuholen, und Liebig hatte er auf Vorschlag von Krampe ein Exklusiv-Interview zum Ausgang des Verfahrens versprochen.

Nachdem Rocco sich von Krampe verabschiedet hatte und dieser mit Holland aufgebrochen war, wandte er sich an Liebig und zeigte auf die gegenüberliegende Straßenseite. »Mein Auto steht da drüben. Wollen wir ein paar Meter fahren und dann kann ich Sie auf den neuesten Stand bringen?«

»Gerne«, nickte die Reporterin.

Einige Minuten später parkte Rocco seinen Wagen auf der Straße des 17. Juni. Sie stiegen aus und gingen auf einen Weg in den unmittelbar angrenzenden Tiergarten.

»Dann erzählen Sie mal«, forderte Liebig ihn neugierig auf. »Was ist heute passiert? Und warum ging das alles so schnell?«

»Das ist ganz einfach«, erklärte Rocco. »Wir haben im sogenannten beschleunigten Verfahren verhandelt. Das ist immer dann möglich, wenn ein einfacher Sachverhalt vorliegt und keine Strafe von mehr als einem Jahr Gefängnis zu erwarten ist.« Rocco kickte einen auf dem Weg liegenden Stein in die Büsche, ehe er fortfuhr. »Und hier hatten wir eine solche Sachlage. Timo Krampe hatte schon vor drei Wochen vor Staatsanwältin Spatzierer ein umfassendes Geständnis abgelegt. Außerdem hat er sich freiwillig in psychologische Behandlung begeben.«

»Und was wurde jetzt genau verhandelt, und welche Strafe hat Richter Beltz verhängt?«

»Die Staatsanwaltschaft hatte wegen Körperverletzung mit Todesfolge in einem minder schweren Fall Anklage erhoben und am Ende der Verhandlung eine Freiheitsstrafe von einem Jahr auf Bewährung beantragt.«

»Wieso nur so wenig bei einem Tötungsdelikt?«

»Eine berechtigte Frage«, erwiderte Rocco. »Um das zu verstehen, muss man das Gesetz ein bisschen kennen. Eine Körperverletzung mit Todesfolge nach Paragraf 227 Strafgesetzbuch liegt immer dann vor, wenn der Täter den Tod der verletzten Person nicht beabsichtigte, diese aber durchaus verletzen wollte. Und genauso war es hier. Krampe hatte Grünwald absichtlich in den Rücken geschlagen, ihn aber nicht töten wollen. Er wollte ja nicht einmal, dass er in den Kanal fällt. Das war vielmehr eine Aneinanderreihung von unglücklichen Umständen. Und da er umfassend geständig war, die Tat bedauert, sich selbst um psychologische Hilfe für die Aufarbeitung all des Geschehenen bemüht und auch von Holland das Angebot erhalten hat, bei ihm zu arbeiten und erst einmal zu wohnen, zeigt er ebenfalls eine günstige Sozialprognose für die Zukunft. All diese Umstände hat das Gericht wohlwollend in die Beurteilung des Strafmaßes mit einbezogen und ist daraufhin dem Antrag von Staatsanwältin Dorn gefolgt.«

»Das heißt also, Krampe muss nicht ins Gefängnis?«

»Genau das heißt es«, bestätigte Rocco und lächelte Anja Liebig an.

»Am Anfang hatte ich das Gefühl, dass es in dieser Sache nur Verlierer geben kann«, sagte die junge Reporterin. »Aber inzwischen habe ich die Hoffnung, dass diese schreckliche Geschichte zumindest für Krampe noch eine gute Wendung genommen hat. Ich hoffe sehr für ihn, dass er alles, was geschehen ist, verarbeiten und damit leben kann.«

Rocco nickte. »Ja, wer hätte das vor einem halben Jahr gedacht?«

»Und außerdem«, fügte Anja Liebig hinzu, »gibt es jetzt immer mehr Geschädigte von damals, die sich an die Öffentlichkeit trauen. Das haben wir vor allem Monika Braunert zu verdanken, die sich der Sache angenommen hat.«

»Aber nicht nur ihr«, fügte Rocco hinzu. »Wirklich verantwortlich ist natürlich eine andere Person, ohne deren Hilfe und Entschlossenheit der Stein nicht ins Rollen gekommen wäre.«

Liebig schaute Rocco fragend an. Dann, nach einem kleinen Moment, fing sie an zu lächeln.

103. KAPITEL

Berlin-Charlottenburg, Fasanenstraße 72,
Kanzlei Eberhardt:
Montag, 22. Februar, 20.32 Uhr

Am Abend saßen Jarmer, Tobi und Rocco an dem Besprechungstisch in Roccos Kanzlei. Vor ihnen standen eine leere und eine halb volle Flasche eines hochpreisigen italienischen Rotweins.

»Das war es dann also«, stellte Jarmer fest und blickte gedankenverloren auf sein Glas. »Das war der Fall des dreizehnten Mannes.«

Rocco blickte ihn fragend an. »Des dreizehnten Mannes?«

»Ja«, antwortete Jarmer. »Doktor Kramer hatte mir das schon bei unserem Treffen in Travemünde erzählt. Weltweit gibt es viel mehr Fälle von Missbrauch, als wir ahnen. Und von den meisten erfahren wir nie. Nach einer Schätzung der Weltgesundheitsorganisation ist es jeder dreizehnte Junge. Und jedes fünfte Mädchen. Und Krampe ist eben dieser dreizehnte Junge. Und jetzt, in seinem Alter, der dreizehnte Mann.«

»So viele. Das hätte ich nicht gedacht«, sagte Rocco. »Aber letzten Endes bin ich froh, dass wir einem von ihnen gemeinsam helfen konnten.«

Jarmer nickte, verzog dabei aber leicht sein Gesicht.

»Irgendetwas, lieber Doktor Jarmer, scheint Sie aber noch zu beschäftigen, oder?«

»Nun, trotz all der Tragik und des bedauerlichen Todes von Grünwald scheint mir die Sache am Ende für Krampe noch einigermaßen gerecht ausgegangen zu sein. Allerdings gibt es da einen Punkt, über den ich nicht hinwegkomme.« Jarmer schaute zu Rocco. »Und das, Herr Eberhardt, macht mich wahnsinnig.«

Rocco zog die Augenbrauen hoch.

»Was war der entscheidende Wendepunkt in diesem Fall? Ich meine, wann ist uns wirklich klar geworden, worum es in dieser Sache ging? Und wer war dafür verantwortlich?«

»Keine Ahnung«, sagte Rocco. »Als ich den Anstecker entdeckt hatte. Oder als Sie die Idee entwickelt hatten, Krampe könnte gar nicht vor den Bus gestoßen worden sein, sondern hatte möglicherweise einen Selbstmordversuch unternommen? Oder als Doktor Kramer Ihnen den Hinweis zu der Opfer-Täter-Entwicklung gegeben hat?«

»Ja, auch, aber das meine ich nicht. Viel früher. Wann hatten wir wirklich das erste Mal etwas gegen Palme in der Hand? Also etwas Hieb- und Stichfestes?«

Rocco überlegte kurz, ehe er in schallendes Gelächter verfiel. Er hatte verstanden. »Die Akten. Sie spielen auf die Akten an. Sie können es nicht ertragen, dass uns der entscheidende Hinweis von Kamil Gazal zugespielt wurde«, grinste er. »Mein Lieber, mir scheint beinahe, Sie haben es in Ihrer Welt mit eindeutigeren Sachverhalten zu tun. Der ganze Fall zeigt, dass es im Leben da draußen einfach ambivalenter zugeht.«

Jarmer nickte. »Deshalb bin ich auch heilfroh, dass Sie der Anwalt sind und ich der Mediziner.«

Ich auch, dachte Rocco, als er ein Vibrieren in seiner Hosentasche spürte. Er zog sein iPhone heraus und sah, dass er eine WhatsApp-Nachricht erhalten hatte. Als er auf das Display blickte, schmunzelte er. In dem kleinen grünen Feld stand der Absender: Claudia Handy

NACHWORT

Die Charaktere und die Handlung in »Der dreizehnte Mann« sind rein fiktiv und frei erfunden.

Vor allem das sogenannte Granther-Experiment und den zweifelhaften Sexualwissenschaftler Helmut Granther hat es nie gegeben. Auch die Charaktere Timo Krampe und Jörg Grünwald entspringen der Fantasie der Autoren. Wir weisen ausdrücklich darauf hin, dass wir uns gerade bezüglich dieser beiden Figuren an keiner real existierenden Person orientiert haben und deren Handlungen und Gedanken ebenfalls fiktiv sind.

Was es allerdings tatsächlich gegeben hat, und was in Teilen auch Inspiration für den zweiten gemeinsamen Fall von Eberhardt & Jarmer war, ist das sogenannte Kentler-Experiment, das auf den im Jahr 2008 verstorbenen Psychologen, Sexualwissenschaftler und Professor für Sozialpädagogik Helmut Kentler zurückzuführen ist.

Kentler vertrat die obskure Ansicht, dass Kinder und Jugendliche aus zerrütteten Verhältnissen dann am besten wieder in ein geordnetes Leben zurückfinden würden, wenn man sie in die Obhut von Pädophilen geben würde. Seine Ansicht war, dass ihnen dort ein liebevolles Umfeld geboten würde, das sich von ihrer bisherigen Situation positiv unterscheide.

Und so unfassbar es klingt, ist es doch real: Aufgrund von Kentlers Wirken haben Berliner Jugendämter bis 2003 über dreißig Jahre lang Jugendliche und Pflegekinder in die Obhut von pädophilen Männern gegeben!

Alle bis zum Zeitpunkt des Schreibens dieses Buches zur Anzeige gebrachten Straftaten wurden wegen Verjährung eingestellt.

Kentlers Thesen, sein sogenanntes Experiment und dessen Folgen haben ohne Frage mehr Leid verursacht und Leben zerstört, als jemals in einem fiktionalen Buch geschildert werden könnte.

Wir hoffen, dass trotz der strafprozessualen Einstellung doch noch eine Aufarbeitung dieses beispiellosen Verbrechens in den kommenden Jahren erfolgen wird. Vor allem im Interesse aller in der Vergangenheit durch Kentlers absurde Theorien und seine willfährigen politischen Gehilfen Geschädigten. Auch zur Vermeidung künftigen Unrechts an unschuldigen Kindern, dem schwächsten und am wenigsten beachteten Glied unserer Gesellschaft.

Weitere Informationen zum Kentler-Experiment finden sich im Ergebnisbericht »Helmut Kentlers Wirken in der Berliner Kinder- und Jugendhilfe« auf der Webseite der Stiftung der Universität Hildesheim unter:

https://nbn-resolving.org/urn:nbn:de:gbv:hil2-opus4-10926

DANKSAGUNG

Aus vollem Herzen gilt unser großer Dank Hannah Paxian und Antje Steinhäuser, unseren beiden Lektorinnen, die uns bei dem zweiten Teil der Justiz-Krimi-Reihe um Strafverteidiger Rocco Eberhardt und Rechtsmediziner Justus Jarmer erneut durch ihre engagierte, inspirierende und überaus konstruktive Zusammenarbeit unterstützt haben.

Ein herzliches Dankeschön geht an Roman Hocke, unseren Agenten, und seine Mitarbeiterinnen Susanne Wahl, Claudia von Hornstein und Cornelia Petersen-Laux, stellvertretend für das gesamte großartige Team von AVA international in München.

Bei Droemer Knaur danken wir, ebenfalls stellvertretend für alle anderen im Verlag, die bei diesem Buch mitgemischt haben oder irgendwie ihre Finger im Spiel hatten: Doris Janhsen, Katharina Ilgen, Natalja Schmidt, Nina Vogel, Patricia Keßler, Antje Buhl, Helena Gräf, Elisabeth Schwab, Hanna Pfaffenwimmer und Steffen Haselbach. Darüber hinaus gilt unser Dank auch Annette Dascher für die Covergestaltung und Michaela Lichtblau für den Satz.

Meinen guten Freunden Patrick und Staffan, ebenso wie den ungenannt bleiben wollenden Mitarbeiterinnen der Staatsanwaltschaft Berlin, danke ich, Florian Schwiecker, herzlich für Ideen, Hintergründe und Faktencheck. Zudem gilt mein herzlicher Dank erneut den Teams des Restaurants Engelbecken und des Manstein Bistrots in Berlin-Charlottenburg für die perfekte Betreuung während des Schreibens.

Ein ganz spezielles Dankeschön geht von mir, Michael Tsokos, an meine Frau Anja, die den ganz normalen Wahnsinn mit mir jeden Tag erträgt und das erstaunlicherweise alles auch noch ganz gut findet, was ich so nebenbei mache. Ferner danke ich meinem tollen Team im Landesinstitut für gerichtliche und soziale Medizin und meinen tollen Mitarbeiterinnen und Mitarbeitern im Institut für Rechtsmedizin der Charité.

Und Ihnen, liebe Leserinnen und Leser, danken wir für den Griff auf den richtigen Büchertisch beziehungsweise den richtigen Klick bei Ihrem Online-Buchhändler. Wir wünschen Ihnen spannende Unterhaltung mit dem zweiten Teil der Rocco-Eberhardt-und-Doktor-Justus-Jarmer-Reihe!

Florian Schwiecker & Michael Tsokos